1. チュメニ州の旗と紋章

2. ハンティ・マンシ自治管区の旗と紋章

3. ヤマル・ネネツ自治管区の旗と紋章

4. アルタイ共和国の旗と紋章

5. トゥバ共和国の旗と紋章

6. ハカス共和国の旗と紋章

7. アルタイ地方の旗と紋章

8. クラスノヤルスク地方の旗と紋章

9. イルクーツク州の旗と紋章

10. ケメロヴォ州の旗と紋章

11. ノヴォシビルスク州の旗と紋章

12. オムスク州の旗と紋章

13. トムスク州の旗と紋章

14. ブリヤート共和国の旗と紋章

15. サハ共和国の旗と紋章

16. ザバイカーリエ地方の旗と紋章

17. カムチャッカ地方の旗と紋章

18. 沿海地方の旗と紋章

19. ハバロフスク地方の旗と紋章

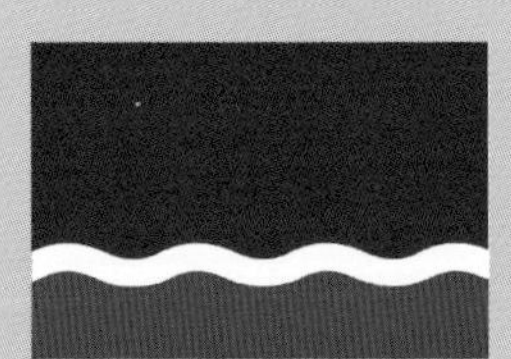

20. アムール州の旗と紋章

21. マガダン州の旗と紋章

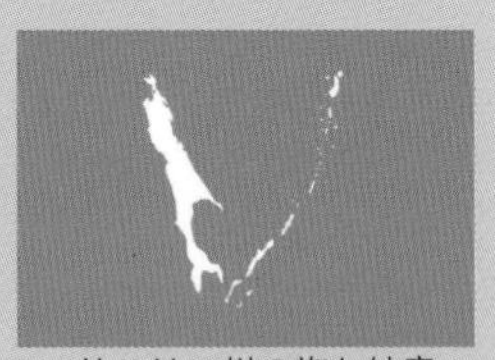

22. サハリン州の旗と紋章

23. ユダヤ自治州の旗と紋章

24. チュクチ自治管区の旗と紋章

エリア・スタディーズ
203
ロシア極東・シベリア
を知るための
70
章
服部倫卓
吉田　睦
（編著）
明石書店

はじめに

明石書店の「エリア・スタディーズ」のシリーズからは、すでに下斗米伸夫・島田博（編著）『現代ロシアを知るための60章【第2版】』、下斗米伸夫（編著）『ロシアの歴史を知るための50章』が刊行されています。ロシアという国全般に興味をお持ちの読者は、まずはそれらを手に取って入門を果たしてください。

世界各国を国別に解説することに飽き足らず、最近ではよりマニアックな領域に踏み込んでいる「エリア・スタディーズ」ですが、本書のように一国の中の特定地域を取り上げるケースは、まだあまり多くないはずです。しかも、ロシア極東・シベリアは地理的にこそ広大ですが、今日この辺境地帯には全ロシア国民の2割ほどが住んでいるにすぎません。

それでも、本書があえてロシアの東部に徹底的にフォーカスするのには、もちろん理由があります。端的に言えば、ロシアをロシアたらしめているのは、シベリアであり、さらにその延長上にある極東なのではないでしょうか。シベリア・極東は、ロシアのすべてではありませんが、それがなかったら、ロシアはまったく違う国になっていたはずです。

歴史を振り返れば、後進的なヨーロッパ国としてくすぶっていたロシアが、やがて大国に成長していったのには、東に広がっていた広大なフロンティアを、それほどの苦もなく手に入れられたことが大きかったはずです。これによりロシアは、地理的なコントラストを増し、ヨーロッパのみならずアジア・太平洋国家ともなりました。また、正教を信奉するロシア人を主体としつつも、多民族・多文化国家としての性格を強めることにもなりました。

シベリア・極東は、石油・天然ガスをはじめとする天然資源に恵まれ、それがロシアの発展を支えています。しかし、代償として資源以外の産業が育ちにくく、また国際市況に翻弄されがちです。その上、シベリア・極東を開発・維持することは、ロシアにとって大きな負担です。巨大なポテンシャルを有する反面、重荷でもあるシベリア・極東は、ロシアにとり常に中心的なジレンマなのです。

シベリア・極東はまた、日本とロシアの出会いの地でもあります。江戸時代に日本人がロシアの人々と邂逅したのを皮切りに、20世紀前半には日露戦争、日本軍のシベリア出兵、ソ連対日参戦、日本人捕虜のシベリア抑留といった政治的な事件が続き、戦後には北方領土問題が残されました。他方でシベリア・極東は、時代の浮き沈みこそあるものの、両国による経済協力の舞台でもあり、日本がロシアから輸入している商品は大部分がシベリア・極東の産品です。

さらに言えば、気候変動をはじめ、今後の人類・地球にとって北極の重要性が高まっていくはずですが、ロシアの北極圏はシベリア・極東とかなりオーバーラップしています。北極の行方という観点からも、シベリア・極東に目を向けることが必要です。

ロシアの本質を解く鍵が、シベリア・極東にあるだけではありません。ここは日本にとり、そして人類・地球にとり、とても重要なエリアなのです。

服部 倫卓

ロシア極東・シベリアを知るための70章

I シベリア・極東の地理と自然

II シベリア・極東の歴史

III シベリア・極東の民族と文化

IV 現代のシベリア・極東の諸問題

CONTENTS

V

シベリア・極東の諸地域

CONTENTS

※本文中、とくに出所の記載のない写真については、原則として執筆者の撮影・提供による。

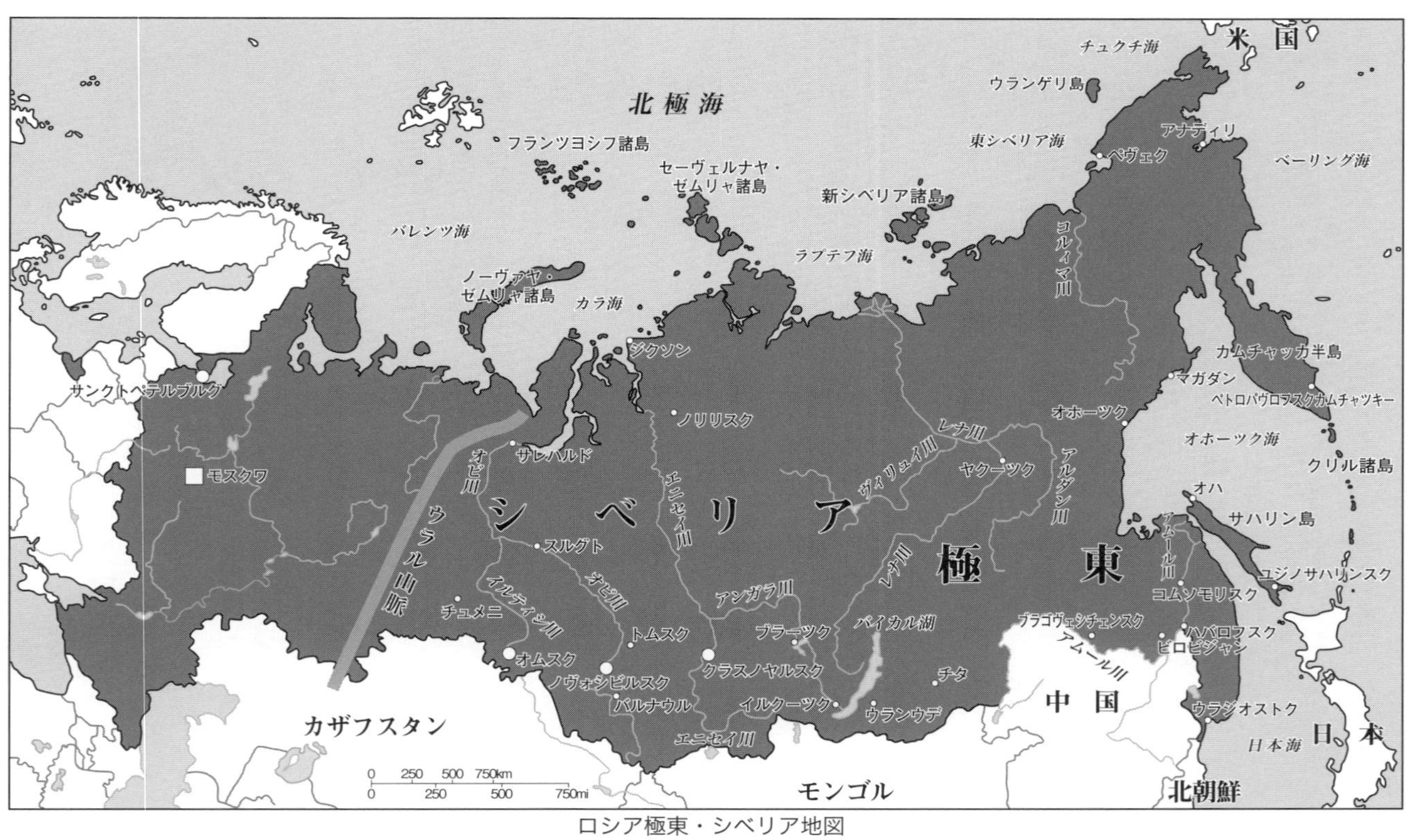

ロシア極東・シベリア地図

I

シベリア・極東の地理と自然

1

シベリア・極東の起源と領域

★時代とともに揺れ動く地理のイメージ★

世界一広い面積を誇るロシア。その国土は、ヨーロッパ・ロシア Европейская Россия とアジア・ロシア Азиатская Россия に二分される。ウラル山脈より西がヨーロッパ部、東がアジア部ということになる。そして、アジア部においては、西から東にかけて、ウラル圏 Урал、シベリア Сибирь（ロシア語の発音ではシビーリ）、そして極東 Дальний Восток が広がっている。このうちシベリアと極東を徹底的に掘り下げるのが本書である。

日本では極東もひっくるめて「シベリア」と呼ぶことが多い。ウラジオストクに旅行に出かけた人が、「シベリアに行ってきた」と言っても、違和感はないだろう。しかし、現代のロシアではシベリアと極東は区別され、ウラジオストクやハバロフスクあたりを指してシベリアと呼ぶことはまずない。また、国際的に極東という地理概念は東アジア、北東アジアなどとほぼ同義であるが、ロシアで極東という場合にはロシア国内の極東地方だけを意味する場合が多いので、この点も注意したい。

それでは、ロシアでシベリア、極東という呼称は、いつ頃、どのようにして生まれたのだろうか。

日本では、シベリアという地名が、15世紀末に成立したシビル・ハーン国に由来すると断定的に説明した資料が散見される。しかし、これは諸説ある中の1つに過ぎない。この地名が古代のフン族や丁零(ていれい)族に関係していると考える学者もいる。また、シベリアという語が初めて文献に登場したのは、シビル・ハーン国よりも早く、13世紀成立の『元朝秘史』だったとも言われる。シベリアのもともとの語源については、テュルク系言語で「美しい」や「吹雪」を意味する単語から来たという説、白樺の生えた湿地を表すモンゴル語から来たという説などが唱えられている。

ただ、シビル・ハーン国の存在がシベリアという地名の定着に繋がった側面は、確かにあったかもしれない。現に、16世紀から文書や地図で、シビル・ハーン国のあった領域を指して、シベリアという地名がしばしば登場するようになる。そして、17世紀半ば以降シベリアは、ロシアのアジア領全体を指す地名として使われることが増えていった。それは国家統治機構の名称にも反映されるようになり、1803年にはシベリア総督府が設置され、1822年には西シベリア総督府と東シベリア総督府に分割された。なお、帝政ロシア時代には長らく、シベリアは現在のロシア極東を含め、ロシアのアジア領全域を指すものと考えられていた。

一方、もともと「極東」という地域名は植民地主義時代に、欧州列強から東方を見た場合に、近くが近東、中ほどが中東、遠くが極東という意味で生まれた呼称である。そうした中、ロシアの地理学者V・カラキンによると、帝政ロシアでは当初、今日のロシア極東の領域は東シベリアの延長上にあるものと漠然と捉えられるのみだった。G・ネヴェリスコイ提督が執筆し、死後の1878年に発行された書籍は、『ロシア極東におけるロシア海軍軍人の勲功』と題されていたが、この極東はフランス語の Extrême-Orient を翻訳したものと考えられ、「極」を表すロシア語単語は現在のようなダーリニー дальний ではなくクライニー крайний であった。1884年に東シベリア総督府から分離する形で創設されたプリアムール総督府は、その後のロシア極東の原型になっていくものの、当時はまだこのエリア全体を一体のものとして捉える発想は希薄で、ロシア極東という呼称も存在しなかった。

それでも、アムール川およびウスリー川沿岸地域の編入を終えたロシアは、日清戦争以降の国際情勢激動を背景に、アジアにおける地政学的野心を強める。ロシアが北東アジアで積極的な対外拡張路線に転じたことに伴い、「ロシア極東」という言葉がロシアの政治や地理学に登場するようになった。そして、日露戦争前夜の1903年には極東総督府が創設され、極東という呼称が公的に用いられた。ロシア革命後の1920~22年に存在した極東共和国も、極東という枠組み・呼称の定着に一役買うことになる。こうした経緯から、極東共和国が1922年にソビエト・ロシアに組み込まれて以降も、ロシア極東という概念・用語がそのまま利用された（その領域は帝政時代のプリアムール総督府とほぼ重なるものであった）と、カラキンは解説している。

時代は下り、ソ連体制下で計画経済が本格的に施行されると、それを円滑に運営する目的で、ソ連の国土を経済の同質性や一体性に応じていくつかの経済地区 экономические районы に区分することが始まった。その後長く定着することになる1963年の経済地区区分では、ロシア共和国は11の経済地区に分類された（飛び地のカリーニングラード州は除く）。そのうちアジア部では、西シベリア経済地区、東シベリア経済地区、極東経済地区という3つが設けられた。なお、この1963年の区分により、現在のサハ共和国（当時はヤクート自治ソビエト社会主義共和国）が東シベリア経済地区から極東経済地区へと移管されたことが見逃せない。この1963年の経済地区体制が、1992年以降の新生ロシアにも引き継がれた。

ところが、2000年に就任したV・プーチン大統領の下、同年5月に連邦管区制度が導入される。プーチン流の連邦管区は、当時の軍管区に沿った区分けとなり、帝政時代の総督府を想起させるような、上からの政治統制の枠組みという色彩が濃かった。他方で、ソ連時代から続く経済地区の枠組みも、利用されることは稀になったとはいえ、一応は公式的な地域区分として残ったため、2種類の地域区分が併存し混乱を招くこととなった。

さらに、ロシア政府が地域開発の新機軸を模索する中で、2019年2月にマクロリージョン макрорегионы という新たな地域区分を導入したことも興味深い。連邦管区を踏まえつつも、経済地区的な要素も取り入れ、産業の共通性やエリアの経済的一体性を重視した、よりきめの細かい区分となっている。ただし、この枠組みが今後具体的にどのように活用されていくのかは判然としない。

もう1つ、地域間経済協力協会という組織も注目に値する。これはとくに1990年代に一世を風靡したもので、地域エリートが自発的に結集して地域協力を目指そうという枠組みである。

経済地区、連邦管区、マクロリージョン、地域間経済協力協会の対応関係は複雑なので、図を作成してみた。以下ではこれを参照しながら、シベリア、極東にまつわるニュアンスにつき解説を試みたい。

チュメニ州（ハンティ・マンシ自治管区とヤマル・ネネツ自治管区を含む）は伝統的に西シベリアに属してきた。そのチュメニ州が、プーチンの導入した連邦管区制ではシベリアではなくウラルに分類されたことは、物議を醸した。チュメニ州の実相を見れば、同州では依然としてウラルよりもシベリ

図01-01　シベリア・極東の地域区分

地域	経済地区（2019.10以前）	経済地区（2019.10以降）	連邦管区（2000.5-2018.11）	連邦管区（2018.11以降）	マクロリージョン（2019.2以降）	地域間経済協力協会	ロシア科学アカデミー
チュメニ州	西シベリア		ウラル	ウラル	ウラル・シベリア	（大ウラル）／シベリア協約	シベリア支部
ハンティ・マンシ自治管区	西シベリア		ウラル	ウラル	ウラル・シベリア	（大ウラル）／シベリア協約	シベリア支部
ヤマル・ネネツ自治管区	西シベリア		ウラル	ウラル	ウラル・シベリア	（大ウラル）／シベリア協約	シベリア支部
オムスク州	西シベリア	西シベリア	シベリア	シベリア	南シベリア	シベリア協約	シベリア支部
ノヴォシビルスク州	西シベリア	西シベリア	シベリア	シベリア	南シベリア	シベリア協約	シベリア支部
トムスク州	西シベリア	西シベリア	シベリア	シベリア	南シベリア	シベリア協約	シベリア支部
アルタイ地方	西シベリア	西シベリア	シベリア	シベリア	南シベリア	シベリア協約	シベリア支部
アルタイ共和国	西シベリア	西シベリア	シベリア	シベリア	南シベリア	シベリア協約	シベリア支部
ケメロヴォ州	西シベリア	西シベリア	シベリア	シベリア	南シベリア	シベリア協約	シベリア支部
ハカス共和国	東シベリア	東シベリア	シベリア	シベリア	アンガラ・エニセイ	シベリア協約	シベリア支部
クラスノヤルスク地方	東シベリア	東シベリア	シベリア	シベリア	アンガラ・エニセイ	シベリア協約	シベリア支部
トゥヴァ共和国	東シベリア	東シベリア	シベリア	シベリア	アンガラ・エニセイ	シベリア協約	シベリア支部
イルクーツク州	東シベリア	東シベリア	シベリア	シベリア	アンガラ・エニセイ	シベリア協約	シベリア支部
ブリヤート共和国	東シベリア	極東	シベリア	極東	極東	シベリア協約／極東・外バイカル	シベリア支部
ザバイカリエ地方	東シベリア	極東	シベリア	極東	極東	シベリア協約／極東・外バイカル	シベリア支部
サハ共和国	極東	極東	極東	極東	極東	極東・外バイカル	シベリア支部
マガダン州	極東	極東	極東	極東	極東	極東・外バイカル	極東支部
チュクチ自治管区	極東	極東	極東	極東	極東	極東・外バイカル	極東支部
アムール州	極東	極東	極東	極東	極東	極東・外バイカル	極東支部
ユダヤ自治州	極東	極東	極東	極東	極東	極東・外バイカル	極東支部
ハバロフスク地方	極東	極東	極東	極東	極東	極東・外バイカル	極東支部
沿海地方	極東	極東	極東	極東	極東	極東・外バイカル	極東支部
サハリン州	極東	極東	極東	極東	極東	極東・外バイカル	極東支部
カムチャツカ地方	極東	極東	極東	極東	極東	極東・外バイカル	極東支部

ア・アイデンティティの方が強いことは歴然である。地域経済協力協会の枠組みでは、かつては「大ウラル」と「シベリア協約」の双方に加入していたが、スヴェルドロフスク州が主導していた大ウラ

ルが没落し活動を停止したことで、結果的にシベリア協約の一択となった。こうしたことから、本書がチュメニ州と2つの自治管区を対象エリアに加えているのは、まったく自然なことである。

シベリアと極東の間には、固定的な境界線があるわけではない。両者が織り成すグラデーションは、たとえばバイカル圏 Байкальский регион（イルクーツク州、ブリヤート共和国、ザバイカーリエ地方）に見て取ることができる。これら3地域は従来、経済地域でも連邦管区でも一貫して（東）シベリアに属してきた。しかし、ロシア政府による経済開発政策では、課題の共通性にかんがみ、極東とバイカル圏が同じプログラムで扱われることが多かった。バイカル圏のうち、バイカル湖西岸に位置するイルクーツク州がシベリアに属すのは、疑いの余地がない。それに対し、バイカル湖東岸に位置し、外バイカル Забайкалье と総称されるブリヤート共和国およびザバイカーリエ地方は、以前から極東の重力にも引き寄せられていた。２０１８年11月にはついにブリヤート共和国とザバイカーリエ地方がシベリア連邦管区から極東連邦管区へと移管され、翌年には経済地区でも東シベリアから極東に移された。

もう1つ、一種のグレーゾーンとなっているのが、北東シベリアである。今日の経済地区および連邦管区では、サハ共和国、チュクチ自治管区（日本ではチュコト自治管区、チュコトカ自治管区などと呼ばれることもある）、マガダン州は極東に属する。しかし、自然地理学的には、これらの地域は北東シベリアに分類されるのが一般的である（マガダン州とチュクチ自治管区のうち、太平洋沿岸部については北東シベリアに含めない学者もいるが）。ロシア科学アカデミーの体制でサハ共和国がシベリア支部に属しているのは、こうした背景による。

（服部倫卓）

2

「シベリアの真珠」バイカル湖

★その瞳は青いままでいられるか★

バイカル湖は東シベリア南部に位置する世界最古、最大、最深の淡水湖であり、行政上はイルクーツク州とブリヤート共和国に属する。ブリヤート語ではバイガル湖と表記される。全長636㎞、幅79・5㎞、深さ1642m、面積3万1722㎢。流域面積は、日本の国土面積の約1・5倍にあたる57万㎢に及ぶ。流入河川は336を数え、東岸のセレンガ川が最大の流入河川。流出河川は西岸のアンガラ川のみ。貯水量は世界の湖沼水全体の約5分の1を占め、透明度の高さ（約41m）は世界一といわれる。その風光明媚な景観から、「シベリアの真珠」、「シベリアの青い瞳」と形容されてきた。ユーラシア大陸を南北に二分する地球の裂け目とされる「バイカルリフト帯」の中心に位置し、約3千万年前に形成された地溝湖である。現在も幅と深さが年間数㎝ずつ拡大しており、世界最古の湖ながら「若い湖」、「生まれつつある大洋」と称される。地名は、通説ではテュルク諸語の「豊かな海」を意味するとされるが、モンゴル語の「豊かな灯」あるいは「大きな湖」に由来するともいわれる。弓形をした湖が日本の本州の形に似ていることから、「バイカル湖を掘った土で日本をつくった」という言い伝えが残る。

ハマルダバン山脈、ウランブルガスイ山脈、バルグジン山脈、バイカリスキー山脈、プリモルスキー山脈など大小の山脈に囲まれ、一部では氷河地形が発達し、万年雪もみられる。オリホン島、スヴャトイノス半島、セレンガ川河口のデルタ地帯を除き、湖岸のほとんどで急峻な断崖が続き、断層を示す三角末端面が湖底まで延びる。湖内には27の島があり、その最大は湖中央に位置するオリホン島。スヴャトイノス半島沖のウシカニ諸島は、世界唯一の淡水アザラシ（バイカルアザラシとも呼ばれる）の生息地として知られる。秋から初冬にかけてしばしば強烈な地方風が吹き荒れ、風向きによって、サルマ（北西風）、バルグジン（北東風）、クルトゥク（南西風）と呼ばれる。最大の強風はサルマで、風速40mを超えるときもある。湖面は1月に結氷し、5月に融氷する。夏季には沿岸部の市町村を結ぶ高速艇が走り、南岸のスリュジャンカからは遊覧船が周航する。湖面の水温が上がり遊泳可能な季節になると、多くのバカンス客が保養地やキャンプ地に集まる。筆者が地元NGO主催のエコツアーに参加し、1週間かけて船や車で湖岸を移動したときも（写真02―01）、やはり泊まりがけでバイカル湖の雄大な自然を満喫する人々に出会った。湖は豊かな漁場でもあり、沿岸部に多くの漁港と水産加工工場がある。淡水魚オームリの塩漬けや燻製は地元民の食生活に欠かせないだけでなく、バイカル湖の名産品としても知られる。

写真 02-01　世界自然遺産に登録されたバイカル湖（船上より、1996 年 8 月 1 日）

湖に生息する約２６００種の動植物のうち、固有種が４分の３を占め（バイカルアザラシのほか、淡水カジカ類のゴロミャンカ、動物プランクトンで湖水浄化の役割を担うエピシュラなど）、東太平洋のガラパゴス諸島（ダーウィン進化論の誕生の地）とならび「進化の生きた博物館」と称される。そのため、環境保護の必要性が早くから叫ばれ、現在までに自然保護区３か所（バルグジン、バイカリスク、バイカルレナ）と国立公園２か所（プリバイカリスク、ザバイカリスク）が設立され、１９９６年にはユネスコの世界自然遺産に登録された。バイカル湖とその流域は、陸水学をはじめとする学術研究の貴重なフィールドとして知られる。１９９１年末には国際的な非政府共同研究組織「バイカル国際生態学研究センター」（ＢＩＣＥＲ）が設立され、日本は発足時から参加している。

その一方で、バイカル湖は唯一無二の淡水資源として、第２次世界大戦後の経済開発の対象となった。開発と環境の観点からとくに論議をよんだのは、湖からの唯一の流出河川であるアンガラ川を堰き止めて建設されたイルクーツク水力発電所（１９５８年）と、湖南岸に築かれたバイカリスク製紙・

パルプ工場（１９６６年）である。発電所のダム建設によって湖面の水位が１ｍ近く上がったため、河岸の水没や浸食、生態系の変化などが生じた。さらに、製紙・パルプ工場は廃水を湖に直接排出し、工場周辺の水質汚染を招いたことで、操業当初から環境汚染をめぐる論争が内外で起き、社会主義国ソ連の公害問題を世間に広く知らしめるシンボル的存在になった。『ソ連における環境汚染』（岩波書店）を上梓して大きな反響を巻き起こした米国のソ連研究者マーシャル・ゴールドマンは、その冒頭で同書を「バイカル湖に捧ぐ」（To Lake Baikal）とまで記すほど、強い思い入れを示している。環境保護の機運が一気に高まったペレストロイカの時代に、操業の停止と家具製造への事業転換を命じられた工場は、長年にわたる紆余曲折の末、既存の生産工程を維持しながら工場廃水を一切排出しない最新の給排水設備を導入するというかたちで積年の問題を解決しようとしたが（２００８年）、折からのグローバル金融危機の煽りを受けて経営破綻の憂き目にあい、多くの従業員が解雇された。当時のプーチン首相（現大統領）が仲介に乗り出すなど、破産管財人の監督下で早期の生産再開と経営再建の道を模索したが、万策尽きた工場は半世紀に及ぶ歴史に幕を下ろした（２０１３年）。しかし、バイカル湖の豊かな自然と資源は産業界の関心を惹き続けており、周辺地のリゾート開発から森林伐採を目的とした自然保護区域の解除に至るまで枚挙に暇がない。シベリア・極東地域を横断する石油パイプライン「東シベリア・太平洋パイプライン」（ＥＳＰＯ）の敷設ルートが湖北岸に近接していたため、地元政府や環境保護団体が見直しを再三求めたものの聞き入れられず、着工直前にプーチン大統領の鶴の一声で湖を大きく迂回するルートに変更されるという一幕もあった（２００６年）。そのため、世界自然遺産としての価値を失ったと見なされたバイカル湖が、「危機にさらされている世界遺産リスト

（危機遺産リスト）」に加えられるのではないかという懸念が絶えず表明されている。心安まる日々は果たしてバイカル湖に訪れるのだろうか。その澄んだ「青い瞳」が濁らないことを祈るばかりである。
シベリアに古くから伝わる民話には勇士バイカルとして登場し、アンガラは美しい一人娘とされた。アンガラ（川）が許嫁のイルクト（川）と結婚せず、誇り高いサヤンの後継者エニセイ（川）の下に走ったときに怒り狂って投げつけた石が、オリホン島西岸にある「シャーマンの岩」と言い伝えられる（民話「勇士バイカル」より）。先住民はバイカル湖を聖なる湖として神聖視してきた。現在でもシャーマニズムの伝統が息づいており、宗教的な行事や儀式が執り行われている。戦後復興と社会主義建設に身を捧げる若者の姿を清冽に描いたソ連映画「シベリア物語」（1947年）の中で、主題歌として使われた「バイカル湖のほとり」は、日本でも多くのファンを魅了したロシア民謡の1つである。
（徳永昌弘）

3

シベリアの大河

★レナ・エニセイ・オビと暮らす人たち★

シベリアの3大河川と言われるレナ川、エニセイ川、オビ川は、日本の面積の20倍に至る広範囲に分布する。それぞれの河川は異なる地形、地理環境をなしている。

中央シベリア高原の南部に位置するバイカル山脈の高山地を源流とするレナ川は、北東に流れる本支流にいくつかの川が一緒になってヤクーツク平野に入り、スタノヴォイ山脈の北斜面のアルダン川が合流している。ヴェルホヤンスク山脈に沿うように北に流れて行く途中、左岸の大支流であるヴィリュイ川が合流する。そして、河口に形成された面積1万8００㎢の三角州を貫いてラプテフ海に入る。レナ川の三角州は7つの分流があり、幅は4００㎞に達する。夏の間は凍土の融解によって一面の湿地帯に変貌するが、冬季には凍結したツンドラの状態に変わる。

モンゴル北部のハンガイ山脈を源流とするエニセイ川は、上流のアバカン川、オヤ川、トゥバ川などが集まってシベリア中央部を流れてカラ海に至る。その途中で、モンゴルに源流を持つバイカル湖から流れ出るアンガラ川、オビ・エニセイ運河で結ばれている大カズ川、右岸側の中央シベリア高原から流れるポドカメンナヤ・ツングースカ川とニジニャヤ・ツングースカ川という2つの大河も合流する。川の上・中流部にはいくつかの巨大な水力発電用のダムがソビエト時代に建設されている。河口には幅50㎞の三角州が形成されている。

アルタイ山脈に源流があるビヤ川とカトゥニ川が合流して始まるオビ川は、丘陵地帯を蛇行しながらトムスク州の平原地帯を通り抜き、ハンティマンシースク付近でイルティシ川と合流する。そして、西シベリア低地を北へウラル山脈と並行に流れてからカラ海に入る。中国のウイグル自治区北端、アルタイ山脈南麓を源流とするオビ川第一の支流であるイルティシ川は、合流点から源流までの距離がオビ川本流よりも長い。オビ川流域には広い氾濫原と無数の支流や分流、湖などが続く中、河口に三角州のないこと、そして上流にステップと半砂漠地が分布していることがレナ川・エニセイ川と異なる点である。

亜寒帯気候で最暖月7月の平均気温がおよそ20度、そして最寒月1月は氷点下40度まで下がり、大きな気温の年較差を示している。流域の南側は「タイガ」と呼ばれる針葉樹林、北は森林のない「ツンドラ」と、南北において植生が明確に異なり、その地面の下に永久凍土が存在する。また、年間降水量は200～300㎜を記録するほど乾燥気候である。3つの河川から年間1580㎦の河川水が北極海に流れていく。その量は環北極域の河川から北極海に流入する河川水の31％を占めるほど大きい。温暖化が急速に進行している中、河川の流出量は増加し続けている。降水量が少ないにもかかわらず河川の流出量が多い理由については後に述べる。

冬のシベリアは凍土の状態である。大地、そして川の上が雪で覆われる。凍った川の上には不思議な光景がひろがる。人の乗った橇をトナカイが引きながら川を渡る。その隣を車が走っている。歩く人もいれば、自転車に乗っている人もいる。まさに古代と現代の文明が共存している世界だ。このように河川氷は現地人にとって重要な生活インフラとなり、今も利用され続けている。ロシア人は言う。「冬には極東のアナディリからモスクワまで車で走れる。どこでも行ける」。まさにその通りだ。昔の人がベーリング海峡を歩き渡ったことを思うと理解できる。しかし、温暖化の影響によって河川氷は薄くなってきている。これは今後も続きそうだ。アイスロードとして機能するためには、人工的に河川の氷を厚くしなければならない。それは今までやってきたことより多くの人的・物的投資が必要となることを意味する。やがてトナカイのそりが滑らない日が来るのだろうか。そのことを予測して、ロシア政府はレナ川に橋の建設を計画しているのかもしれない。

日光が強くなると雪と土壌は融解し始める。気温の高い南からスタートして北上していく。融雪水は一瞬にして地面をドロドロに変える。そして、大量の融雪水が河川に流れ、河川の水量はあっという間に増える。すると、河川氷が破壊されて融雪水とともに北に流れていく。この瞬間は現地の人々にとって待ちに待った日だ。春が到来したから。長い冬の眠りから解放される喜びの日だから。人々はこの瞬間を喜び合うため、お弁当を用意して家族や友人とピクニックに出かける。氷と水が流れる風景が良く見える高台に腰を下ろし、飲み食いしながら語り合うのだ。笑いが絶えない。その上空をヘリコプターが休まず飛び回る（次頁写真上）。川幅が狭くなるところで氷が詰まってしまうと起きる「アイスジャム洪水」を事前に検知し、住民に知らせるためだ。春になるとヘリコプターの音がよく聞こえてくるわけがそこにある。行政機関はアイスジャムの発生する地点とタイミングに関する情

写真 03-01　レナ川の河川氷が融解する様子。その上空にアイスジャム洪水を調査するヘリコプターが飛ぶ（上）。夏にレナ川で人と乗用車などを輸送する貨物船

報を天気予報のように随時更新して配信している。この洪水によって村が水没し、放牧していた牛や馬が死ぬ被害もしばしば起きているからだ。水没した村の住民は標高の高いところに移住し、新しく村を作る。生き方が現代化されつつある今もそれは続いている。旧ソ連時代にはアイスジャム洪水の対策として空爆を行ったこともあるそうだが、環境問題の認識が強くなってからはやっていないようだ。研究者たちはアイスジャム洪水を正確に予測できるよう、システムの開発を続けている。

河川の水位が上がる夏には、車が走っていたところを船が渡る。船は人を運ぶ旅客船だけではない。自家用車から大型トラックまで運ぶ、「貨物船」と言ったほうが正確かもしれない（写真下）。運航ダイヤは決まっていない。車で満船になるまで待ち続けるのだ。待ち時間が長くなっても誰一人文句を言わない。船主のお詫びのアナウンスなど当然ながらない。待っている間の食事は売店の軽食で済ませるしかない。満車になると、ようやく船は出発する。向こう岸に人と車を下ろしてから、また次の

客を乗せる。24時間体制で船は運航し続ける。大河川に面した極東シベリアの都市では、こうした船が運航されているところが多い。人の往来と物資の供給が絶えることなく続くのだ。

夏は漁業のシーズンでもある。川や湖、また北極海でも変わらない。採れた魚は村や都市の市場に集まってくる。北極域（あるいはシベリア）の内水面で漁獲される淡水魚はシベリア先住民の大好物である。それを凍らせて薄くスライスして刺身にしたものが高級料理として食卓に上がる。シベリアの主要河川では北極海と内陸を結ぶ貨物船の運航が夏の間に続く。これが北極海の新鮮で良質な魚の供給ルートになる。温暖化の影響で河川に氷のない期間が長くなり、船の運行期間も今後長くなる可能性がある。魚の消費量も同時に増えるかもしれない。また、温かい河川水が北極海に流れることで北極海もより暖かくなる。それによって北極海の生態系や魚の生態が変わる。当然、魚の種類が変わる可能性もある。河川水は北極海の栄養塩になる物質も一緒に運んでくれる。その栄養塩の多くが永久凍土に蓄積されている有機物を起源とする。温暖化によって凍土の融解が急速に進行している。凍土内に存在している氷と有機物が同時に溶ける。有機物の一部は温室効果ガスとして大気に放出される。そして、その一部が氷の融解水とともに河川に流れていき、北極海に流入する。そこで運ばれてきた有機物はプランクトンなどの魚の餌になり、海洋生物の量や種類に直接影響を与えることになる。凍土起源の有機物は北極海の酸性化にまでに繋がる。温暖化による凍土の融解は今後も加速し、河川による北極海への影響はより大きくなると予測できる。河川は単に水だけを運ぶ水路ではなく、自然環境のさまざまな変化が集結される場所でもあり、その影響はシベリアの先住民だけではなく、遠く離れている私たちにまで及ぶ温暖化の実態なのである。

（朴　昊澤）

4

カムチャッカと千島列島の火山

★世界屈指の活動的火山群★

カムチャッカの玄関口であるペトロパヴロフスク国際空港に降り立つと、最初に目に入るのは2つの活火山、コリャーク（コリャークスキーまたはコリャークスカヤと呼ばれることもある）とアヴァチャ（アヴァチンスキーまたはアヴァチンスカヤと呼ばれることもある）の雄姿である。カムチャッカ半島は、活動的火山が南北に連なる火山地帯であり、太平洋プレートがカムチャッカ海溝から沈み込むことで、火山の源であるマグマが作られる。

高山植物が咲き誇る短い夏には、世界自然遺産「カムチャッカ火山群」でのトレッキングや登山を楽しむ旅行者が世界中から訪れる。8月後半になると、山では早くも吹雪となり、山肌は新雪を纏って白く姿を変える。火山といえば温泉だが、ペトロパヴロフスク近郊のパラトゥンカには温泉プール施設が数多くあり、休日にはカムチャッカビールを片手に人々が寛ぐ。

カムチャッカ川が流れを東に変える半島北部には、爆発的な噴火を繰り返すシヴェルチ、山腹噴火で溶岩流を流すトルバチクなど、世界に名の知れた3千m級の活火山がひしめいている。その中でひときわ目を引くのが、きれいな円錐状の山容を示すクリュチェフスカヤ（クリュチェフスコイと呼ばれることもある）火

写真 04-01　カムチャッカ最高峰クリュチェフスカヤ火山

山だ。標高は４７５０ｍ。カムチャッカ最高峰であると同時に、活火山としてはユーラシアで最も高い。クリュチェフスカヤを見た後には、富士山は小さく感じられる。記録が残る１６９７年以降、ほぼ数年ごとに噴火を繰り返しており、世界的に見て最も活動が活発な火山の1つである。

私が初めてこの巨大な火山を見たのは１９９６年、調査の機会を得たのは２０１０年からである。クリュチェフスカヤの周りに、マグマの上昇を捉える傾斜計という機器を設置した。麓の山小屋から夜に見るクリュチェフスカヤは、まさに「美しい」の一言に尽きる。山頂から吹き上がる真っ赤な溶岩噴泉と、山肌を流れ下るオレンジ色の溶岩流は、シャシリク（串焼肉）を焼く消炭の炎と相まって、ウオッカの最高のザクースカ（つまみ）である。

活火山の多くは、カムチャッカ半島の太平洋側に分布している。道路網が限られるカムチャッカでは、ペトロパヴロフスク周辺を除いて陸路でのアクセスは困難である。爆発的な噴火を繰り返すカルィムスキー火山や、観光地でもあるガイザー渓谷の地熱地帯などへは、ヘリコプターが日常的に使われる。ペトロパヴロフスクには、複数のヘリ運航会社がありチャーター飛行も可能だ。コックピットに乗り込んでパイロットに行先を指示すれば、大抵のリクエストには応えてくれる。

巨大なクリュチェフスカヤ火山の調査ではヘリが欠かせない。山麓の村から30㎞離れた標高２５００ｍ近くの観測点まで瞬く間にアプ

写真 04-02　ヘリを使ったアヴァチャでの火山調査

ローチし、急斜面に難なくランディングした後、広大な山麓に広がる溶岩流でタッチアンドゴーを繰り返し、岩石試料採取を行った。調査に利用した貨物用のＭｉ８型ヘリは、積載能力が高いことに加え、飛行中でも自由自在に機内を動き回ることができ、窓を開けての撮影もし放題だ。ただし、ヘリは時折致命的な事故を起こすことは覚えておく必要がある。

カムチャッカでは、常に何処かの火山で噴火が発生している。一方、人口密度が低く、噴火が災害となる可能性は少ない。唯一、州都ペトロパヴロフスク周辺だけが火山災害への警戒が必要なマチである。近接するアヴァチャ火山は、約4万年前に大規模な山体崩壊を起こし、岩屑なだれが現在のペトロパヴロフス全域を覆った。最近まで山頂部にあった深い火口クレーターは、1991年の噴火時に溶岩で埋め尽くされ、そこから溢れ出た溶岩流は山肌を流れ下った。幸いにもこの噴火では被害は出なかったが、今後大規模な噴火が発生すると、火山灰や泥流などで被害が発生する恐れがある。

噴火だけではない。カムチャッカでは、大きな地震も度々発生している。1952年にはカムチャッカ半島南部の沖合で、東日本大震災の地震と同じ規模のマグニチュード9の超巨大地震が発生した。ペトロパヴロフスクには、火山地震研究所と管区気象台に相当する地球物理調査所支部の科学アカデミー機関が置かれていて、火山活動や地震を24時間体制で監視している。

太平洋プレートが沈み込むカムチャッカ海溝は、カムチャッカ川河口付近の沖合が北の終点である。

この地形的な特徴と軌を一にし、先に紹介した半島北部にあるシヴェルチ火山付近が活火山の北限となっている。南に目を向けると、カムチャッカ海溝は千島海溝へと続いていて、千島列島と北方四島は火山の島々から成っている。頻繁に噴火を繰り返す幌筵島エベコ火山や、２００９年に大噴火を起こした松輪島サルィチェフ山、１９７３年の噴火が根室からも見えた国後島爺爺岳（ちゃちゃだけ、ロシア語でもチャチャ山と呼ぶ）など、活動的な火山も数多く知られている。千島列島の火山監視は、ユジノサハリンスクの研究所が行っているが、島々の多くが無人島であり陸上観測が難しく、衛星画像を使った監視のみが行われているのが実情である。

アジアと北米を結ぶ航空機はすべてカムチャッカから千島列島にかけての北西太平洋上空を通過する。航空機が火山灰を吸い込むと、ジェットエンジンが停止し、墜落など重大事故の原因となる。アメリカ内務省地質調査所のアラスカ火山観測所は、この重要航空路の火山灰監視の名目で、１９９０年代前半からカムチャッカとサハリンの研究所に財政面を含めた支援を行ってきた。この地域の火山は、活動度の高さから学術的にも注目度が高く、アメリカやドイツなどの大学のほか、中国からの関心も高い。

地政学的に見た北西太平洋地域の位置づけは、世界的なゼロカーボン政策の中で、これまで以上に重要性を増すと考えられる。２０１０年のアイスランド噴火でヨーロッパ全域の航空路が長期間閉鎖となった例のように、自然災害は時に世界的な社会経済活動に大きな影響を及ぼす恐れがある。カムチャッカや千島列島での火山や地震の監視体制は脆弱な状況が続いており、隣接する日本が積極的に関与していくことが望まれる。

（高橋浩晃）

5

オホーツク海を育むロシア極東の河川

★日本にめぐみをもたらす魚附林★

サハリン島、ユーラシア大陸の東岸、カムチャッカ半島、千島列島から北方四島に至る島嶼群、そして北海道に囲まれた面積153万㎢の小さな縁辺海であるオホーツク海は、水産資源に恵まれた海である。遡河性のサケ科魚類をはじめ、イワシ・ニシンなどの豊富な浮魚資源は、鯨やシャチなどの海棲哺乳類を養い、我々の食卓も支えている。このオホーツク海と千島列島・北方四島をはさんで隣接する北太平洋親潮海域もまた、世界の海洋の中で際立って高い生産性を持つ海であることが近年の研究で明らかになってきた。なぜ、このような海域が日本の北にあるのだろうか。さまざまな理由が挙げられるが、ここではオホーツク海に隣接する陸域から流れこむ川の働きに注目してみたい。

オホーツク海の集水域の河川と言えば、まずアムール川（中国での呼び名「黒竜江」でも知られる）を第一に挙げねばなるまい。モンゴル・中国・北朝鮮・ロシアという4つの国を流域に持つ流域面積205万㎢の河川である。毎秒1万㎥の淡水をオホーツク海に注ぐこの国際河川は、オホーツク海の塩分を希釈することで、冬季に結氷しやすくなるほどの影響をオホーツク海に与えている。同時に、広大な面積を持つ流域からさまざまな物質がアムール川を通じて、オホーツク海に流れこんでいる。一般的には、川から海にもたらされる窒素やリン、そしてケイ素などの栄養が海の植物プランクトンの生産に必要と考えられているが、オホーツク海や親潮海域は、北半球で最も寒冷なロシア極東の風下側に位置することで、冬季によく攪拌される。このため、海底から豊富な栄養が湧き上がってくる。しかし、鉄だけは足りない。それゆえ、アムール川が、オホーツク海にもたらす最も重要な恵みは鉄である。水に溶けにくい鉄は、外洋の海水中にはきわめてわずかしかない。しかし、植物プランクトンが海水中の栄養をとりこむ際に、鉄を還元剤として利用することが知られており、海水中の豊富な栄養を利用するためには、相応な鉄がないといけないのである。南極海や北太平洋のアラスカ沖は、豊富な栄養が海水中にあるにも関わらず、鉄がないために植物プランクトンがこれらの栄養を十分に利用することができない。筆者をはじめとする研究者グループは長年この地域の調査に取り組んでいるが、私たちの調べたところ、アムール川は、毎年、おおよそ10万tの溶存鉄と、50万tの粒子鉄をオホーツク海に供給している。これらの鉄は、後述するオホーツク海独自の中層循環と呼ばれる海洋循環によって、オホーツク海南部から千島列島を介して太平洋親潮海域に至るまで、実に広域に影響を与えているのである。この鉄は、主としてアムール川流域に広がる湿地と森林から供給されている。それゆえ、日本に古くからある、沿岸の魚は隣接する陸地の森の豊かさに依存するという「魚附林」という考えがここでも成り立っている。私たちはアムール川流域をオホーツク海の巨大魚附林と呼ぶことにした。

実のところ、河川が海に鉄を運んでも、その鉄の大部分は河川の河口域で沈澱してしまい、沖合、

図 05-01　オホーツク海と川のつながり

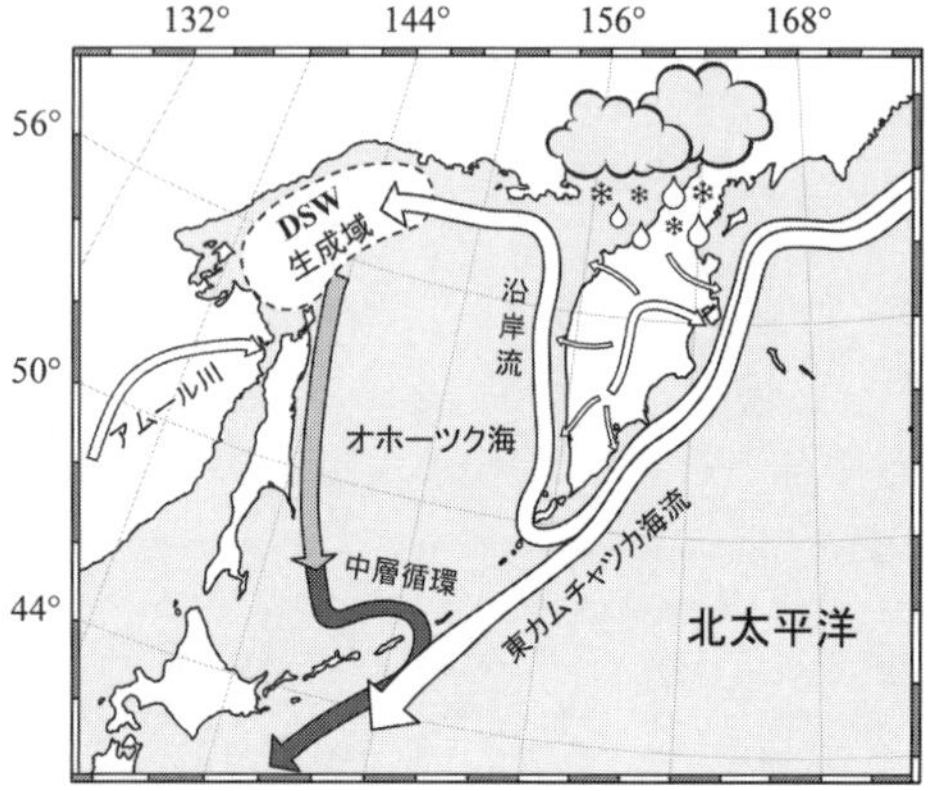

出所：Shi 他、2021

そして外洋へと運ばれることはない。前述したように、鉄は水に溶けにくい。とりわけ、さまざまな元素が溶けている海水では、鉄は他の元素と結合して、すぐに粒子化して沈澱してしまう。植物プランクトンは、海洋の表層にある溶存鉄しか利用できないから、せっかく遠くから運ばれた鉄も、沈澱してしまっては意味がない。アムール川が運んだ鉄が、遠く千島列島から北太平洋親潮海域にまで運ばれるのは、オホーツク海が冬に結氷する海であることに関わっている。冬季になるとシベリア高気圧の支配下にあるシベリアやロシア極東は極端な寒さに見舞われる。この寒気が、オホーツク海を凍らせる原動力である。オホーツク海で海が凍結する場所は、アムール川の河口付近からやや北に広がる大陸の沿岸付近であることがわかっている（図05—01のDSW生成域）。ここで作られた氷が、風や海流によってサハリンの東岸を南下し、やがて北海道のオホーツク海岸を埋め尽くす流氷となる。この時、流氷ができる大陸沿岸では、流氷から排出された塩分が、その下の海水の密度を大きくすることで、陸棚（りくだな）水（DSW）と呼ばれる重い海水を作り、この海水が鉛直の海洋循環を作り出している。この循環があるからこそ、アムール川が運び、河口や大陸棚に沈澱した鉄が、遠く北太平洋の親潮海域まで運ばれるのである。

オホーツク海に及ぼす川の影響は、アムール川だけでは完結しない。最近、私たちが進めている研究で、カムチャッカ半島からオホーツク海に流れる多くの河川が、オホーツク海の塩分を希釈することで、陸棚水の生成域で形成される陸棚水の密度に影響を及ぼしている可能性が見えてきた。簡単に言えば、カムチャッカに降る雪や雨が多いと、少し遅れて陸棚水生成域の海水の塩分が薄くなり、陸棚水が作る鉛直循環が弱まるかもしれないという仮説である。鉛直循環の弱化は、鉄を運ぶ力を弱らせる。ただ、この仮説を検証するためには、まだまだ多くの観測や考察が必要である。しかし、アムール川に比べれば、圧倒的に小さなカムチャッカの数々の河川が、それぞれ集まることによって、オホーツク海の海洋循環に影響を与えているという考えは、なんとも夢のある話ではなかろうか。

川と海をつなぐ鉄は、アムール川の湿地と森が故郷である。森で作られる有機物と、還元的な湿地の中で水に溶ける鉄が結びつき、何千㎞も旅をしてオホーツク海の海洋生態系に取り込まれる。私たちは、こうした壮大な自然の仕組みで育まれる水産資源に依存して暮らしているのである。近年、中国やロシアの急速な経済発展の下、アムール川流域に広がっていた広大な湿地が干拓され、その面積を急激に減らしている。２００５年には、アムール川の支流のひとつ、松花江の上流域で石油化学工場の爆発事故があり、ニトロベンゼンなどの有害物質がアムール川水系に流入した。川は、なにも下流にとって都合のよい物質ばかりを流すわけではない。鉄も汚染物質も区別せず、日々大量の淡水とともに自然と人間の排出物を海へと流している。時には、国境の厳しい境界のことを忘れ、我々は海を越えてつながっているのだということを思い出せたらいいと思う。

（白岩孝行）

6

タイガ・ツンドラ・永久凍土

★シベリアを特徴づける自然環境★

シベリアの自然環境を表す代名詞といえばタイガ、ツンドラ、永久凍土であろう（なお、本章での「シベリア」はロシア極東を含み、また以下の「シベリア東部」「シベリア西部」の区分は一般的な東シベリア・西シベリアとは地理的範囲が異なる）。北極点を中心とする地図では、北極海を取り囲むように大陸があり、シベリアはユーラシア大陸の大半を占める。一般に、植生は北極に近い沿岸部からツンドラ、タイガと移り変わり、永久凍土はその地下に分布する。これらは「周北極」と呼ばれるドーナツ状の分布を想起しがちであるが、シベリアのタイガ、ツンドラ、永久凍土は十万年スケールの履歴によってその分布に大きな特徴がある。

タイガ（taiga）とは、いわゆる亜寒帯針葉樹林である。国際連合食糧農業機関（ＦＡＯ）の統計によれば、ロシア連邦の森林面積は８１５万㎢で地球上の森林の約20％にあたり、世界の約半分の針葉樹林はロシアに存在するといわれている。そのほとんどはシベリアに分布し、シベリアのタイガは樹種構成から東西に２つに分けられる。その境界はエニセイ川右岸を南北に切るように広がっており、それはちょうど後述する連続的永久凍土帯の分布にほぼ沿っている。

シベリア東部側は、落葉針葉樹であるダフリアカラマツやシベリアカラマツが優占するタイガとなる。カラマツ林の中に入ると、林内の見通しの良さと明るさが印象的である。地表にはコケモモやヤナギ・ツツジなどの低木からなるカーペット状の林床植生が優占しており、成熟した森林では2層構造になっている。また、樹冠を構成するカラマツの成熟木の間隔は広く、日差しが地表面まで入ってくる。その一方で、地下部は生長範囲を巡る生存競争の場にある。地表からわずか1m程度しか融解しない永久凍土上の土壌のため、根を横に伸ばし、広い面積を覆うことで水や養分を確保しているのがカラマツの生活型であり、シベリアのカラマツは、地上部（幹・枝）と地下部（根）のバイオマス割合が1対1に近い。シベリア東部は年降水量が200〜400㎜と森林が成立しえない条件にも関わらず、広範にタイガが広がっているのは、土壌水分を地表面付近に保つことができる永久凍土との共生関係があるためである。

一方、シベリア西部のタイガでは、常緑針葉樹が多く混じる。その構成は、シベリアトウヒを優占種として、シベリアモミ、ヨーロッパアカマツの類である。常緑樹に覆われた地表面は暗く、地面に一面にコケが生えているほかは、下生えが極めて少ない湿った林床となっている。シベリア西部はエニセイ川とオビ川流域からなる平坦な低地が大陸内部まで広がるため、タイガは湿地と混在している。場所によっては、沼沢地の中の微高地に森林が島状に分布する景観となる。

ツンドラは、北緯65度以北でタイガとの漸移帯を経て北極海に面する低地や台地に広がる、矮性化した木本種と草本種、ミズゴケなどからなる草原的景観から、さらに北方では砂礫の割合が増える荒原となる。地下はほぼ永久凍土となっており、地表面の凍結融解は植生があるところでは30〜50㎝、砂礫地でも1m程度である。

ツンドラ帯では、大半の地域が平坦地で湿地状の景観を呈する。ツンドラと水域の景観が広がる大地では、かつての氷期に強烈な地面の冷却とともに、地表が凍結収縮する際に地面が割れ、そこにアイスウェッジ（氷楔：ひょうせつ）が形成された。現在でも北極海沿岸のツンドラ帯では、アイスウェッジの発達した地表面が分布しており、それは上から見ると、浅い池が多角形模様で続く独特の景観である。

永久凍土層の発達とともに氷期から数万年の時間を経て形成された厚い地下氷層をエドマ（yedoma）層と呼ぶ。最新の推定によれば、北極でエドマ層（地下氷の厚さが50m以上の層）が存在する地域は45万㎢に達しており、シベリアのツンドラ帯では、タイムィル半島からレナ川河口、コルィマ川河口を経てカムチャッカ半島の付け根付近にかけて分布している。ちなみにエドマ層はレナ川中流域のタイガ内にも分布しており、シベリア東部には膨大な氷が地下に眠っていることになる。

永久凍土とは、2年以上氷点下に凍結した状態の土壌・地盤を指し、どこも地下に永久凍土が分布する地域を連続的永久凍土帯という。シベリアはユーラシア大陸における連続的永久凍土帯の分布中心域となっている。シベリアの永久凍土の分布は東西に非対称であり、レナ川・コルィマ川流域を中心とするシベリア東部では、分布南限がモンゴル北部・中国東北部（北緯50～55度付近）まで達しているのに対し、エニセイ川以西ではその分布南限は北上し、ウラル山脈北部と北極海岸沿いの北緯66度（北極圏）以北に限られている。

シベリアの非対称な永久凍土分布は、第四紀中の氷期の氷床拡大の歴史に対応しており、シベリア東部は長く氷床に覆われていなかったため、地表面が強烈に冷やされ、永久凍土の発達が良い。レナ川はその流域の約80％、コルィマ川はほぼ１００％が連続的永久凍土帯となる。永久凍土帯の最大の都市である、レナ川中流域のヤクーツクにおいても、永久凍土層は４００～５００ｍの深さに達する。

写真 06-01　シベリア東部レナ川中流域（チュラプチャ）の凍土融解（サーモカルスト）による沈降地形　円形状にくぼんだ地形が草原一面に広がっている

永久凍土地帯のもう1つの大きな特徴として、無数の小規模な湖沼の分布を伴うことがあげられる。地下に氷を含む永久凍土層が温暖な気候条件で深部まで融解を受けると、融解した地下氷の水が流出・蒸発し、凹地状に陥没する地形が形成される。この凍土融解に伴う地形の沈降現象をサーモカルスト（thermokarst）という（写真）。凹地は一旦水で充塡され、サーモカルスト湖が形成される。長い時間を経ると、凹地はさらに沈降・拡大を続けながら湖は蒸発し、草原の中に浅い湖が広がる凹地形がその最終形態として形成される。レナ川中流域の北方林帯に無数に形成されたこの地形を、現地に住むサハ・ヤクート人はアラス（alas）と呼んでいる。レナ川中流域（中央ヤクーチャ）には、およそ1万6千個ものアラスが分布し、伝統的な牛馬飼養に重要な草原となっている。

（飯島慈裕）

7

地球温暖化とシベリア

★近年の気候変動と環境への影響★

気候変動に関する政府間パネル（IPCC）第6次評価報告書によると、1850〜2020年の約170年間に年平均地上気温は全球で0・99℃上昇した。年平均地上気温の上昇は北極域で最も著しく、全球平均の2倍以上の速さで温暖化が進行している。シベリアの地上気温の上昇は、北極海の海氷面積の減少や、低緯度（南）側からの暖かい気流の増加によると考えられている。北極域は20世紀半ば（1935〜45年）頃も温暖であったが、その時期のシベリアの温暖化は地域的に限定されたものであり、北極海沿岸のツンドラ帯で年平均地上気温が上昇しているに過ぎなかった。ところが1990年代以降、東シベリアでは全域で温暖化が進行し、特に2000年代以降、年平均地上気温が顕著に上昇した。これに伴い、地表近くの土壌の温度（地温）が徐々に上昇した結果、1年のなかで地温が0℃以上となる期間は長期化し、暖かい季節における融解層（活動層とも呼ばれ、暖かい季節に地表層が融解し0℃以上になった土壌層）が深くなりつつある。融解層が深くなることによって地下氷の融解が進行し、東シベリアや極北シベリアではサーモカルスト（41頁参照）が著しく進行している。タイガ帯における森林火災や人為的な伐採によって地表が日射の曝露を受けた場所では、サーモカルストの初期の段階にみられるポリゴン（多角形土）が数多く出現し、地下氷融解水や融雪水が溜まることで生じたサーモカルスト湖沼が、降水量の変動に応じてその面積を増減させている。永久凍土の南限に近い極東域では、永久凍土の消失や湿地面積の減少が進行し、その影響が河川流量や河川水質に及んでいる。

サーモカルストの進行は永久凍土に含まれる有機炭素を可動化させ、温室効果気体である二酸化炭素やメタンの大気中への放出を促す。そのため、サーモカルストの進行は地球温暖化を増長することになる。これは地球温暖化に対する正のフィードバックとして働くが、その定量評価は未だ十分になされていない。

図07—01は、西シベリアと東シベリアにおける夏季と冬季の気温偏差の過去120年間の変動を、図07—02は同じ領域と季節における降水量偏差の過去120年間の変動を、それぞれ示している。図07—01を見ると、西シベリアと東シベリアでは、冬季の気温変動の方が夏季の気温変動よりも年による違い（年々変動）が大きいことがわかる。逆に、図07—02によれば、夏季の降水量の方が冬季の降水量よりも年々変動が大きいことがわかる。

図07—02に示すように、シベリアでは夏季に乾燥年と湿潤年が数年～数十年周期で交互に現れる。1930年代以降、シベリアでは、東西両地域で乾燥と湿潤が極端化しており、とくに1980年代以降、東シベリアの夏季降水量の変動が非常に大きいことがわかる。極端に乾燥した年は熱波の襲来として認識されることが多く、そのような年には森林火災が発生しやすい。

1980年代以降、シベリアや極東域で発生している現象（主に気象や水文に関わる現象）や環境への

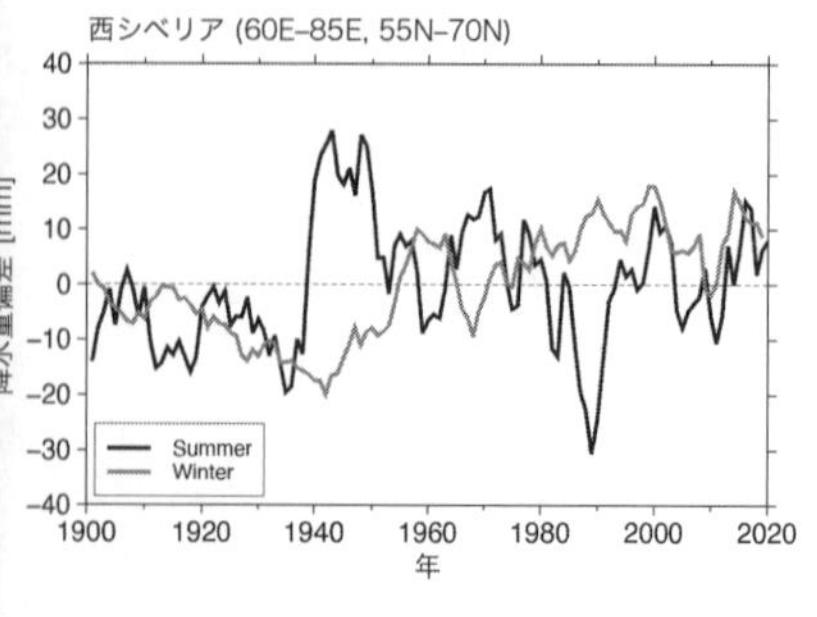

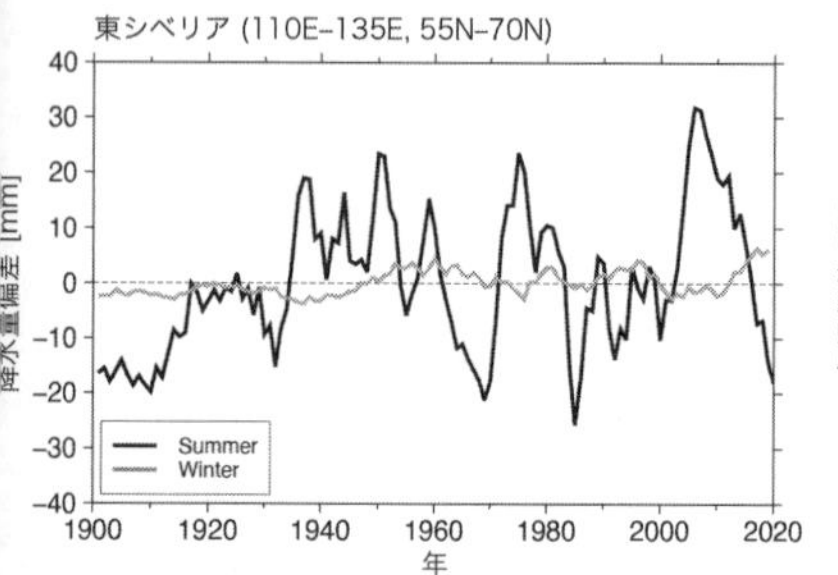

図 07-02　西シベリアと東シベリアにおける夏季（6～8 月）と冬季（12～2 月）の降水量偏差の過去 120 年間の変動

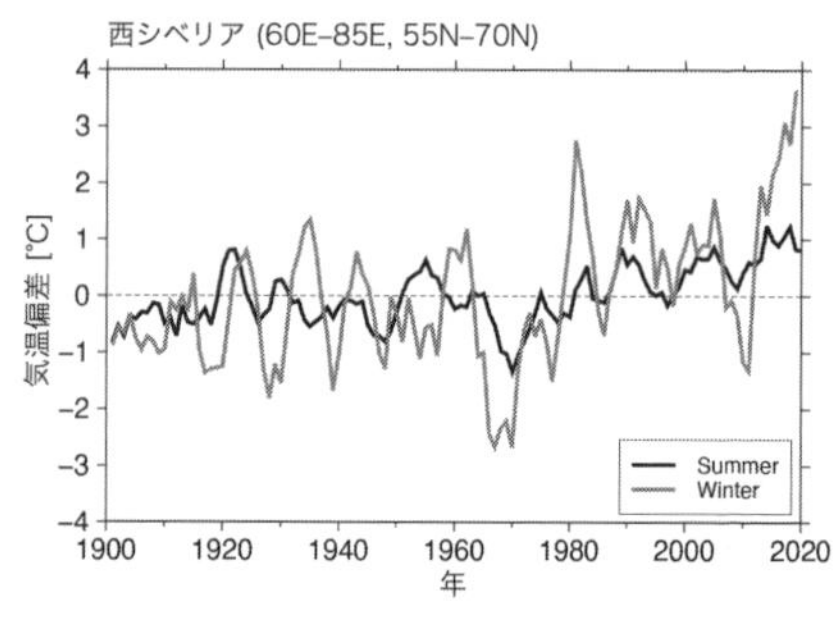

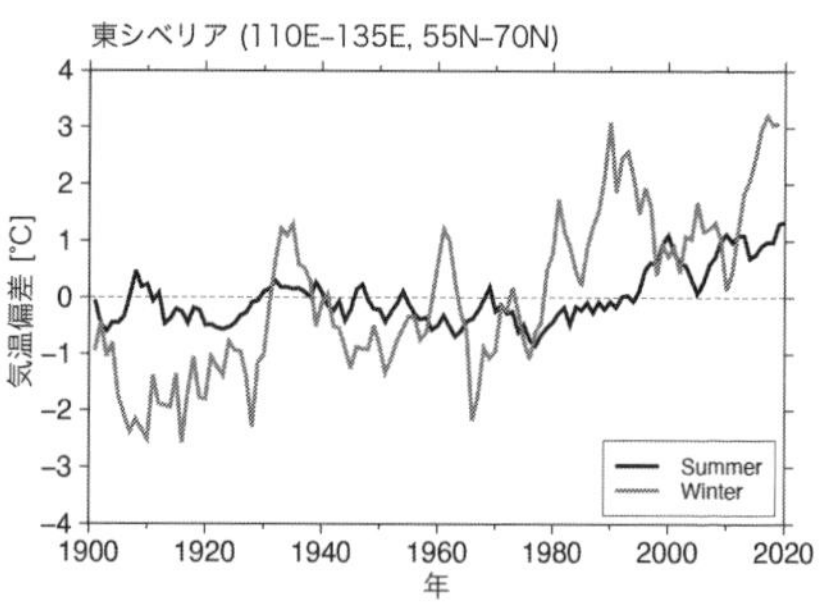

図 07-01　西シベリアと東シベリアにおける夏季（6～8 月）と冬季（12～2 月）の気温偏差の過去 120 年間の変動

影響として、以下のようなものがある。

西シベリア（主にオビ川流域）では冬季の気温上昇、極端な降雪（増加・減少）、夏季の極端な降雨（増加・減少）が生じている。1980年から2010年にかけての（長期的な）降雪量の増加は、西シベリアにおける特異な降雪アノマリーとして記憶しておきたいものである。

東シベリア（主にレナ川流域）では冬季の気温上昇、夏季の極端な降雨（増加・減少）、熱波による森林火災の発生や、永久凍土表層の融解が生じている。2004年から2008年にかけての（多年にわたる）夏季の異常降雨は、東シベリアにおける特異な降雨アノマリーとして記憶しておくべきイベントである。この特異な降雨アノマリーによって、融解層（活動層）が深くなり、数年にわたり土壌の湿潤状態が維持された。ヤクーツク近郊の森林では、2004年の土壌湿潤化以降、かつては1・2mより浅かった融解深（活動層の深さ）が2009年には2m以上に達する状況となった。

極北シベリア（主にコルィマ川流域）では冬季の気温上昇、夏季の極端な降雨（増加・減少）、永久凍土表層の融解が生じている。アラゼイヤ川流域（コルィマ川流域とインディギルカ川流域の間に位置する、地形起伏が非常に小さい河川流域）で2007年に生じた河川洪水は、その前年の2006年の多雨によって非常に湿潤となり、河川近傍の複数のサーモカルスト湖沼で湖沼水が越水したことで発生した。この河川洪水は非常に平坦な低地で発生したため、河川近傍のいくつかの村では数年にわたる浸水被害に見舞われた（越年洪水）。

極東域（主にアムール川流域）では夏季の極端な降雨（増加・減少）、河川洪水、熱波による森林火災が生じている。1998年の異常高温（熱波）と森林火災の多発、2013年の異常降雨と河川洪水は、極東域における極端イベントとして記憶しておきたいものである。

（檜山哲哉）

8

シベリア・極東の希少動物

★アムールトラやアムールヒョウの個体数は回復★

シベリア・極東の森林には、ヒグマ、オオカミ、シカ、ヘラジカ、ノロジカ、イノシシ、キツネ、リス、ウサギ、テン、クロテン、オコジョといった野生の哺乳動物が生息している。北極域では野生トナカイやホッキョクギツネが分布している。

ただ、本章ではそうした一般的な動物ではなく、絶滅の恐れもある希少種を取り上げることにしたい。ロシア科学アカデミーがプログラムを策定して研究・保護に取り組んでいる哺乳類の種として、アムールトラ、アムールヒョウ、ユキヒョウ、ホッキョクグマ、シロイルカが挙げられる。

写真 08-01　プーチンとアムールトラ（http://programmes.putin.kremlin.ru より、以下同様）

アムールトラ Амурский тигр は、別名ウスリートラ、シベリアトラ、アルタイトラなどとも呼ばれる。体長は2m、体重は300kgにも及び、トラの亜種の中でも最大である。ロシア極東森林の生態系

表08-01　ロシアのレッドデータブックの区分

カテゴリー	状態
0	おそらく絶滅した
1	絶滅の危機に瀕している
2	数が減少している
3	希少である
4	不確実な状態
5	回復可能、回復しつつある

の頂点に君臨し、主にイノシシやシカ類などを捕食。かつては中国満洲、朝鮮半島、モンゴル、シベリアに広く分布していたが、現在はロシア極東の沿海地方、ハバロフスク地方、アムール州、また中国の白頭山地区でのみ生息が確認されている（北朝鮮にも少数ながら生息するとの情報も）。狩猟や森林減少が原因で、１９４０年までにアムールトラはわずか30～40頭が残るのみとなり、絶滅も現実味を帯びた。その後は保護が進み、２０００年には沿海地方ラゾ地区で国立公園「トラの咆哮」も開設された。ロシアのレッドデータブック（区分は表参照）上はカテゴリー2に位置付けられているが、現時点では個体数は５００頭以上に回復し、うち9割程度はロシア領に生息すると考えられている。アムールトラが生きていくためには広大な森林が必要であり、すでに現在の生息地では飽和状態に近いため、かつて生息していながら絶滅した地域に一部を移す構想もある。このように、基本的には種の存続に向け明るい兆しがみられるが、トラを漢方薬の原料として珍重する中国市場向けにアムールトラを密猟する行為もあるとされ、対策が急がれる。

一方、アムールヒョウは、ロシアでは極東ヒョウ дальневосточный леопард と呼ばれることが多い。ヒョウの仲間では最も北に生きる種で、かつてはロシア極東に加え朝鮮半島、中国東北部に分布していたが、環境破壊や毛皮目的の狩猟が原因で急激に減少した。近年ではロシア沿海地方南部と、隣接する中国吉林省での生息が確認されているのみである。ロシアのレッドデータブックではカテゴリー

1の位置付け。2012年、ウラジオストク西方の対中国境地帯に国立公園「ヒョウの土地」が開設されるなど、保護に力が入れられている。個体数は回復の兆しを見せており、2020年時点で100頭を超えるまでになった模様だ。

写真 08-02　アムールヒョウ

ユキヒョウは、ロシア語ではスネジヌィバルス снежный барс またはイルビス ирбис と呼ぶ。ネコ科ヒョウ属に分類される肉食獣で、体長は1mを少し超える程度。インド北部から中央アジア、中国西部、ロシア南部にかけて分布している。ロシアではシベリア南部のアルタイ山脈、サヤン山脈、タンドゥ山脈が生息地である。毛皮用や薬用の密猟、害獣としての駆除などによって減少し、現時点の生息数は3000頭ほどとされている。うち、ロシア領に生息するのは2~3%程度。ロシアのレッドデータブックではカテゴリー1の位置付け。ロシアでは2002年にユキヒョウ保護戦略が採択された。ロシア領での生息数は回復しつつあり、2015年時点で70~90頭程度となっている。

ホッキョクグマ полярный медведь は、ロシアでもシロクマ белый медведь と呼ばれることが多い。クマ科最大の種の1つで、ヒグマとは近縁。北米大陸の北部、グリーンランドに加え、ロシアの北極海沿岸および北極海の島々に生息している。肉食獣であり、海氷に乗って主にアザラシを捕食する。海氷の減少に伴い、生息数の減少が報告されており、このまま地球温暖化が進行すると絶滅の恐れが大きいと指摘されている。ロシアのレッドデータブックでは、ラプテフ海でカテゴリー3、カラ海・バレンツ海でカテゴリー4、チュクチ海でカテゴリー5に分類されている。ロシアでは2008年からホッキョクグマ保護のプログラムが始動した。2013年時点のロシア領における生息数は、5000〜6000頭と推定されている。

シロイルカは、ロシア語ではベルーハ белуха と呼ばれる。北極海に広く分布し、ロシア近海ではベーリング海北部、オホーツク海、白海でみられる。生態の詳細は知られておらず、ロシアでも近年になり詳しい研究が始まったところで、ロシア海域の正確な頭数なども不明である。シロイルカは、今すぐに絶滅が危惧される種ではなく、レッドデータブックにも掲載されていない。ロシアでは、捕獲や先住民による猟が行われている。捕獲されたシロイルカが、主に中国や、一部は日本や韓国などの水族館向けに輸出されていることに対しては、国際社会から批判が寄せられている。ちなみに、1頭あたり200万円ほどで取引されているようだ。シロイルカは、泡の輪っかを作る「バブリング」で、日本の水族館でも人気だが、動物虐待との批判があることを我々は知っておくべきだろう。

写真 08-03　シロイルカ

このほか、シベリア・極東でみられる希少な哺乳類としては、まずアジアに広く分布するベンガルヤマネコの亜種であるアムールヤマネコが、ロシア極東のアムール川流域や日本海沿岸に生息していることが挙げられる。アムールヤマネコは、日本のツシマヤマネコと基本的に同種である。また、東シベリアからカムチャッカ半島にかけて生息する偶蹄目の固有種であるシベリアビッグホーン、別名ユキヒツジもユニークだ。東シベリアとアルタイ山脈では、長い牙を持つシベリアジャコウジカを見ることができる。

（服部倫卓）

9

日本とシベリアを繋ぐ渡り鳥

――★先住民・行政・研究者が協働するコクガン市民調査★――

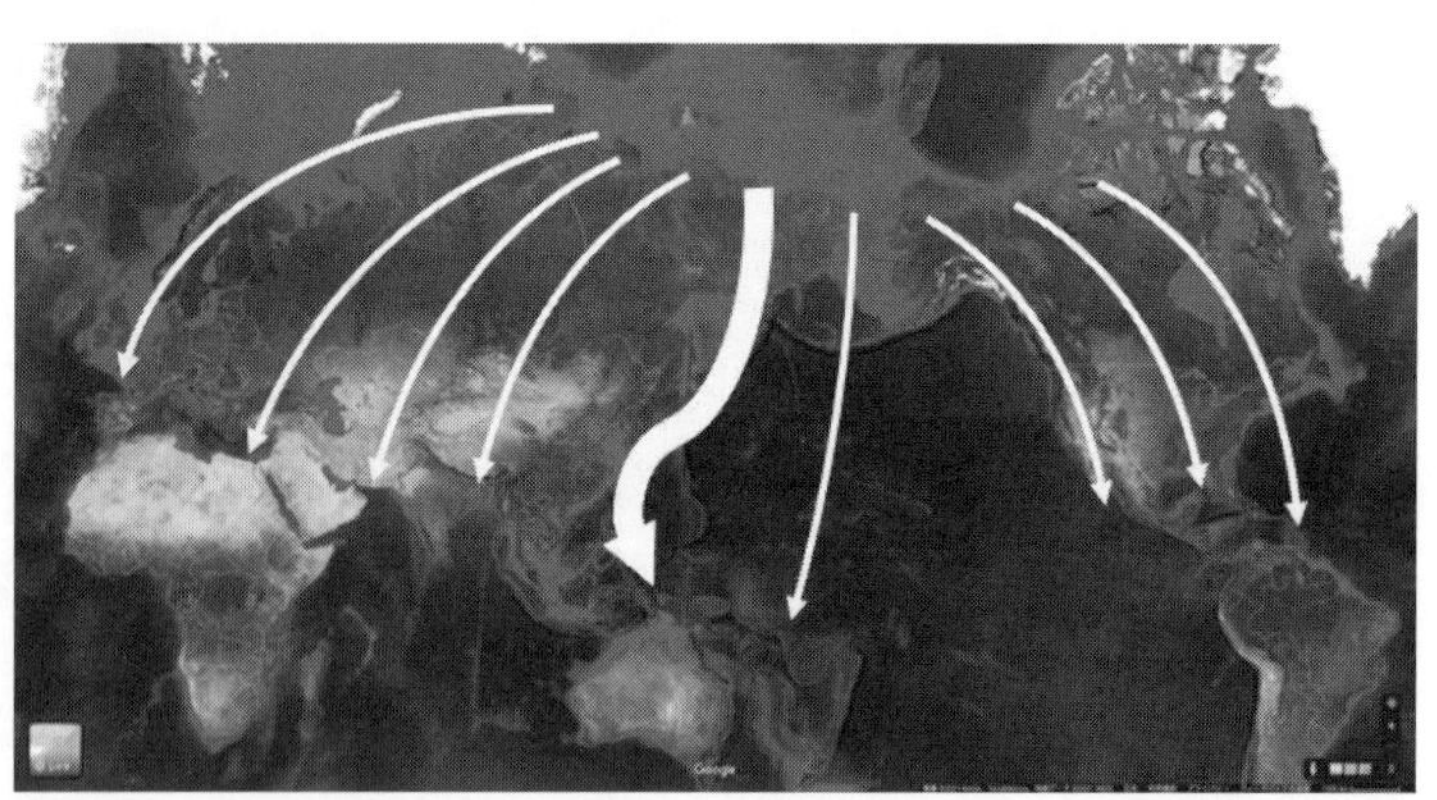

図 09-01　主要フライウェイ（部分）太い矢印が EAAF. 全て北極圏とつながっている（GoogleMap 使用）

「冬の使者到来！」晩秋になると、このようなタイトルと冬鳥の姿が各地でニュースを賑わす。ガン・カモ類、ハクチョウ類、ツル類、シギ・チドリ類など、冬に日本列島へやってくる渡り鳥の多くは、夏にはシベリアや極東に戻って繁殖し、秋にまた子どもたちと南下して越冬する。列島各地では、多くの人々がこれら「冬の使者」を心待ちにし、生息地を保全するなどさまざまな関わりを持っている。

実は日本列島を含む東アジアは世界有数の渡り鳥の生息地であり、地球上で多くの渡り鳥が利用するフライウェイ（渡りルート群）のひとつ、「東アジア・オーストラリア地域フライウェイ（略称ＥＡＡＦ）」の一部をなす（図09―01）。このＥＡＡＦは、北極シベリアから東アジア・東南アジアを通ってニュージーランド・オーストラリアに至り、地球上の渡り鳥（約４０００種）の２割程度が利用していると目されている。

渡り鳥の保全には近隣諸国との協力が欠かせないが、「冬の使者」たちにとって重要なのは、生まれ故郷（繁殖地）であるシベリアや極東、とりわけ北極シベリアの生息地保全である。主要フライウェイのすべては北極圏とつながるが、とくに多くの種が繁殖する北極シベリアは、アジアだけでなく世界の「冬の使者」の故郷と言える。

図09-02　GPS発信機を装着したコクガンNo.46（木村由香里撮影）

では渡り鳥がどこを「渡り」、どこで繁殖しているか知るにはどうすればよいだろうか？　ここでは日本とロシアの市民と研究者が協力してフライウェイと繁殖地を明らかにしつつあるコクガン（図09―02）の市民調査（代表 澤祐介山階鳥類研究所研究者）を紹介したい。黒地に白い帯と首輪模様という独特の外観のコクガンは、日本では天然記念物に指定され、市民による鳥類の継続調査（モニタリング）で晩秋から初冬の

図09-03　コクガンNo.46の2020年3月（函館）から11月（温根沼・風蓮湖）までの航跡（GoogleEarth上に描画）

北海道（野付湾や函館湾）を中心に計約８６００羽が確認されている。ところがその大半（約６０００羽）は真冬になると国外（黄海と目されている）へ移動し、春にまた出現して北へと帰っていく。

この謎の鳥のフライウェイを明らかにするため、市民と研究者が知恵と資金を出し合ってＧＰＳ発信機数台を調達し、波打ち際で見え隠れする個体の安全な生け捕り法も開発して現地調査に漕ぎつけた。３年間の試行錯誤の末、ついに２０２０年３月に函館で捕獲・放鳥した1羽（No.46、図09—02）が、シベリアへ渡り、さらに北海道に帰ってくるまで追跡することに成功した。この個体は5月に国後島と野付湾の間に約1か月滞在して体力を付けた後、夏至の頃（6月下旬）には直線距離で３２５０km離れたレナ川デルタ地帯（北極海沿岸）に到達した。そして7月に入ると沖合の新シベリア諸島（北緯75度）に移動して1か月以上滞在し、その後今度はアラスカと隣り合うチュクチ半島、カムチャッカ半島を経て、見事11月に北海道（温根沼・風蓮湖）へ戻ってきた（図09—03）。7・8月に長期滞在したことで、同諸島がNo.46の繁殖地であることもほぼ確実だ。

この地道な調査の結果は、コクガンの保全に各国の協力が不可欠であることを示し、北極評議会

図 09-04　コクガンを保全優先種として記載した AMBI の行動計画書（https://www.caff.is/strategies-series/563-arctic-migratory-birds-initiative-ambi-revised-work-plan-2019-2025）

（Arctic Council）の特別プログラム「北極渡り鳥イニシアティブ」（Arctic Migratory Birds Initiative; AMBI）はコクガンをＥＡＡＦの保全優先種に選んだ（図09―04）。そして、ＡＭＢＩの活動をリードし、北極評議会の議長国（２０２１〜２０２３年）でもあったロシアがシベリアでの発信機調査に意欲を見せ始めた矢先、同国によるウクライナ侵攻が始まった。北極評議会の全活動が停止し、ＡＭＢＩがプロモートしてきた共同研究や情報交換も停滞するという極めて残念な事態となってしまった。

しかし、日本での調査は日露米中４か国の研究者が協力しながら継続され、№46の成果はシベリア（サハ共和国）の研究者たちによって紹介された。たった1羽のフライウェイだが、「夏に空を覆うほどコクガンが飛来する」など、各地から情報やメッセージが寄せられている。№46のフライウェイ上には、チュクチ、ユカギール、エヴェンなどの北方少数民族が、野生鳥獣を糧とし渡り鳥を夏の使者として崇めながら暮らしている。アイヌの民話には北へ帰る鳥たちを、エヴェンの民話には南へ渡る鳥たちを追って移動する冒険譚があるという。かの人々が見送った鳥たちを私たちが冬の使者として迎え、私たちが送り出した鳥たちがシベリアの人々に夏をもたらす。渡り鳥の保全とは、フライウェイ上で暮らす人々のつながりを取り戻す作業でもあるのだ。

（立澤史郎）

10

シベリアの森林火災

★凍土上のゾンビファイアー★

極寒の永久凍土地帯が広大な森林に覆われていて、時折大規模な森林火災が発生している、というと意外だろうか。近年、ロシアの連邦構成体の一つであるサハ共和国が急速に各界の注目を浴びるようになった。北は北極海、南はバイカル湖付近までの北東シベリアの大部分占めるサハ共和国は、その領域全体が永久凍土地帯に位置する世界で最も広い面積を有する地方行政単位である。サハ共和国の森林面積だけでもロシアの森林の約20％、世界の森林の約4％を占めるため、シベリア森林火災の動静は地元住民のみならず地球規模の気候変動に影響を与えうる存在として着目されているのだ。

2020年6月、北方針葉樹林（タイガ）が広がる北東シベリア、人類の居住地として世界で最も低い気温を記録したことがあるヴェルホヤンスクの周辺で記録史上の日最高気温が1週間連続で更新された。夏に太陽が沈まないこの地域では、1週間も晴天が続くと水で浸された地表面でもすっかり乾燥してしまう。ここに何らかの火種があれば一気に森林火災が発生する。私が近年調査地としているバタガイからも次々と炎渦巻く森林火災の映像が送られてきた。この年の火災は立木まで燃える樹冠火災が多発している様子だった。衛星によって観測できる異常高温を示すホットスポットが地域全体に赤く染まっているように見えた。

永久凍土上に広がる北東シベリアのタイガでは大きな樹木が成熟できないため、立木密度が低い疎林となる。このあたりの針葉樹林は、隙間の多い森林層を抜けて日射が林床に多く降り注ぐ「明るいタイガ」と呼ばれている。高緯度に位置する森林は、生育期になると一日中太陽の光を受けることができ、永久凍土の存在が地表層の水分保持を助けるため、半乾燥地かつ極寒のシベリアでも存立することができる。時を経た森林は枯れ木や枯れ葉として林床に堆積するが、長く続く冬の低温条件は微生物がこれらの植物遺体の分解することを遅らせる。地表を覆うコケモモやミズゴケなどの植生マットは、厚さ20㎝を超えていることも多い。その下には分解されずに何千年もかけて堆積した泥炭層が何メートルも続いている場所もある。つまり、火災の燃料となる有機物が林床を分厚く覆っている。そのため、こうした豊富な有機層を持つ疎林で起こる火災は立木が燃えずに林床だけを燃やす地表火となることが多い。

樹冠火災が起こるには、立木が乾燥し、強風の継続などの条件がそろう必要がある。火災を引き起こす要因は、半分がドライサンダーストームと呼ばれる降水量の極めて少ない嵐と雷による着火であり、約4割がその他様々な人的要因と見積もられている。焚き火の不始末、タバコのポイ捨てなどが原因となり、地表面の乾燥状態によって森林火災発生の危険度が変わる。

地表層の乾燥と湿潤状態に深く関わり、森林火災の頻度や規模を決める重要な要素が永久凍土の存在である。地中凍結のない森林では、降り注いだ雨や雪解け水は地中深くまで浸透することができ、重力に従って排水される。ところが地中に凍った層があると、ほとんど水を通さない。このために地下に年中凍結している土層がある永久凍土帯の比較的平らな場所であれば、少量の降水でも地表面は水浸しになってしまう。永久凍土層が地表面からどの深さにあるかによって、林床の乾燥度合いに大きな影響を及ぼすのだ。凍土の無い森林の下には底の深い器があるとするならば、凍土帯タイガ林の下には浅い器が存在していて、その中身はすぐに干上がってしまったり、水浸しになったりするのである。

森林火災の発生頻度や規模を決定する要素は複数あるが、その支配的な要素は十年程度の周期で交互に訪れる乾燥と湿潤な気候の変動である。たとえば、私が初めてヤクーツクの森に入った1999年前後は乾燥していたため森林火災が多発しており頻繁に飛行機の運行が遅れたり、キャンセルされたりした。その後2007年を中心に湿潤な気候が続いたため森林火災は減少した。積雪が多く、夏の降雨量が比較的多い年が続くと、タイガ林の下の永久凍土の器はすぐにいっぱいになってしまい、地表面は水浸しの状態が続く。こうした湿潤年に発生する火災は、林床を少し焦がす程度で広く燃え広がらないため、大規模な発生にはつながらない。12年後の2021年、再びヤクーツク周辺が大規模な火災に囲まれている。乾燥した気候条件が数年前から継続してきた結果である。

乾燥期の1999年、私はヤクーツク近郊森で長いキャンプ生活を送っていたのだが、その際に森林火災を起こしそうになったことがある。焚き火の後しっかりと水をかけて消火したはずだったが、地中根に火種が残っていたのだ。翌日になって、焚き火用に掘った穴の側壁から火の手が上がっていた。表面的に消火されたように見える火災でも地中で何日も何か月もくすぶり続けるのである。このボヤ騒ぎはすぐに消し止められて難を逃れたが、1999年は非常に乾燥しており、こうした火の不始末を原因としたものを含めて森林火災が多発した夏であった。

永久凍土の発達がよい土地では、夏の間だけ地表層が融解する。この表層数10㎝から1m程度の季節的な融解土層においてのみ植生が水を利用することができる。ヤクーツク周辺の優占種であるダフリアカラマツの太い支持根は、分厚い有機層とその下のシルト土や砂の鉱物土層の間を縫うように放射状に伸びる。複数のカラマツ根系が重なり合い、地表すぐ下には太い支持根が張り巡らされた層が存在している。地表有機層がカラカラに乾燥すると、焚き付けの役割を果たす燃料が分厚い絨毯のように林床を覆っているのと同じことになる。そしてその下にはカラマツの支持根が薪として敷かれているようなものだ。

写真 10-01　サハ共和国北部の森林における火災鎮火作業

サハ共和国における近年の森林火災発生原因（1999～2017）の半分以上はドライサンダーストームと呼ばれる気象現象の際に起こる雷である。ドライサンダーストーム（極度の乾燥条件で発生する嵐）は雨雲を発生させるが、上空で形成されたほとんどの雨滴は地表に到達する前に蒸発してしまう。そのため、この嵐が発生すると乾燥状態の地表面にもたらされた落雷により火種が発生し、強風が火災を広げるのである。

1990年前後から2010年前後にかけて森林火災の発生様式が変化していることが興味深い。火災数が17％減少した一方、火災面積が73％増加したのだ。これには過疎地の人口減少やソ連時代の計画的林業の全盛期から経済効率優先の林業への移行によって森林管理体制が脆弱化したことが関係している。過疎地の人口減少により人為的な火災発生数が減少する一方、荒廃した森林には自然の燃料が蓄積し、一旦火災が起こるとその規模は大きくなってしまう。森林管理に要する予算も削減されており、火災を消火・鎮火の人員と体制づくりが間に合っていないために焼失面積が拡大するのだ。こうした傾向に温暖化が拍車をかけると予測されている。

近年の温暖化傾向とともに着目され始めたのが「ゾンビファイヤー」である。長い冬の間、極低温かつ深く雪に地面が覆われるシベリアの大地では、森林火災は季節的なもので夏の間に発生し、冬の訪れとともに鎮火すると考えられてきた。しかし、アラスカやカナダでも、一度鎮火したように見えた森林火災区において、越年して翌年の無積雪期にゾンビのように復活する火災の存在が人工衛星画像の解析によって相次いて発見された。こうした火災の研究グループによると、北方森林特有の厚い有機層や泥炭層、あるいは地中根に火種が残り、翌春に再び燃え始めるという。

気温マイナス40℃を下回る冬季、積雪と永久凍土に挟まれた地中に火種がくすぶり続けて越冬するというのは、にわかには信じがたい。しかし、雪の積もった厳冬のタイガでハンティングしているときに雪の中から煙が立ち登っているのを見た、という地元の人々の話を聞くとゾンビファイヤーというのは本当に存在するようだ。気候温暖化により積雪期間が短くなり、永久凍土上の季節的融解土層の平均地温が上がる傾向にあることは疑いの余地はない。これに乾燥条件が加われば、ゾンビファイヤーが発生しやすい状況が増加することも当然である。

ゾンビファイヤーやツンドラ火災と森林火災を含めた林野火災は自然サイクルの一部であり、ほとんどの場合、火災跡地には自然に表層植生が更新する。しかし、永久凍土帯に地下氷が豊富に存在する地域は、火災による地表面撹乱によってサーモカルストと呼ばれる地形変化を伴う凍土融解を引き起こしてしまうため、シベリアでは今後の土地変化に対して注意が必要である。極端な場合は、森林が凍土の融解湖や湿地帯に変化してしまい、表層植生が回復できない状況が長期的に続く可能性があるからだ。

永久凍土帯のシベリアで起こる森林火災という地表面撹乱が、地球規模の炭素収支と気候変動、そして地域住民とエコシステムにどのような影響を及ぼすのか、さまざまな研究機関が調査中である。


（岩花　剛）

コラム1

シベリアの淡水魚とその利用
――ロシア人と先住民の利用法

吉田　睦

大陸国家であるロシアは周辺を海に囲まれているとはいえ、水産資源の利用の観点から言えば、概してロシア人は淡水魚への嗜好性が強いといえる。1980年代頃より太平洋方面の海洋漁業の発展に伴い、太平洋サーモンやニシン、イワシ（ロシアでもイワシ иваси）やイカ等の海水魚が食材（その多くが冷凍物、塩蔵・燻製品か缶詰）として盛んに導入されるようになった。しかし、現在でも川魚を好む傾向は強い。中央ロシアではソ連期よりコイ・フナ類やチョウザメその他の川魚が生魚で売られたり（店の一角に水槽のある所もあった）、燻製や干物で食されていた。チョウザメはその卵キャビアが有名であるが、肉も高級料理として利用されてきた。

概してシベリアでは、ロシア人にしてもシベリア先住民にしても、淡水魚への依存性と嗜好性はさらに高いといえる。その点極東地方は海洋漁業の拠点が多いことから、海水魚に親しむ機会も多いのが特徴的といえる。ここでは、日本人にはあまり知られていないシベリア内水面における淡水魚の種類を紹介したい。

シベリアにはオビ川、エニセイ川、レナ川、そしてアムール川といった世界的規模の巨大河川や著名な湖沼としてのバイカル湖が知られている。先住民やロシア人は、歴史的にそれらの水系に豊富な淡水魚に依存する生活を送ってきた。それらの中には、ロシア通の日本人の間では知られているバイカル・オームリのような魚（本書第2章参照）もあるが、ほとんどが知られていない魚種であろう。シベリアで食用として消費量の多い魚種として、英名でホワイトフィッシュ（和名「シロマス」）と呼ばれる魚を挙げたい。ロシア語では「シーグ」

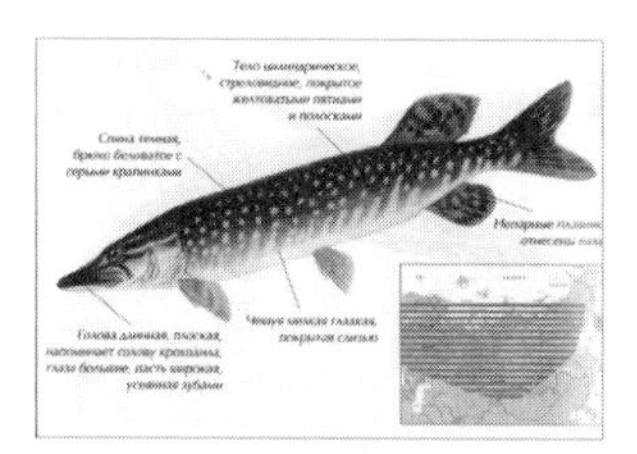
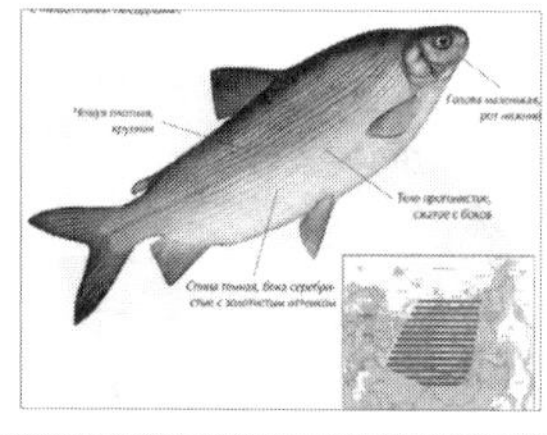
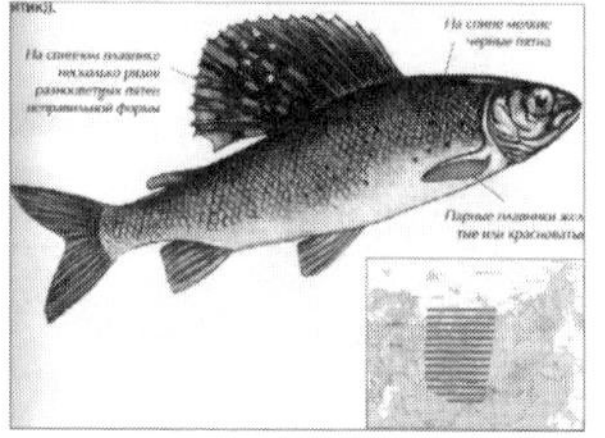

図コラム01-01　右上より時計回りにホワイトフィッシュ（チール）、カワスズキ、カワヒメマス、カワカマス

と総称される一連の魚はサケ科コレゴヌス属（*Coregonidae*）に属する一部降海性の魚であるが、先住民の間でも、ロシア人の間でも馴染みが深い。サケ科とはいえ白身の魚で、脂ののった個体は美味であるが、足が早く輸送に耐えない。先述のオームリもそうであるが、ムクスン（*Coregonus muksun*）や東西シベリアで名称の異なる「チール」（東）と「シチョークル」（西）（*Coregonus nasus*）など、多様な種類が存在する。多くは冷凍品や燻製品として市場に出回っている（写真コラム01―02）。中央ロシアでも缶詰が入手できるが、オイル漬けやトマトソース煮など画一的な食味のものが多い。ホワイトフィッシュは一部の先住民にとっても食材として非常に有用である。筆者の調査したトナカイ牧畜民ネネツ人は、牧畜民でありながら淡水魚に依存した食文化を保持している。そのうちホワイトフィッシュは「真の魚」と称して他の雑

魚（カワカマス、カワメンタイ等）と区別されて、食文化の重要な一翼を担っている（写真コラム01—01）。

写真コラム 01-01　ホワイトフィッシュを刺身にするネネツ人

写真コラム 01-02　ホワイトフィッシュ（イクラ以外はすべてムクスン）の燻製品が並んだショーケース（サレハルド市内）

その他にシベリアにおいて特徴的な魚としては、カワヒメマス、カワカマス、カワメンタイ、シベリアチョウザメ、カワスズキ等がある。カワヒメマス（*Thymallis arcticus*）は大きな背びれが特徴的な魚であるが、商業資源としてはあまり有用ではない。カワカマス（*Esox lucius*・英名pike）やカワメンタイ（*Lota lota*・英名burbot）はヨーロッパ・ロシアも含め大陸部に広く棲息し、いずれも成魚は1m前後にもなる大型魚であるが雑魚扱いである。とりわけカワカマスは、その形状や獰猛な性質から他の魚と一線を画する扱いを受けやすい。ロシアの民話（「愚か者エミーリヤ」等）にも登場するようにロシア人にとって馴染み深い魚で、食用にもされる（白身の肉の食味は淡泊）。シベリア先住民の間では、その形状や習性から一般の魚と区別され、聖魚として扱われたり、禁忌の対象にもなる。西シベリアでは特定期の女性にとって不可触であったり禁食であったりする。

シベリアの淡水魚とその利用

同様な扱いは広くヨーロッパ・ロシアのコミ人からアルタイのハカス人、東シベリアのサハ人等に広くみられる風習であることが興味深い。カワカマス、カワメンタイ、シベリアチョウザメ等は特有な外貌を有することもあり、水界や地下界の主であったり、不浄、疫病、死との関連や霊的存在との関わりが指摘されたりするように、文化的に特殊な地位を有する魚である。

スズキ目ペルカ属のパーチ類の魚も広くシベリアの諸水系にみられる。カワスズキ（*Perca fluviatilis*）やロシア名エルシュ（ерш・*Gymnocephalus cernua*）といった雑魚扱いの小型魚で、商業的価値はあまりないが、先住民等にとっては自家消費用として有用である。欧州部でもみられるコイ科の各種魚も商業的には雑魚扱いであるが、現地住民には食糧源として有用である。ロシア名ヤーシ（язь・*Leuciscus idus*）や西シベリア以西に多い同レーシチ（лещ・*Abramis brama*）等である。

チョウザメ類のうちシベリアチョウザメは東西シベリアに固有で、極東にはアムールチョウザメやサハリンチョウザメが分布する。アムール川水系のチョウザメ類はキャビアの原料として商業的に有用である。ホワイトフィッシュは日本ではほとんど知られていない、と述べたが、長野県で養殖事業に成功している。ここでは1970年代にチェコスロヴァキア（当時）から移入した卵から世界に先駆けて養殖に成功、それ以来長野県内数か所で養殖事業が行われている。「シナノユキマス（信濃雪鱒）」とのブランド名で商品化しているが、長野県内での提供に留まっている（一時押し寿司の駅弁として売られていたこともある）。

Ⅱ

シベリア・極東の歴史

11

シベリアの人類史と多様な民族形成

★民族的・文化的多様性の起源★

シベリアには、39に及ぶ多様な民族集団がそれぞれ独自の生活文化や世界観を創り上げ暮らしを営んできた。民族集団の多様性は、その言語においても古シベリア（古アジア）語集団、ツングース・満洲語集団、フィン・ウゴル語集団、サモエード語集団、テュルク語集団、モンゴル語集団など多様性を示している。

シベリアは、北半球の人類史を考える上で重要な位置を占めている。19世紀以来、多くの研究者がシベリアへ人類が進出してきた時期について論争を繰り広げてきた。シベリアが注目された背景には、この地が南北アメリカ大陸への人類移住の時期を推定する上で避けて通れない地理的位置を占めていたことがある。また毛長マンモスや毛サイ、ウマ、ジャコウウシ、トナカイ、ヘラジカなど寒冷環境に適応したマンモス動物群と呼ばれる化石動物相が知られており、狩猟採集民であった初期人類とそれら大型哺乳動物との関係も研究者の関心をシベリアに惹きつけたのである。一方で、夏は比較的高温に達するが、冬には雪と氷に閉ざされる氷点下の世界が広がる大陸性気候は、熱帯に生まれた人類が適応する上で大きな障害となることが容易に想像された。故にシベリアへの人類の進出には生活技術や文化、芸術や思考体系などの革新的変化が生じる必要があると考えられてきた。

シベリアへの人類の進出時期は、現在では10万年前に遡ると考えられている。長年シベリア考古学を牽引してきたアナトリー・デレヴャンコ博士は、アルタイ山地の遺跡出土資料に基づいて、ユーラシア西方からの人類移住が生じた時期を約30万年前と推定している。最初のシベリア人がどのような人類であったのかを推定する方法は、人類が環境適応の過程で生み出した石器類など道具製作技術やその組合せ、あるいは化石人骨となる。道具製作技術は、モード1からモード5に便宜的に区分される。石器製作のモード（様式）は必ずしも個々の人類種に一体一に対応するわけではないが、概ねモード2はホモ・エレクトス、モード3がホモ・ネアンデルターレンシス（以下、ネアンデルタール人と表記）、モード4とモード5が、ホモ・サピエンス（以下、解剖学的現代人と表記）に対応すると見なされている。シベリアでは礫石器（れきせっき）と剝片を主体とするモード1の石器群や両面加工のハンドアックスを持つモード2の石器群はまだ数が少なくその様相は年代も含めて不明である。一方で、近年、着実に新たな資料が蓄積されているのがモード3とモード4の技術伝統である。

南シベリアの山地アルタイ地方には多くの洞窟遺跡が知られ、初期人類の歴史解明に貴重な資料を提供している。ノヴォシビルスクのロシア科学アカデミーの研究者たちによる精力的な調査の結果、この地域ではモード3の石器群である「シベリャーチハー・インダストリー」とモード4に属する「カラ・ボム伝統」、さらにモード5に分類できる「ウスチ・カラコル伝統」が確認され、それら3つの技術伝統がほぼ同時期に共存していたことが明らかにされた。さらにオクラドニコフ記念洞窟やデニ

図 11-01　ゲノムデータに基づく先史集団の拡散ルート

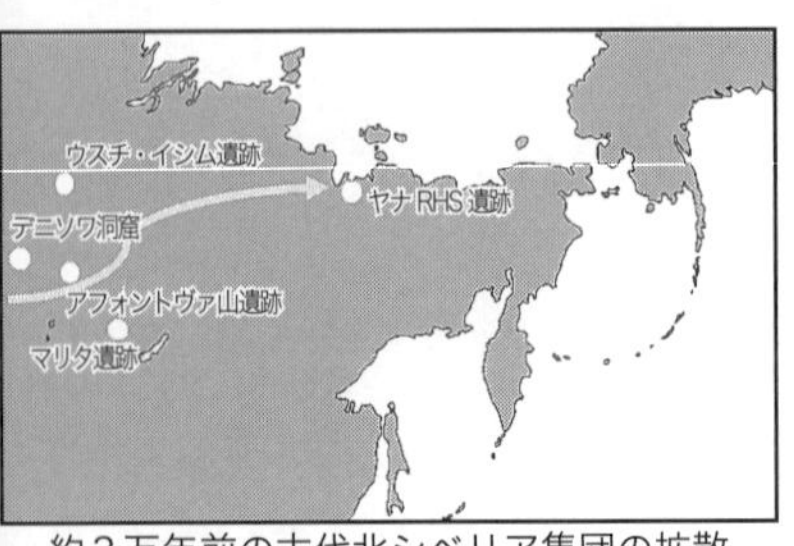

約３万年前の古代北シベリア集団の拡散

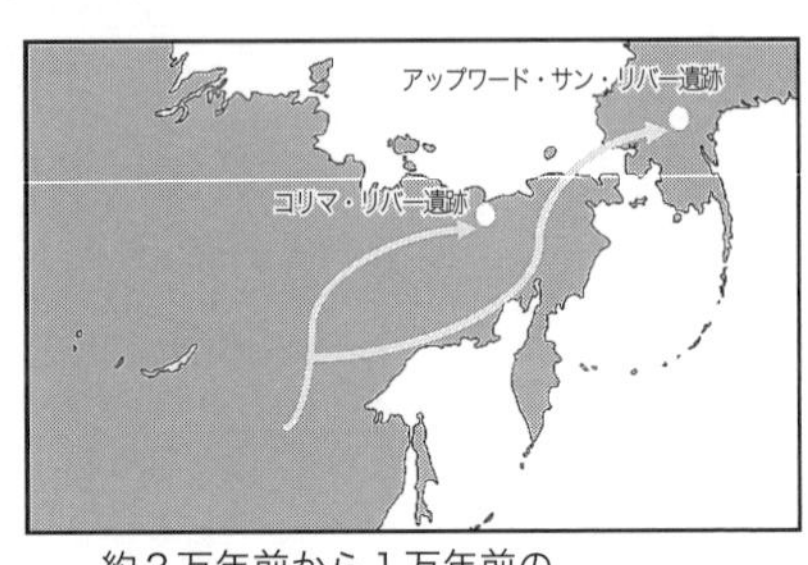

約２万年前から１万年前の
古代パレオシベリア集団の移動と拡散

ソワ洞窟ではモード3の石器群とネアンデルタール人の共伴関係が確認されている。シベリアは人類史の表舞台へ引き出され、多くの研究者の注目を集めている。とくに山地アルタイ地域でネアンデルタール人と解剖学的現代人が同時期に共存していた様相は、これまでの仮説を大きく塗り替える契機となった。

世界の研究者の視線を集めたのは、山地アルタイでのネアンデルタール人の確認だけではない。さらに驚くべき発見が山地アルタイからもたらされた。デニソワ人の発見である。デニソワ洞窟で発見された子どもの小指の骨の小片から採取されたミトコンドリアDNAの解析によってネアンデルタール人と近縁で、なおかつホモ・サピエンスと共通の祖先から分岐した新たな人類種が確認された。この新たな役者の登場によってシベリアの人類史の舞台は、今一度その台本の書き直しが必要となっている。

デニソワ人の確認に大きく貢献した古代ゲノム研究は、数万年前の歴史に留まらずに、現代の北方先住少数民族の集団形成史にも新たな情報を提供している。北極圏の遺跡も含め、3万年前以降のシベリアに展開した解剖学的現代人は大きく3つの系統に分かれることが化石人骨より得られた遺伝子解析結果から示された。最終氷河期再寒冷期以前のシベリアに居住していた集団は「古代北シベリア集団」と呼ばれる。彼らは約3万年前には北緯70度以北の北極圏にまで達している。この集団の起源はユーラシア西部にあり、東方へ移動する過程で東アジア集団と分岐してシベリアへ進出した。シベリアは長年、アメリカ大陸への人類移動の玄関口と見なされてきた。しかし、興味深いことに最初の「シベリア人」はアメリカ先住民の直接の祖先集団ではないと考えられている。遺伝的類似性としては、東アジア集団よりもむしろ西ユーラシア集団に近似する傾向を示すという。

では、アメリカ先住民の祖先と関係する集団は何時どのようにシベリアの人類史に登場するのであろうか。遺伝学者はアメリカ先住民の祖先と関係する集団を「古代パレオ・シベリア集団」と名付けている。この集団は、約2万年前に「古代北シベリア集団」と北上してきた「東アジア集団」とが南シベリアで混血して形成された集団である。遺伝子データはベーリング海峡東西岸の遺跡出土の人骨から得られた。この「古代パレオ・シベリア集団」は、アメリカ先住民の祖先集団との関係が指摘される一方で、現在のシベリア北東部に生活するコリャークやイテリメン、チュクチとの類似性も指摘されている。最後の3つ目の集団は、「新シベリア集団」である。この集団は、約6千年前から50 0年前までの遺跡からの出土人骨から得られた遺伝子に基づき復元された。この集団が1万年以降のシベリア新石器時代の主要な担い手集団と考えられている。

古代ゲノムが提示した集団系統を復元する手法は未だ数は多くないが、現在の北方先住少数民族の形成過程の復元にも応用されている。古代ゲノム研究も考古学も点と点をつなぐような作業ではあるが、シベリアにおける人類史研究は、遺跡や出土遺物を中心に復元考察する段階から新たな段階へ移行したことは確かである。そこではかつて可視化されなかった歴史情報が新たな歴史の扉を開けつつある。

（加藤博文）

12

ロシア極東と北海道の先史文化交流

――★ホモ・サピエンスの定着化からオホーツク文化形成まで★――

先史北海道はロシア極東側に開かれており、北方文化受容の最前線となったとする従来の説はある面で正しいが、実態はそう単純ではない。本章では今世紀に入って急速に発展した日露共同研究の諸成果に基づき、後期旧石器時代～古金属器・続縄文時代のロシア極東と北海道の交流史を概観する。

後期更新世（こうしんせい）後半の後期旧石器時代（4～1万年前）になると、アフリカを起源とした現生人類ホモ・サピエンスがユーラシアを北回り（シベリア南部・モンゴルを経由）に拡散して、ロシア極東と北海道に到達した。当時は不安定な氷期であったため海面が140～100mほど低下し、サハリン・北海道・千島列島南部は大陸と陸でつながる1つの半島（古サハリン―北海道―千島半島）をなしていたので、人類は比較的移動しやすかった。

2万5千年前の最寒冷期になると、酷寒のシベリアから寒さを避けてマンモスゾウなどの動物群が北海道に移動し、それまで分布していた南方系のナウマンゾウなどの動物群と交代した。それと同時に北海道では、狩猟の対象であったマンモス動物群を追って、シベリアにいた細石刃（さいせきじん）を持った集団が新たに出現し、それまでいた本州系の台形様石器や尖頭器を持った集団と置き

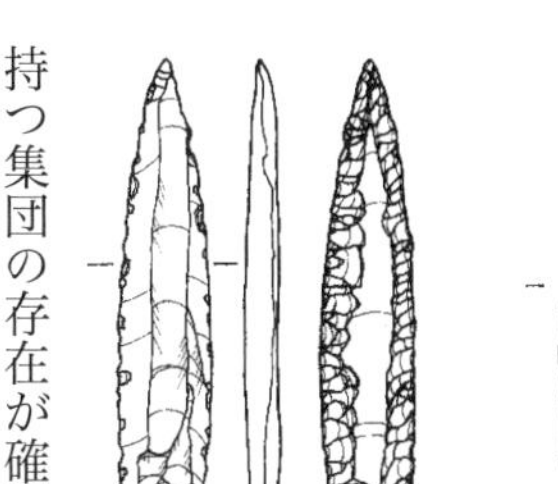
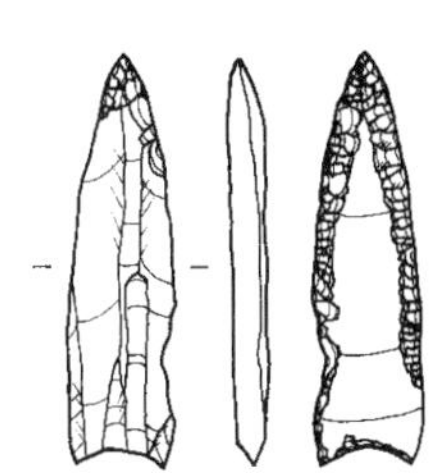

図12-01　北海道湧別市川遺跡出土の石刃鏃（福田正宏編『日本列島北辺域における新石器／縄文化のプロセスに関する考古学的研究』東京大学、2015年）

換わった。北海道内では複数種の細石刃石器群が発達した。そのうちの札滑（さっこつ）型細石刃石器群（1万9千〜1万6千年前）は、東日本やサハリンのソコル遺跡など、広い範囲で発見されており、頻繁に広域移動していたと考えられる。

氷期末の晩氷（ばんひょう）期（1万5000〜1万1700万年前）になると、バイカル湖周辺やアムール川流域、そして日本列島で土器が出現した。この時期は、ロシア極東の新石器時代最初期、また本州以南の縄文時代草創期に並行する時期が始まる画期とされており、寒冷化と温暖化を短い期間で繰り返す激しい気候変動期に相当する。土器は新しく出現した食料資源を調理するための土鍋調理具として各地で使用され始めたと考えられている。大陸側と北海道側の双方で土器を持つ集団の存在が確認されているが、中間に位置するサハリンの様相がまだよくわからず、両者の関係性は未解明である。

1万1700年前以降は完新世（かんしんせい）の温暖気候となる。完新世初頭にサハリンと北海道は大陸から離れ、島に変わった。日本列島は温帯森林に覆われ、道南以南の列島各地は新たな生活環境の下で定着的食料採集社会に移行した。本格的な縄文文化の始まりである。一方、オホーツク海に近い道東は気候が安定せず、温暖環境に適した石器群と寒冷環境に適した石器群が頻繁に入れ替わった。とくに約8200年前の世界的な寒冷化は道東集団の生活に甚大な影響を及ぼしたとみられ、宗谷海峡成立後も広

範囲にわたり存続していた道東産黒曜石の流通ネットワークを通じて、ロシア極東に広く普及してい
た石刃石器群が道東で一時的に導入された。特殊な形の鏃（やじり）は石刃鏃と呼ばれ、縄文文化には存在しな
い外来系遺物として注目される。気候はすぐに回復し、さらに温暖化が進んだため、そうした北方系
の技術は短期間で消滅した。その後、北海道は全体が東日本の縄文文化の一部に組み込まれていった。
約8千年前からは、完新世中期の比較的安定した温暖期に入る。アムール下流域とサハリンは遅く
とも7千年前までに定着的食料採集社会へと移行する。アムール下流域では約8500年前からコン
ドン文化が始まるが、遺跡の数が増加し、緯度の高い河口部にまでその分布が拡大するのは、現在の
気候・地形に近づく7400〜7000年前のことである。コンドン文化の後は、マルィシェヴォ文化、
ヴォズネセノフカ文化と独自の変遷が続き、そこではアムール川を遡上するサケやマスの捕獲が主な
生業となった。サハリンでは南部を中心に約7500年前、ソーニ（日本語名は宗仁）文化の遺跡が増
加する。温暖化に伴う宗谷海峡の拡大とともに、サハリンでは道東産黒曜石の出土量が減少し、北海
道の縄文文化とは異なる文化動態が展開するようになる。こうしたアムール下流域―サハリンの新石
器文化群や日本列島の縄文文化は、竪穴住居での定住、煮沸用平底土器の利用、集落周辺の森林資源
や水産資源を計画的に利活用する生業形態など、共通する点が多い。これは完新世中期の環日本海北
部全体に類似した生態環境がひろがったためである。だが一方で、完新世初頭までみられた広域的な
交流がさかんに行われた痕跡はなく、これらの文化はそれぞれ高い独立性を保っていた。以上のよう
な特徴を有する環日本海北部各地の文化群を「極東型新石器文化」と総称することができる。
それに対してスタノヴォイ山脈より北の東シベリアでは、新石器時代以降も寒冷環境に適した遊動

生活が営まれ、天幕式住居・丸底土器、細石刃・石刃石器群が採用された。北緯50度以北のタイガ気候への移行帯となるアムール河口部やサハリン北部では、約6700年前と約5700年前の東シベリア系丸底土器が出土しており、行動様式が異なる極東と東シベリアの集団との接触があった。

紀元前2千年紀前半になると、それまでの新石器文化群の配置関係に変化が生じる。3800～3400年前のアムール下流域およびサハリン北部には、中国三江平原およびその周辺となる今日のユダヤ自治州や沿海地方に展開した文化動態の影響が及んだ。巨視的に見ればこれは東北アジア全体における金属器化＋農耕化の波と関連した動きである。しかしその影響は二次的、三次的なものであり、社会構造や生業形態は大きく変化しなかった。この段階は新石器時代晩期と呼ばれ、後続する古金属器時代（初期鉄器時代）への移行期と位置づけられている。

紀元前1千年紀になると、サハリンの様相は一層複雑化する。北部では丸底土器が増えるなど、東シベリアからの影響も受けるようになる。南部では宗谷海峡を挟んだ交流が活発化し、縄文時代晩期後半～続縄文時代初頭の北海道系の土器が増え、完新世中期以降少なくなっていた道東産黒曜石の出土量が急増する。広域的な文化交流はさらに進み、紀元前後にサハリン南北の土器が在地融合したものとされる鈴谷（すずや）式土器が、宗谷海峡を越えた北海道に出現する。ここから、大陸側と北海道側の文化的影響を緩衝するサハリンの文化動態が重要な鍵となる、新たな日本列島北辺史が開始する。こうした流れのなかで、紀元後まもなくすると、サハリン―北海道―千島列島南部の海洋環境に適応しながら、アムール（川）流域を居住地としていた黒水靺鞨（こくすいまっかつ）との交易をも行ったとされるオホーツク文化が成立した。

（福田正宏・佐藤宏之）

13

古代・中世のロシア極東と北海道

★極東史から見たアイヌ民族の形成★

古代から中世の北海道は、沿海州やアムール川（黒竜江）流域などのロシア極東地域と、まさに一衣帯水の関係にあった。また日本列島北域の住民であり、北東アジア先住民でもある、アイヌ民族の文化や社会は、極東ロシア地域の古代から中世の歴史を抜きに理解することは難しい。古代から中世のロシア極東と北海道の間には、学校教育で学ぶ「日本史」や「世界史」では描かれない、日本やロシアなどの国民国家の枠組みの外に息づく壮大な歴史動態が秘められている。

しかし、ロシア極東地域の古代から中世を見定めることは、思いのほか容易な作業ではない。というのも、中国大陸や日本列島など隣接周辺地域では、国家が成立し文字を用いて自らの「歴史」が叙述されてきたのに対し、当該地域の大部分は渤海（ぼっかい）や遼（りょう）などの一部を除き、自ら文字記録を遺していないか、他者による断片的な文字記録しかないからである。このため、当該地域の古代や中世を探るためには、沿海州やアムール川以北を領有してきたロシア考古学の研究成果に頼るしかない。

ただ極東地域における古代から中世を対象とした、ロシア考古学の研究成果に関しては、注意すべきことが3点ある。まず

図 13-01　沿海州南部・アムール川中下流域の文化変遷

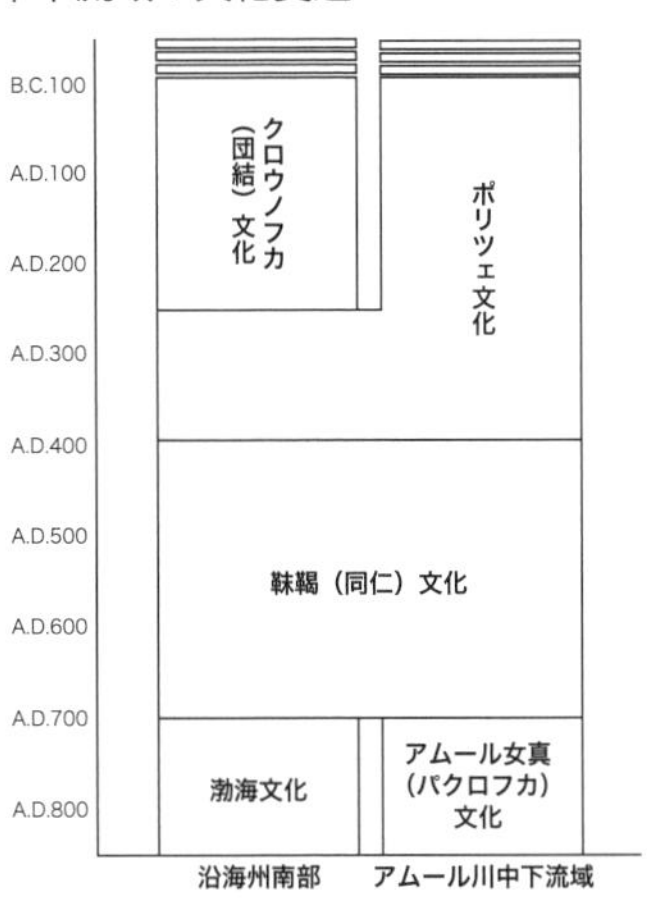

1つは、特定の時空間に限定される先史文化が設定されてはいるものの、非常に限られた少数の研究者が広大な面積の地域を対象とせざるをえないため、ロシア極東全域を網羅する古代から中世の通史的な変遷が、現時点で必ずしも十分に把握できているわけではないことである。次に注意すべきは、比較的調査研究が進んでいる沿海州やアムール川中下流域に関して、同一資料と目されるものが、国境を挟んだ中国側の考古学では異なる名称で呼ばれていることである。最後の注意点は、中世期に近づく比較的新しい時代になると、中国王朝の文献に記録された「靺鞨（まっかつ）」や「女真（じょしん）」などと呼称される民族集団とダイレクトに結びつけられて考古資料が解釈されているが、この解釈が必ずしも文献史料の十分な批判検証を経ていないことである。

こうした課題を踏まえた上で、比較的調査研究が進んでいる沿海州南部とアムール川中下流域における古代から中世を把握するため、紀元前後以降の概要を提示する。まず沿海州南部では、紀元前後頃にはクロウノフカ文化が展開していたが、3〜4世紀頃になるとアムール川から拡散したポリツェ文化に移行した後、5世紀頃には靺鞨文化となり、8世紀には渤海文化に至る、という変遷が想定されている（図13—01）。なお中国考古学では、クロウノフカ文化は「団結文化」、靺鞨文化は「同仁文化」とそれぞれ異なる呼称が付されている。他方アムール川中下流域は、紀元前3世紀頃から展開していたポリツェ文化が、3〜4世紀頃まで分布圏を沿海州全域にまで拡大した後、沿海州と同じく5世紀頃には靺鞨文化となり、8世紀頃にはアムール女真（パクロフカ）文化

図 13-02　オホーツク文化と靺鞨文化の分布（出典：菊池俊彦『北東アジア古代文化の研究』北海道大学図書刊行会、1995 年）

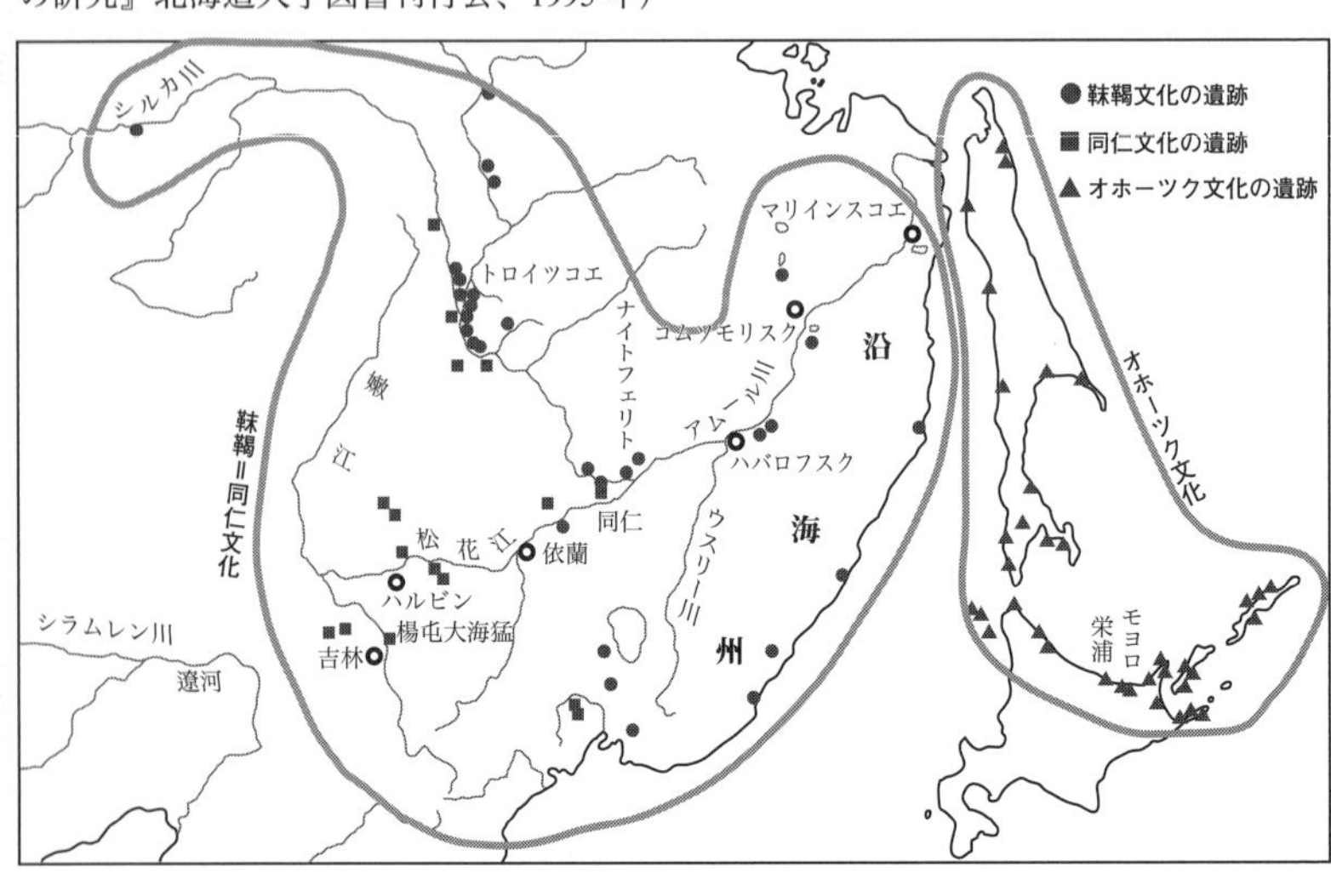

に移行する、という変遷が想定されている（図13―01）。

もっとも、上記のような変遷は、あくまでも非常に大まかに概括したものであり、特定の地域や年代では異なる先史文化が設定されているケースが少なからずある。さらには、研究者によって意見を異にするケースもあれば、今後の調査研究の進展によって年代観などが変化する可能性も大いにある。なによりも、沿海州南部やアムール川中下流を除く、極東ロシアの広大な地域の歴史展開を網羅できるような研究成果は、まだまだ蓄積されてはいない。

とはいえ、こうした限定的な知見ではあるものの、ロシア極東地域と北海道との交流が明確に窺われる事例が存在する。その事例とは、5～9世紀にサハリン南部から北海道北東部沿岸を経て千島列島に分布したオホーツク文化である（図13―02）。同文化は、サハリン以北の地から渡来した集団によって担われていたことが、考古資料や遺伝データなどから確認されている。くわえて、オホーツク文化を特徴づけているのが、靺鞨文化（同仁文化）などに起源を辿りうる遺物が豊富に出土していることである。具体的には、帯飾りや小鐸（しょうたく）などの青銅製品、軟玉などの装飾品、刀剣や鉾などの鉄製武具、靺鞨文化のものと器形や文様が類似した土器などがあげられる。なかでも、前述の土器の類似性とともに、オホーツク文化では、日常使用する刀子や斧などの切裁具が大陸産の鉄器で賄われていたことから、直接的か間接的か定かではないものの、大陸から恒常的に文物を移入する交流ルートを維持していたことは確実である。

江戸時代には、アイヌ民族が「山丹交易」と呼ばれる北回りのルートによって、サハリンを経由しアムール川河口に出向き、清朝との朝貢交易にも一部参与していたことが、間宮林蔵の探検記録などに記されている。オホーツク文化は、こうした近世期に記録された北海道と大陸との交流に極めて類似したあり方が、1千年以上も遡る五世紀代には行われていたことを窺わせる事例といえる。むしろ、沿海州やアムール川流域の靺鞨文化から俯瞰するならば、オホーツク文化にみられる北海道の状況は、古代から中世かけて商品経済が発展するなかで物流体制が再編され、中国大陸の王朝国家や日本列島の政治権力の枠外にあった北方周辺世界が、その中に組み込まれて行く過程と見なすことができる。

沿海州やアムール川流域などロシア極東に暮らす先住民族は、欧米諸国の植民地主義が到達する近代以前から、自らの社会や日常生活を維持するために、中国王朝をはじめとする周辺国家との交易に従事していたことが知られている。また北海道や樺太などに暮らすアイヌ民族も、古代から中世に形成された北方の交易ルートを基盤として受け継ぎ、自らの社会を維持し文化を育んでいたことが、中世以降の考古資料や文献史料などからも確認できる。ともあれ、古代から中世に至るロシア極東と北海道の交流は、アイヌ民族を含め北東アジアに暮らす北方先住民のあり方を基礎づけた、歴史的特異点であったことに疑いはないだろう。

（大西秀之）

14

シベリアの地域情報収集と地図化

★ロシアによるシベリア・極東進出の歴史①★

ロシアによるシベリア進出は16世紀後半から本格的に始まる。製塩業や毛皮交易で富を得たストロガノフ家は、モスクワ公国よりシベリア開発を許可された。このストロガノフ家に軍事的・経済的な援助を受けたイェルマークは、1581年にはコサック隊を率いてシビル・ハーンのクチュムに打撃を与え、1582年にシビル（現在のトボリスク付近）を占領した。地域名としての「シベリア」の語源とされることが多い。シビル・ハーン国は1583年にはモスクワ公国の領土となり、その後次々とオビ川沿いにロシア人によって支配拠点が置かれ、ロシア人農民の自由村の建設も進んだ。

16世紀末以降、ロシアのシベリア支配はトボリスク（1587年建設）が中心であった。シベリア全体の軍事・行政だけでなく、ロシア人の移住が進むと文化・経済の中心地としても機能した。さらに17世紀になると、エニセイ川やレナ川沿いにもロシア人は進出した。ヤクーツクは、レナ川流域および極東地方における探検・調査の本拠地となった。1643年から1646年の3年をかけ、ポヤルコフ率いるコサックの探検隊がヤクーツクからスタノヴォイ山脈を越えてゼーヤ川に達し、そこからアムール川を通り太平洋までたどり着き、その後ヤクーツクに帰還した。

トボリスクに勤務していたコサックのデジニョフは、1630年代にはエニセイスク、1638年にヤクーツクへ移動する。1648年、デジニョフ一行90名はコルィマ河口を出発して、チュクチ半島の先端を廻り、アナディリに要塞を築いた。デジニョフの報告書は、およそ100年後の1736年、『シベリア史』の著者である歴史学者ミルレルによってヤクーツクの文書保管庫で発見された。1879年にこの地を探検したノルデンショルドによって、デジニョフの探検成果は再評価され、チュクチ半島の東端は「デジニョフ岬」と名付けられる。1697年、アナディリ要塞のコサック隊長であるアトラーソフは、ロシア人コサックやユカギール人たちを率いてカムチャッカ半島へ赴き、先住民であるイテリメン（ロシア側の史料ではカムチャダールと呼ばれた）やコリャークにヤサク（現物による課税）を課して、彼らを支配下に置いた。

そのほか、当時のシベリアの情報を残したのは、清国への訪問団である。使節として活躍したのは、教養・商才のある外国人たちであった。1675～77年にかけて、ギリシャ人のスパファリはロシアと清の間の国境紛争や通商問題を解決するために、ロシア使節団のメンバーとして北京を訪問した。その際、モスクワ、トボリスク、エニセイスク、イルクーツク、ネルチンスクや露清国境地帯、シベリアの河川、バイカル湖やサハリン島まで、シベリア・極東に関する情報収集を行った。デンマーク商人であるイデスもシベリアの記録を残している。1692年、ピョートル1世により、ネルチンスク条約締結後の通商活発化のためにイデスは北京に派遣され、1695年にモスクワに帰着した。その時に収集した情報は、モスクワのロシア国立古代文書館に「イズブラント・イデス文書」として残されている。

このような外国人によるシベリア地域情報の収集だけでなく、ロシア人による地域情報収集の例として、17世紀末から18世紀初めにレメゾフ一族が作成した『シベリア地図帳』が挙げられる。そこにはシベリア・極東の地域像を語る上で重要な多数の手書き地図が掲載されている。レメゾフ一族は、まさにシベリアの中心都市であるトボリスクを拠点とした軍事勤務者の家系であり、地域情報の収集には有利な立場にあった。彼らはロシアのシベリア支配の現地業務担当者であり、現地を調査し、地図を作成する。あるいは先住民族へのヤサク徴収業務についた。

『シベリア地図帳』は3冊が現存する。ひとつは、レメゾフがモスクワ滞在中にシベリア庁から依頼を受けて作成した地図帳である。トボリスクで作成されたのち、すぐにモスクワに送付された。地図帳に掲載された地図は1699~1701年にかけてレメゾフ親子が編集したものである。あとふたつは、レメゾフ家に保管されていたものであり、シベリアの詳細な地勢図集と公務用の地図帳である。公務用の地図帳は、他の2冊にはないさまざまな地図が掲載されていることが特徴である。西シベリアのトボル川周辺の詳細な地図、カムチャッカ地図、中国図が珍しい。トボル川流域の地図は、人口世帯調査やモスクワから派遣されたパルフェニエフによる調査結果の地図がある。この調査では、とくにトボル川流域のバシキールやタタールの調査、ユルタ（先住民族の住居）の立地なども調査対象になっている。カムチャッカの地図群は、研究者の注目度は高く、その作製者・編集者に関しては諸説ある地図群でもある。しかし、中国図はすべてヨーロッパ製地図の写しである。

ロシア地図史上、ベーリング探検隊よりも早い時期に、カムチャッカ半島を「発見」したとされるアトラーソフは、カムチャッカ半島の詳細な地域情報を収集した。それがレメゾフの地図帳の中に、クバソフによる編集図として掲載され、地図上でもロシア人の知る地となった。また、この地図帳に掲載されているカムチャッカ図の中で、最も後年に作成されたと思われる図は、1713年以後のコズィレフスキーの作成図であることで研究者の見解は一致しており、そこには日本まで含めた詳細な地域情報が描かれている（図14―01）。

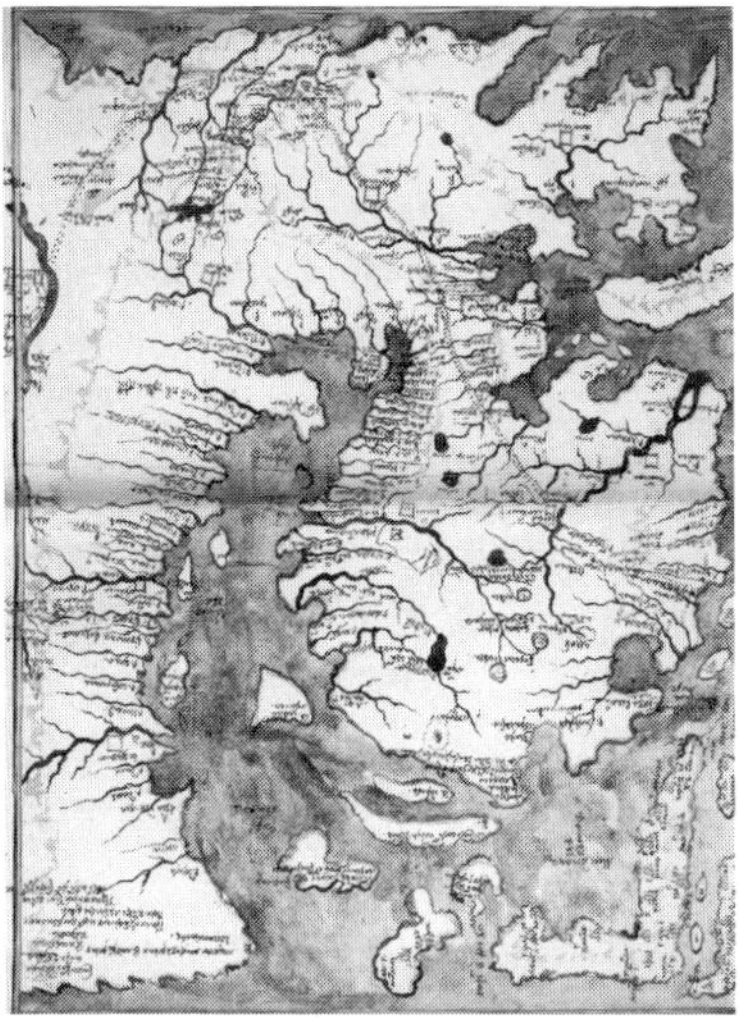

コズィレフスキーは、ロシア人として初めて千島までたどり着いた人物とされ、千島アイヌから日本を含めたこの地の地域情報を入手した。1711年にカムチャッカで起きたコサック反乱の首謀者の一人であり、隊長であるアトラーソフを殺害し、逃亡した。その罪を軽減するために、カムチャッカ半島とその周辺である千島・日本の情報を地図や報告書にまとめてヤクーツクの役所に提出した。この情報は、トボリスクに送られ、レメゾフの地図帳に掲載された。また、ヤクーツクの文書保管庫にあったこの報告書も、歴史学者ミルレルによって発見され、世に紹介された。

図 14-01　公務の地図帳カムチャッカ図 103 － 104(50)コズィレフスキーの地図 1713 年以降(右下に日本列島が描かれている)

シベリア・極東の地域情報の収集はトボリスクやヤクーツクなどで行われ、それをもとに地図が作成された。これは、現地の情報をもとにしたロシアの「伝統的な」地図の作成手法であった。ロシアの「近代」は、ピョートル1世の時代において「科学的な」地図作成の時代をむかえることになる。

（米家志乃布）

15

ロシアの近代学術調査と探検

★ロシアによるシベリア・極東進出の歴史②★

17世紀末以降、ピョートル1世は、ロシアの近代化を推し進めるために、西欧の科学的知識を積極的に取り入れ、科学アカデミー（現在のロシア科学アカデミー）を設立した。18世紀前半のベーリングによるカムチャッカ探検調査（第1次1725～30年、第2次1733～42年）は、1724年12月のピョートル1世の勅命によって始まる。この調査の主目的は、ヨーロッパでもまだ明らかになっていない、カムチャッカより北方にのびる陸地とアメリカ大陸の間にある海峡の存在を確認することだった。

デンマーク人将校のベーリングは、1704年にロシアのバルト艦隊に入隊し、ロシア海軍で経験を積んだ。ピョートル1世により探検調査の隊長に任命されたベーリングは、チリコフ、シパンベルグといったロシア人将校と多くの水兵・技師と共に、カムチャッカへ向かった。1725年1月にはペテルブルグを出発し、同年3月にトボリスクに到着した。その後、オビ川・エニセイ川支流でエニセイスクへ移動し、冬を過ごした。1726年にはレナ川からヤクーツクに入った。ヤクーツクからオホーツクまでは陸路であり、困難を極めた。オホーツクで船を建造し、海を渡り、カムチャッカ半島を横断した。1728年

3月に東岸のニジネカムチャックに到着し、そこから出航した。その結果、カムチャッカ半島とその北部の沿岸部については確認できたものの、主な目的である海峡の存在は確認できなかった。このベーリングの第1次探検の成果は、キリーロフの『ロシア帝国地図帳』（1734年刊行）に反映された。

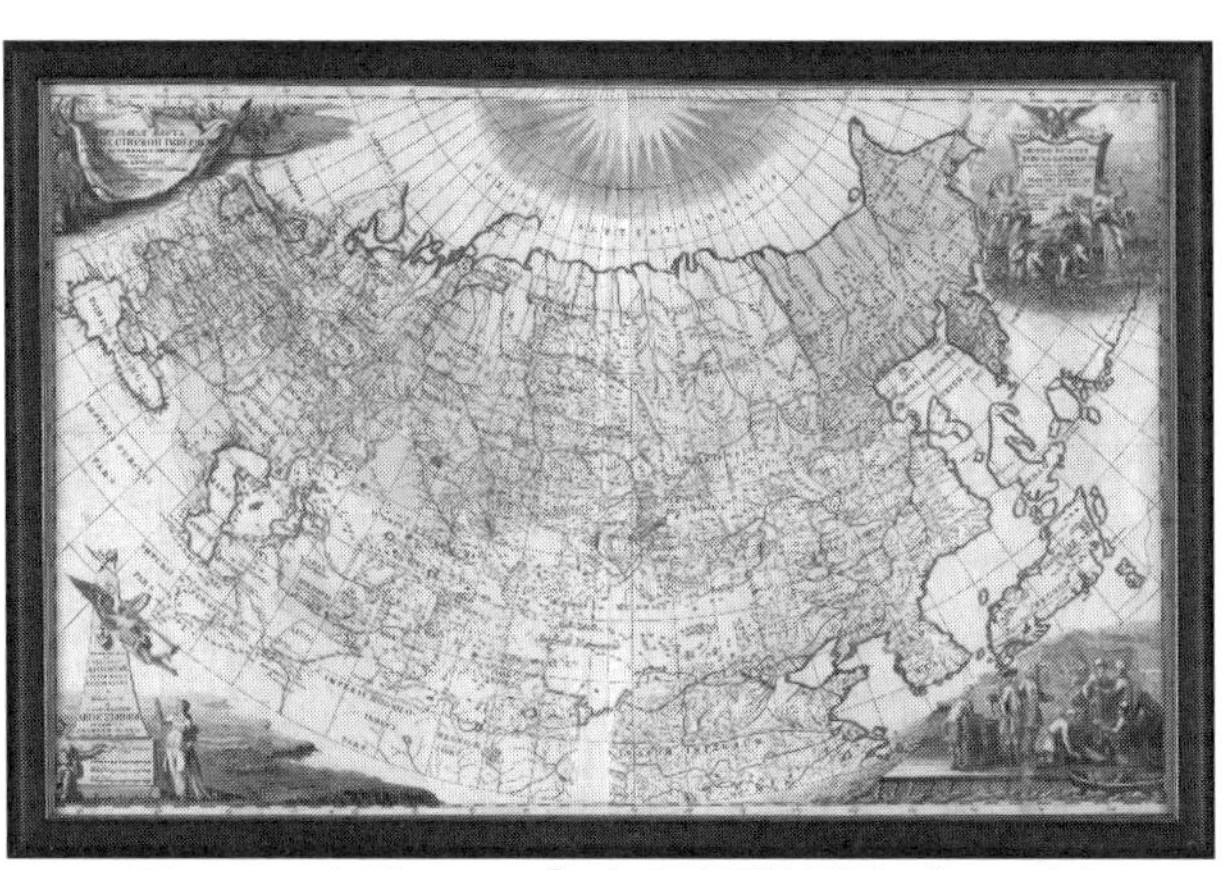

図 15-01　キリーロフ『ロシア帝国地図帳』（1734 年）

ベーリングは、1730年に新しい探検計画を提出し、1732年4月には再びベーリングを隊長とした第2次探検隊が組織された。チリコフ、シパンベルクもメンバーとなり、シパンベルグは日本方面調査への分隊隊長となる。この2回目の探検は「大北方探検」と称された。ピョートル1世の死の直前に、ロシアには学士院が設立された。学士院メンバーの多くはドイツやフランスなどから招聘された外国人学者たちであり、彼らは学術的な調査や地図作成の任務を担った。2度目の探検調査では、アジアとアメリカの間の海峡の確認だけでなく、日本方面への航路の開拓、シベリアの自然や民族に関する詳細な学術調査も行われた。これらの調査成果はその後、次々と刊行され、シベリア・極東研究の基本書となった。

この「大北方探検」でベーリング隊はアラスカを確認し、チリコフはアラスカに上陸した。両大陸の間の海峡は確認でき、日本への航路を開拓したシパンベルグも千島列島の地図を作成した。しかし、隊長であるベーリングは、1741年、ペテルブルグに帰還することなくコマンドル諸島の無人島（現在のベーリング島）で死亡する。このベーリングの2度にわたる探検調査は、後世高く評価された。1762年、レデルンはアジアとアメリカの間にある海峡を「ベーリング海峡」と名付けた。

19世紀においても、シベリア・極東の学術調査と探検は続いた。1842年から1845年にかけてバルト系ドイツ人のミッデンドルフは科学アカデミーの要請で、北部・東部シベリア、極東、タイムィル半島を探検調査し、オホーツク海沿岸からアムール川下流に到達した。動植物や植生などの自然科学の研究に従事し、その成果は『北部・東部シベリアの旅』（1848～45年）として刊行された。1845年にはミッデンドルフも創設者の一人となり、ロシア地理学協会（1848年帝立ロシア地理学協会と改名）が設立される。その後、「大シベリア遠征」が組織され、アムール川流域およびサハリン島などの極東地域では、ロシア地理学協会による学術調査が本格化する。1809年の間宮林蔵の「発見」から遅れること40年、1849年にはロシア人のネヴェリスコイがアムール河口を調査し、サハリンは地続きではなく、海峡で隔てられている「島」であり、この海峡が通行可能であることも確認した。これらの様々な調査と探検の成果は、サンクトペテルブルグの地図出版業者であるイリインの『ロシア帝国地図帳』（1876年）の極東部分に反映されている。

ロシア地理学協会は、ドイツ地理学の学問的な影響が大きく、設立当初はバルト系ドイツ人が要職を占めていた。しかし、その後はドイツ地理学の影響はそのままで、運営面ではロシア人たちが主導権を握った。この大シベリア遠征の必要性を唱えたのが、地理学者であるセミョーノフ＝チャン＝シャンスキーや東シベリア総督のムラヴィヨフ、海軍士官のネヴェリスコイらであった。

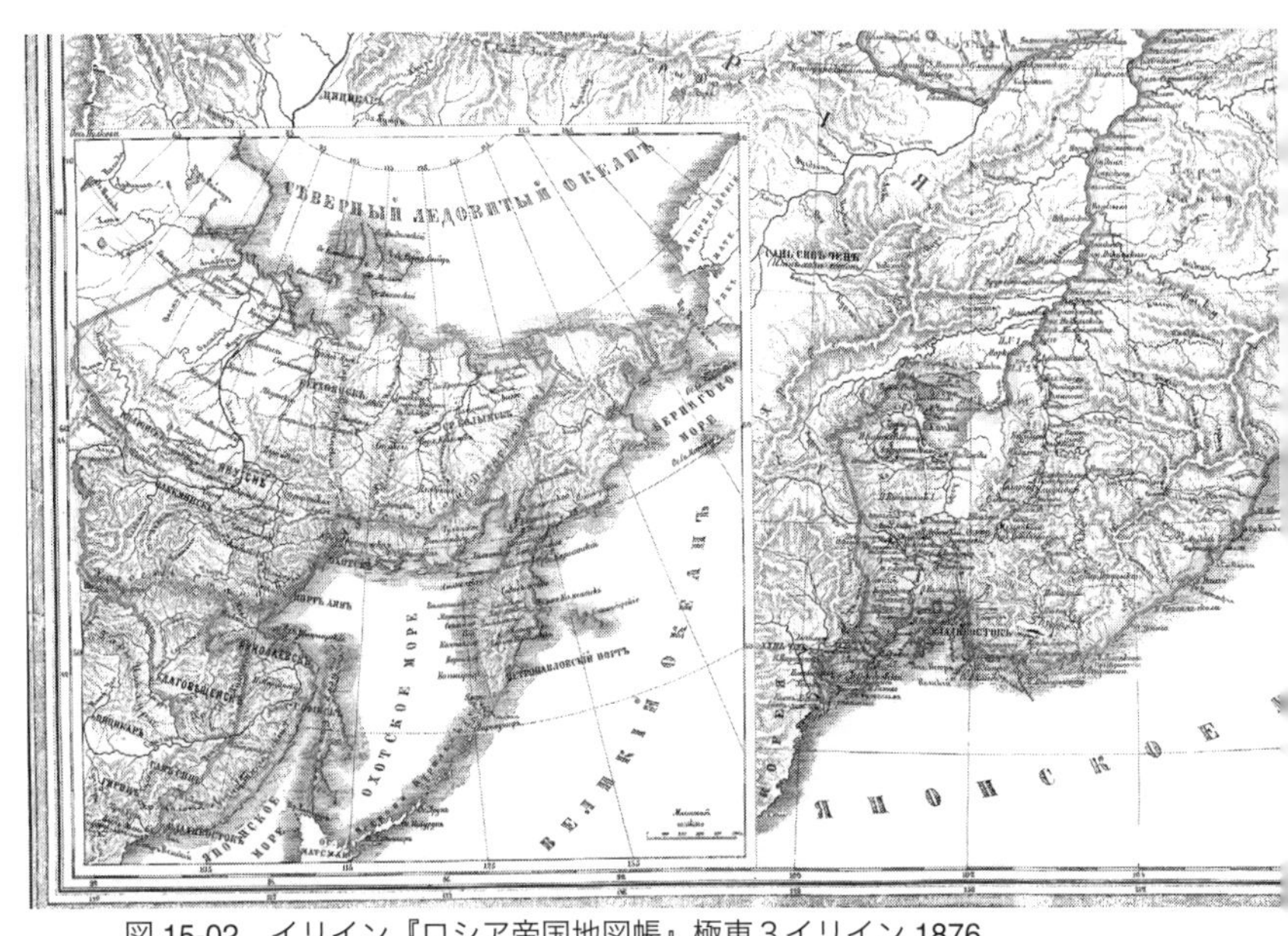

図 15-02　イリイン『ロシア帝国地図帳』極東３イリイン 1876

ところで、最後まで残ったのはヨーロッパから北極海を通ってベーリング海峡を抜ける北東航路である。北極海の商業航路は、カラ海を通ってシベリアの農産物を運ぶ航路が開拓されていたものの、多数の船が氷に阻まれ難破する難所でもあった。ノルウェー人のノルデンショルドは、スウェーデン王立科学アカデミーの教授として、鉱物学を研究しており、北極の学術調査のために探検計画をたてた。この計画がオスカル2世や商人たちの支援を得て、1878年7月にスウェーデンを出発し、北極海からベーリング海峡を廻り、太平洋を南下した。1879年9月に日本の横浜港に到着した。彼の北東航路通行の成功は大きなニュースとなり、日本で大歓迎を受けた。ノルデンショルドは日本での滞在時に多くの鉱物・化石、古典籍を収集し、そのコレクションはストックホルム国立図書館やヘルシンキ大学図書館に所蔵されている。

（米家志乃布）

16

極東地方南部への移住

★コサックと古儀式派教徒の進出★

シベリアへのロシアの進出は、1581年に製塩業者ストロガノフの後援を受けたコサック隊長のイェルマークがシビル・ハーン国に遠征を開始したときから始まった。1587年にはトボリスクの町が建設され、初期の行政と経済の中心地となった。その後コサックや農民、毛皮業者、鉱山採掘業者らを先頭にシベリア開発が進められ、ロシア人は1639年にオホーツク海に達し、17世紀末にはカムチャッカ半島にまで進出した。1689年には中国との国境を外興安嶺（スタノヴォイ山脈）とアルグン川とするネルチンスク条約が結ばれた。

17世紀末のシベリアにおけるロシア人の人口は約15万人に達し、その主体は農民で、とくに北部ロシアからの移民が多かった。シベリアでは大部分の土地は国有地であり、一部が教会や修道院に属していた。土地が広く地味も肥沃であったので、数年間利用しただけで次の土地に移る粗放的な農法が主流であった。移住農民の間では共同体的規制は弱く、土地に対する個人的権利が強かった。入植者は主として西シベリア南部のステップ地域に集中していたが、一部は遠くアムール川流域地方にまで進出した。1727年には中国との間でキャフタ条約が結ばれ、ロシアの毛皮、中国の木綿製品や茶を中心とする国境貿易が盛んに行われるようになった。

1847年にニコライ1世は東シベリア総督にニコライ・ムラヴィヨフを任命した。ムラヴィヨフは海軍大佐ネヴェリスコイに命じてアムール川の河口付近の探索にあたらせ、ニコラエフスクの町を建設するなど、アムール川流域地方の積極的な開発に乗り出した。1858年に中国との間で愛琿条約が結ばれ、ロシアはアムール川左岸に広がる広大な土地を獲得し（この地域はのちにアムール州と沿海州の一部となる）、またアムール川とそれにそそぐウスリー川の航行権を得た。1860年の北京条約では、ロシアはウスリー川の東側地域（南ウスリー地方）、およびアムール川との合流点から河口に至る地域の南側全体（プリモーリエ＝沿海州南部）を獲得した。このような過程を経て形成されたロシア極東地方南部に、1860年代から徐々に移住者が到来した。

帝政政府は1861年3月の規定によって、アムール州と沿海州に自費で移住した者には、国有地の自由な利用権ないし所有権を与えた。15家族以上の団体を形成して居住を希望する者には、各家族に対して100デシャチーナ（ロシアで用いられていた面積の単位で、1デシャチーナは1ヘクタール強）までの土地を20年間無料で利用する権利が与えられた。移住者はさらに1デシャチーナ3ルーブルの低価格で土地を購入することができた。1861年4月の元老院勅令によって移住者は今後10次までの徴募において徴兵義務を免除され、人頭税の支払いからは永遠に免除された。また20年経過後に初めて土地税を課されることとなった。

この時期以降ロシア革命に至るまでの極東地方南部への移住は3期に分けることができる。第1期は1861年から1881年に至る時期で、陸路による移住期であった。ウラルやシベリア、ヨーロッパ・ロシアから陸路を経て極東まで至るには大きな困難と労苦を伴った。そのためにこの時期の移住者は多くの場合、アムール州やアムール川の下流地方からプリモーリエへ移り住んだ域内移住者であった。移住者の大部分は農民とコサックであった。1860年代にザバイカーリエの古儀式派セメイスキーは隣接のアムール州に多くの移住者を送り出した。1870年には、ヤクーチヤの基幹交易路であるアヤン街道にいたセメイスキーの一団がプリモーリエに到着した。移住の第2期は1882年から1901年に至る期間で、ウクライナのオデーサ港からスエズ運河、インド洋を経てウラジオストクに回航する義勇艦隊による航路が開かれ、海路移住が可能となったことに由来する。比較的短期間に遠隔の極東にまで安全に到達できたため、過剰人口、ないし土地不足に苦しんでいたウクライナ、ベラルーシ、南部ロシア各県からの移住者が増大し、移住運動に新たな局面がもたらされた。1883年から1901年の間に南ウスリー地方に海路を通じて5万5千人の移住者が到来し、そのうち1割強が政府の補助金による移民であった。

移住の第3期は1902年から1917年までで、徐々に供用区間が拡大されたシベリア横断鉄道を利用した移住者の大量到来期であった。1900年6月に出された政府の臨時規定によれば、アムール州と沿海州への移住者は1901年1月1日以降、それまでの100デシャチーナに代わって男子1人当たり15デシャチーナの土地を受け取ることと定められた。こうしてこの地域では旧住民と新住民の区別が生まれることとなった。鉄道の利用はそれまでの陸路経由とは異なって道中の困難を著しく軽減し、大量の人員の短期間の移動を可能にした。1901年から1905年の間にプリモーリエには約3万人の農民やコサックが到来した。1906年から1913年のストルイピン農業改革期に

第16章

極東地方南部への移住

同地方には15万人以上の移住者があった。1914年から1917年の第1次世界大戦期には、プリモーリエには約1万6000人の移住者があり、そのうち9割近くが農民であった。

極東南部への移住において特徴的なのは、他の地方と比較してコサックと古儀式派教徒が比較的多いことであった。古儀式派教徒は農民の中にもコサックの中にも含まれていた。コサックが多かったのは、極東南部はロシアが手に入れたばかりの地域であり、その開発と防衛が必要であることからきていた。古儀式派教徒が多いのは、彼らの未開地開拓者としての資質が評価され、行政側からの扱いが比較的寛大であったこと、また兵役義務と人頭税が免除される等の特典があったからでもあった。

コサックの極東への移住は三波に分けて行われた。第1波は1855年から1862年で、ザバイカーリエ・コサックのアムール川、ウスリー川地域への移住が行われた時期である。第2波は1879年で、南ウスリー地方への移住が進められた時期にあたる。第3波は1895年から20世紀初めにかけての時期で、オレンブルグ、ドン、クバンの各コサック軍団から南ウスリー地方にまとまった数の移住者があった。これらのコサックからアムール・コサック軍団とウスリー・コサック軍団が形成された。

古儀式派教徒はアムール州ではゼーヤ川とブレヤ川の流域地方に多く移住し、その出身地はザバイカーリエ州の他、エニセイ、トムスク、イルクーツク、ヴャトカ、サマラ、サラトフ各県であった。南ウスリー地方にはザバイカーリエ州の他、ウラル地方、アルタイ地方、シベリア各地から古儀式派教徒が到来し、彼らははじめに築いた村落に一般の農民が現れ始めると、さらに奥地のシホテアリニ山地や日本海にそそぐ河川の流域に新たな居住地を形成し、未開墾地開発の先鞭をつけた。

（阪本秀昭）

17

ロシアの北太平洋進出とアラスカ

★毛皮資源と新天地を求めた人々★

第15章で触れたベーリングの第2次カムチャッカ探検（1733～43年）は、シベリアのロシア人毛皮業者や中国貿易業者たちを刺激した。ベーリングは帰還途上の1741年にカムチャッカ半島沖の島（ベーリング島）で亡くなったが、探検同行者でドイツ人医師・博物学者のゲオルク・シュテラーらは、現地の豊富な海獣資源に関する情報を持ち帰った。

ネルチンスク条約（1689年）、キャフタ条約（1727年）以降、露清貿易でロシアから清への毛皮輸出が増加し、シベリアの毛皮獣が乱獲された。満洲人貴族に人気のクロテンの減少も顕著だった。同時期、「ビーヴァーの一種」と考えられていたカムチャッカ半島周辺のラッコは、シュテラーの情報から太平洋沿岸に生息する種の異なる海洋生物と判明した。ラッコは濃い色目と滑らかな光沢の毛並みで、露清両国の新たな人気高級毛皮となった。

ベーリング探検隊の帰還後、ニジネカムチャック要塞守備隊長エメリヤン・バソフは、早速北太平洋に狩猟船を派遣した。彼は1743年にモスクワ商人セレブレンニコフと、1745年にイルクーツク商人トラペズニコフと提携してベーリン

図 17-01　アラスカ地図

グ島周辺の毛皮事業を行い、後者は評価額11万ルーブル以上の毛皮を持ち帰った。この成功後、毛皮業者たちはほぼ毎年のように狩猟船を北太平洋に派遣した。船主の多くは資本のあるヨーロッパ・ロシアの商人で、モスクワ商人、北ロシア商人が目立った。これに、キャフタ貿易の後背地で、東シベリアの毛皮集散地であるイルクーツクの商人も加わった。日本人漂流民の援助にイルクーツク商人が積極的だったのはこのためである。

18世紀半ばから北太平洋に進出した毛皮業者たちは、ベーリング島周辺の毛皮獣が枯渇するとアリューシャン列島沿いを東に移動し、ウナラスカ島を始めとするリシイ諸島（フォックス諸島）などで事業を続けた。狩猟船のロシア人労働者は船主が発行する「半株」を購入し、毛皮の出来高を分配して報酬を受け取った。一方、有能なラッコ漁師でもあった現地のアリュート人は、狩猟業者によって男性たちが家族から引き離され、事業地域間を移動させられた。こうした実態とともに、事業が東の遠隔地に移動するほど船・食料・越冬の費用が増大し、資本提携が不可欠になった。

1770年代から北太平洋の毛皮事業に参加した著名人物に、現在のウクライナ国境に近いルィリスク出身の商人グリゴリー・イヴァノヴィ

図17-02　シェリホフが刊行した1783～87年のアメリカ沿岸への探検事業に関する著書の表紙

チ・シェリホフ（1747～95）がいる。彼はロシア・アメリカ会社の祖と見なされており、「ロシアのコロンブス」とも称される。故郷からシベリアに出てきたシェリホフは、1777年にクリル諸島・日本沿岸の探検航海に参加した。その後彼はまもなく、自身の故郷に近いクルスクの毛皮業者で、イルクーツク県徴税代理人だったイヴァン・ラリオノヴィチ・ゴリコフ（1735～1805）の手代になり、アリューシャン列島の毛皮事業に手腕を発揮した。その実績から、シェリホフは1781年に設立されたゴリコフ・シェリホフ会社の共同パートナーになった。

1783年、シェリホフは彼の事業を支えた妻ナタリヤを連れてアラスカに出発し、翌年アラスカ半島沖のコディアック島に上陸して先住民を征服した。シェリホフはここでロシア人居留地の建設、先住民への布教と教育、毛皮事業独占などを計画した。ナタリヤはシェリホフが行くところ「どこにでもついて来た」と言い、彼の事業は家族ぐるみで行われた。シェリホフはロシアに帰還後、ゴリコフとともにエカテリーナ2世に特権会社設立を請願した。しかし露土戦争勃発や、ロシアの貿易相手国イギリスがアメリカ北西岸にキャプテン・クックの探検船を派遣した事情などから、請願を却下する政治判断が下された。

折悪しく、露清の外交問題から1785年に清がキャフタ貿易を停止し、毛皮輸出が縮小した。しかしこの打撃は、シェリホフに反感を持つイルクーツク商人が彼と事業提携を進める契機にもなった。1792年にキャフタ貿易が再開すると、シェリホフは日本人漂流民大黒屋光太夫(だいこくやこうだゆう)送還とラクスマン使節団の支援、ウルップ島のロシア人植民事業などに動いた。しかし彼は95年に高熱の末急死し、ゴリコフ・シェリホフ会社は身内の経理不正で一転して混乱に陥った。未亡人ナタリヤは夫の事業を守るべく、娘婿で皇帝パーヴェルの侍従ニコライ・ペトロヴィチ・レザノフ（1764〜1807）と協力した。彼らはまずイルクーツク商人の毛皮業者と和解し、1798年に合同アメリカ会社を設立した。翌99年には皇族・貴族・モスクワの有力商人などを新株主に加え、パーヴェル1世の勅許でロシア・アメリカ会社が成立した。これにより同社はイルクーツク商人らの手を離れ、ペテルブルグを拠点とする半官半民会社となった。

ロシア・アメリカ会社のアラスカ事業は、1790年以降アメリカ総支配人となったカルゴポリ商人アレクサンドル・アンドレーヴィチ・バラーノフ（1747〜1819）が継続した。彼はライバル業者の排除、先住民の襲撃への対処と関係改善、拠点作りなどに取り組んだ。また1804年にシトカ島で先住民のトリンギット人を追い出し、ロシア領アメリカの首都ノヴォアルハンゲリスク（現在のシトカ）を拠点に植民地の運営を行った。しかしアラスカの寒冷気候では食料生産が困難な一方、ここには自由貿易を標ぼうするイギリス、アメリカ合衆国の船が現れ、銃器などの商品と先住民の毛皮を交換した。これら外国船の活動によって、相手国との間にアメリカ北西岸地域の領有を巡る問題と毛皮事業の損害があると認識しつつ、現地のロシア人たちはボストン船（アメリカ合衆国の船）からの食料購入を拒否できなかった。

遣日使節レザノフが対日交渉後にノヴォアルハンゲリスクに立ち寄った目的の1つが、上記の物資問題だった。彼は日本米の購入や、スペイン領アメリカの食料輸入を試みた。レザノフは1806年にサンフランシスコを訪問して食料購入に成功しており、現地司令官の娘マリアとの恋愛話も伝わっている。しかしレザノフはロシア帰国後の1807年に亡くなっており、このエピソードは悲恋としてソ連時代にミュージカル化された。

ロシア・アメリカ会社の経営実態については諸説あり、資料散逸から詳細はよく分かっていない。またレザノフ使節団の莫大な費用は会社経営を圧迫し、破産の危機に瀕したとも言われる。辛くも危機を回避できたのは、シェリホフの死後長らく忘れられていたウルップ植民団の生き残りと、彼らが蓄積した大量の毛皮が発見され、それらを持ち帰ることができたためとの見方もある。しかしバラーノフの引退後は北カリフォルニアでロス要塞を建設し、カナダのハドソン湾会社と契約することで食料を確保し、毛皮事業も円滑になったとされる。一方で1826年から40年代に同社はウルップ島でラッコ漁を復活させているが、ロシア船の出没にもかかわらず、同時期の幕府はこの情報を全く把握していなかった。

1850年代のロシア・アメリカ会社は経営が安定していたとも言われ、ペリー来航の情報に合わせてロシアが派遣したプチャーチン使節団は同社の商品売り込みにも関与した。同使節団にも同行した海軍士官ティフメニョフは、後に2巻本の『ロシア・アメリカ会社史概要』(サンクトペテルブルグ、1861~63)を刊行している。少なくともプチャーチン訪日時点では、日本との通商がロシア・アメリカ会社の事業に有益と判断されていたと思われる。しかし、1858年の会社の第3次特許更新は大方の予想に反し、ロシア政府に拒否された。ロシアは以前からアラスカ売却をアメリカに打診しており、愛琿条約（1858年）と北京条約（1860年）により清から沿海州を獲得したことが示すように、極東問題に集中しつつあった。

ロシア・アメリカ会社の公式統計では、1858年の総収入と総支出が植民地を含めて共に107万7208ルーブルであり、利益分は計上されていない。このうち収入の大部分はロシアでの茶の販売が約60万ルーブルを占め、植民地における毛皮事業が36万ルーブル弱だった。1863年の収支は前年・翌年の繰り越しが多く、1862年からの繰り越し分を除くと総収入・総支出共に約89万6000ルーブルであり、1858年の数字から減少している。このうち1863年にロシアでの毛皮販売実績が約59万5000ルーブル、繰り越し在庫約40万ルーブル、植民地の毛皮事業見積もりが約28万6000ルーブルとなっている。会社の事業は継続していたものの、特許更新できなかったことが響いたのか縮小傾向が見て取れる。

同社は皇帝アレクサンドル2世（在位1855～81）の弟でロシア海軍トップであったコンスタンチン・ニコラエヴィチ大公が後援しており、海軍もアラスカ植民地には深い関心を寄せていた。にもかかわらず、1867年のアラスカ売却に至る経緯は皇帝の「秘密会議」と情報秘匿により不明瞭であった。結果としてアラスカを手放したことはロシア・アメリカ会社の事業停止と解散を決定づけ、ロシアが太平洋から撤退して極東政策重視の方向へ向かう象徴的出来事となった。

（森永貴子）

18

日露の出会いの舞台となった シベリア・極東

★漂流民が端を開いた両国関係★

ロシアがシベリア大陸を征服し、海を隔てた日本の隣国となるのは、17世紀半ばだった。毛皮や金を求めてロシアのコサックや冒険家たちは地続きのシベリア大陸を征服し、カムチャッカ半島に到達した。アメリカに進出したロシアは1799年、アラスカを領有し、露米会社をたちあげた。千島列島沿いに南下したロシアはアイヌを臣民にし、毛皮税を課し、日本と衝突することになる。

鎖国時代に日露を結びつけたのは海難事故だった。文字を持つロシアが日本の隣国になってロシアに漂着した日本人の記録が残るようになった。伝兵衛（でんべえ）がカムチャッカで見つかったのは1697年のことだった。

黄金の国ジパングに関心を持つピョートル1世は、伝兵衛をモスクワ郊外で引見し部下に日本語教育の開始と日本への航路発見を命じた。伝兵衛は日本人初の正教徒となった。漂流民は絶えることなく、アンナ女帝はソウザとゴンザを謁見し、ロシア・アカデミー附属日本語学校の教師に任命した。彼らは日本語教材を作成し、日本語教育に貢献した。千島列島探検の水先案内人となった漂流民サニマは地図の作成に貢献した。

１７３９年、シパンベルグ探検隊が日本沿岸に出現し、元文の黒船として日本側に記録され、千島列島ではロシアがアイヌをロシア正教に帰依させ、毛皮税をとりたてていた。１７９８年、択捉島に渡った近藤重蔵はロシア人が建てた十字架を倒し、「大日本恵登呂府」の標柱を建てた。当時日本には国境意識がなかった。近世の東アジアでは朝貢と冊封の関係による緩やかな国際秩序が存在し、鎖国時代の蝦夷地では日露による領土拡張競争が展開していた。

図18-01　ラクスマン一行図（早稲田図書館蔵）

日露間で通信（国家間の外交関係）通商（商業貿易関係）交渉が始まるきっかけになったのは、１７９２年の漂流民・大黒屋光太夫の帰国だった。帰国を諦めなかった光夫太がペテルブルグでエカテリーナ２世に日本送還を直訴したことで、漂流民を手土産に通商関係樹立を迫る漂流民送還外交が始まった。幕府は信牌（長崎寄港許可書）を渡して将来に含みを持たせ、ロシアに引き帰らせた。日本ではロシアブームがおこり、オランダ語より先にロシア語の単語集やロシア事情書がでた。ロシア研究発展で蛮学といわれた蘭学が洋学になる一方で、ロシアへの畏怖の念から脅威論も芽生えた。

１８０４年、ロシア帝国の国策会社・露米会社総支配人レザノフを使節とする第２回遣日使節団が漂流民送還を手土産に長崎に来航し通信と通商関係樹立を要求した。日本がロシア帝国の面目をつぶす非礼な追い返しをしたことに端を発し、１８０６～07年、ロシアによる蝦夷地襲撃事件がおこる。千島列島は鎖国時代から日露双方にとり、係争地であり、緩衝地であった。

1811年、国後島を測量していたディアナ号艦長のゴロヴニンら7人が日本に捕縛される事件がおこる。ゴロヴニン救出を目的に副艦長のリコルドは観世丸船長高田屋嘉兵衛を拉致しカムチャッカに抑留する。拉致・抑留合戦の負のスパイラルに陥った日露関係だが解決にむかった。アイヌなどの先住民や漂流民、抑留者が円満解決のための重要な役割を担ったが、高田屋嘉兵衛とリコルドの間にコミュニケーションと友情が成立し、彼らの賢明な理性と緻密な努力により、7年にわたる日露「戦争」（オランダ商館長の表現）は解決された。それだけではなく、ゴロヴニンが収監されていた牢獄には馬場佐十郎など蘭学者がロシア語学習に訪れ、露和辞典『俄羅斯語小成』や露語文法書『魯語文法規範』として結実した。帰国後著した『遭厄日本紀事』は獄窓から見た日本の現状を伝え、独、仏、蘭語などに翻訳された。1853年のプチャーチンの来航まで約40年間日露関係は静謐をたもった。

アヘン戦争における清国の敗北をきっかけに西洋列強が東アジア・北太平洋地域に進出し、日本にも国交と貿易を求めてやってくるようになった。

1853年、アメリカのペリーに遅れること1か月半後にロシアのプチャーチン遣日使節が来航した。ペリーの砲艦外交に比べ、彼の紳士的外交は日本人の心をとらえた。日露交渉の最中、下田地震によりロシアのディアナ号は駿河湾に沈没し、ロシア人500人が海に投げ出された。鎖国の掟により外国人との交渉は禁止されていたが、戸田村の村民はロシア人を救助し、避難所を提供し、送還船の建設を手伝った。日露和親条約が日米和親条約や日英協定に比べ、双務的・優遇的性格が強いのは、震災で相互援助日露雑居による草の根レベルの人的交流を経験した経緯と無関係ではないだろう。西

図18-02　津波により被害を受けるディアナ号（右端）モジャイスキー画

洋は文明基準を共有しない非西洋には国家主権を相互尊重する対等原則（領事裁判権、協定関税率、最恵国待遇）を片務的に規定するのが常だったが、ロシアは日本の無知を利用しなかった。

1855年から1904年の日露戦争勃発まで日露関係は、平和な時代が約50年間続いた。日露和親条約で樺太の国境を定めなかったことから、ロシアは樺太の南下を続け日露の小競り合いが絶えなくなった。1875年、樺太千島交換条約が調印された。領土問題が戦争ではなく平和裏に解決され、以後、約20年の平和が保障された。

1871年、ウラジオストクと長崎の間が海底電線網で結ばれた。1880年にはウラジオストクに市政が導入され、自治権を持つ都市となった。1884年のウラジオストク市庁の調査によると、当時この街には396人の日本人がおり、男性119人に対し女性は276人に上った。職業調査では売春婦が圧倒的多数を占めていた。

1899年にはウラジオストクに東洋学院が創設された。ロシア極東では初の高等教育機関であった。日清戦争後の露清接近ムードがあった。従来ロシアの東洋語教育は、ペテルブルグ大学東洋学部に集中していた。首都の教育内容は学術が中心だったのに対し、実用面の語学教育は地域研究に力を注ぐ東洋学院が担った。第一期生が卒業して間もなく、日露戦争と第一次ロシア革命が勃発し、日露は激動の時代を迎えることとになる。

（生田美智子）

19

流刑地としてのシベリア・極東

★ロシアの「島」★

大陸そのものといってよいロシアにおいて島は異界である。日本でも「島流し」と呼ばれるように、ロシアの流刑地も「島」である。ロシア帝国で最後に建設された流刑地がサハリン島で、スターリン体制下「収容所群島」の始まりが白海にソロヴェツキー諸島（ソロフキ）だったことは島という空間の意味を象徴しているように思われる。

帝政期の流刑にしても、ソ連期グラーグ（収容所総管理局）管轄のラーゲリにしても、収容施設のほとんどは島ではなく大陸にあった。それでも囚人たちはそこを「島」と呼び、帰るべき故郷ロシアを「大陸」と呼んだという。流刑という刑罰の最大の目的が、国家の中枢から危険分子を遠ざけて隔離することにあるならば、異界である「島」こそまさにふさわしい。すなわちシベリア・極東という「島」に国家の敵を放逐すれば首都の安全を保つことができると考えたのである。

「流刑」「収容所（ラーゲリ）」「抑留」という歴史と結びつけられることで「シベリア」はなおさら厳しい空間としてイメージされるだろう。帝政期の流刑とソ連期のラーゲリ、戦後の捕虜抑留（第23章参照）には、シベリア・極東が主な収容地だったこと以外にも一定の連続性がある。ソ連政府の敵である政治犯のラーゲリも、ソ連国家に敵対した捕虜のラーゲリも、ともに内務人民委員部（ＮＫＶＤ、１９４６年からは内務省）管轄下にあった。収容所群島はスターリン体制そのものであるが、スターリン自身、ロシア帝国によって４度シベリアに流刑されている。レーニンもトロツキーもシベリア流刑の経験者である。シベリア流刑がロシア革命を生み、その経験が収容所群島に継承されたという側面は確かにあるといえよう。

しかし、国家の敵の排除と隔離だけが「島流し」の目的ではない。そしてそこにこそ、帝政期の流刑とソ連期の収容所群島の大きな違いがある。

写真19-01　蠟人形の流刑囚たち（チェーホフ『サハリン島』文学・芸術館、ユジノサハリンスク市、2017年3月）

帝政期の流刑は人口希薄な辺境への入植を最重要の目的とした。流刑が本格化するのは17世紀以降、ロシアのシベリア進出と並行していた。ヨーロッパ部ロシアからの自由意志による移住が進まないなか、人口希薄の地にロシア人を植え付け、シベリア・極東を「ロシア化」することが最も重視された。その政策が典型的にあらわれたのがサハリン島である。

サハリン島が正式に流刑地となったのは１８６８年である。その前年、ロシアと日本は「サハリン島仮規則」を結び、同島は日露の共同領有となった。ロシア政府は流刑囚を送り込み、サハリン島をロシア人が暮らす島にしていった。１８７５年に調印されたサンクトペテルブルグ条約（いわゆる樺太千島交換条約）でサハリン島が全島ロシア領となったのは「定住者」の数に大きな差がついていたことが背景にある。

人口不毛の地にロシア人がいること自体が目的であるから、彼らが何かを生み出すことに重きは置かれなかった。流刑囚にも強制労働は課された。たとえば、サハリン島では石炭開発が、大陸部最大規模の流刑地だったネルチンスク周辺では銀の採掘が行われた。しかし、サハリンの石炭業は一貫して赤字であり、またネルチンスク産の銀は皇室の私財で、国家財政に貢献するものではなく、生産性の向上に政府が意を尽くすこともなかった。

一方、収容所群島はスターリン体制下ソ連経済の基盤であった。スターリンが「偉大なる転換」を宣言した1929年前後を画期とし、第1次五ヵ年計画（1928〜33年）と農業集団化に象徴される急速な工業化を支えたのが、正式には矯正労働収容所と呼ばれたラーゲリでの強制労働システムである。道路・港湾・運河・鉄道などのインフラ整備、外国産の近代的機械・設備の購入費用としての貴金属採掘に「無給」の労働者として囚人を強制的に送り込んだ。過酷な環境でインフラも未整備だが莫大な資源が眠るシベリア・極東の開発要員として活用されたのである。資源開発の代表例が第66章で述べられるマガダン州コルィマの金であり、クラスノヤルスク地方ノリリスクのニッケルである。

いまも閉鎖都市として外部からの入域が制限されるノリリスクはニッケル採掘・精錬のコンビナートとして1935年に開基された。53年にノリリスク市として都市登録されるまで、「住民」はもっぱらコンビナートの無給労働者である約7万人の囚人とラーゲリ職員だった。ノリリスクとコルィマは収容所群島のなかでも最も過酷で残酷なラーゲリとして恐れられていた。

有望な天然資源の存在は知っていても、経済成長に流刑を活用しようとする意思が希薄だったロシア帝国はコルィマやノリリスクの過酷な環境を乗り越えようとはしなかった。一方、スターリンの工業化への意思は極北の自然を克服した。しかしそれは、死ぬまでタダ働きさせられたソビエト市民の犠牲によるものである。

流刑・収容所群島に囚われた人々の数を正確に算出することは難しい。帝政期の流刑について統計が整うのは1820年代以降であるが、それによると平均1万7千人前後が毎年ウラル山脈を越えてシベリア・極東に送り込まれた。ロシア帝国が流刑制度を廃止するのは大陸部では1900年、サハリン流刑が廃止されたのは1906年のことである。

写真 19-02　サハリン流刑＝石炭業の中心地ドゥエ村の現在（2017 年 3 月）

一方、ソ連時代には1950年の収容者数256万人をピークに、捕虜も含めておよそ2870万人が強制労働を課されたといわれている。収容所群島はスターリンの死（1953年）とともに急速に収束する。最後に残ったラーゲリ「ペルミ36」が廃止されたのは1992年、ソ連解体後のことである。

「ロシア文学の故郷」といわれることもあるほど、流刑とラーゲリの経験は優れた文学作品を数多く生み出した。コロレンコ『マカールの夢』、ドストエフスキー『死の家の記録』、ギンズブルグ『明るい夜暗い昼』、シャラーモフ『コルィマ物語』、ソルジェニーツィン『収容所群島』、流刑地ルポルタージュの白眉、チェーホフ『サハリン島』。明るい気分になることはできないが、シベリア・極東を知るなら、こんなところから入り込んでみるのも悪くない。その世界の奥深さを心ゆくまで味わってほしい。

（天野尚樹）

20

日露戦争から日露同盟へ

★対立から戦略的互恵関係へ★

20世紀の日露関係の起点は、日露戦争である。日露戦争の原因は、朝鮮半島の支配権、満洲（現在の中国東北部）をめぐる確執だった。

日清戦争（1894～95年）で勝利した日本に、ロシアは警戒感を抱いていた。そこでロシアは、1895年に、ドイツやフランスと、日本に遼東半島を清朝へ返還するように求めた（三国干渉）。衝突を避けたい日本は要求に応じ、ひきかえに賠償金3千万両（テール）を手にした。

三国干渉以後、李氏朝鮮の宮廷では、親露派勢力が台頭する。そしてロシアの影響下で、1897年に国王の高宗（コジョン）は皇帝を称し、大韓帝国（以下、韓国と略記）を成立させた。

これ以後、韓国での権益をめぐり、日露は激しく対立した。さらに、1900年の義和団戦争に際し、ロシア軍が満洲を占領し、撤兵しなかったことは、日本をはじめ世界各国の不信を買った。

ロシアの満洲での優越権と、日本の韓国での優越権を相互に認め合うという日本の提案は拒絶され、外交交渉は頓挫する。1904年2月6日、日本はロシア政府に国交断絶を通告し、

写真20-01　奉天（現在の瀋陽）におけるロシア軍（1905年、アメリカ議会図書館蔵）

宣戦布告前の2月8日、旅順港外でロシア艦隊への攻撃を開始した。いわゆる日露戦争の勃発である。

その名とは裏腹に、日露戦争の戦場は、ほとんどが朝鮮半島や満洲であった。さらに、ロシア帝国の領土も一部が戦場になった。

1904年3月6日には、上村彦之丞（かみむらひこのじょう）中将を司令長官とする第二艦隊がウラジオストクを砲撃した。サハリン島も日本軍によって攻略される。1905年7月7日、日本軍がサハリン島南部のアニワ湾岸に上陸を開始する。7月12日の戦闘でロシア軍に大打撃を与え、7月31日にサハリン島のロシア軍は降伏した。

開戦以来、勝利を積み上げた日本軍だが、戦費や武器が不足し、長期戦は回避したかった。そのため日本は、開戦当初より早期講和を目指す。日本が講和の斡旋を要請したのはアメリカだった。1905年5月の日本海海戦により、日本の勝利が決定的なものになると、セオドア・ローズヴェルト大統領は、ロシアに講和を勧告する。国内の革命運動の激化、国民の厭戦気分に悩む皇帝ニコライ2世

写真 20-02　連合艦隊司令長官、東郷平八郎の凱旋（1906 年、アメリカ議会図書館蔵）

は、不満ながら応じた。

１９０５年８月10日、アメリカのニューハンプシャー州ポーツマスの海軍工廠で、講和会議が開催される。９月５日、日本側全権の小村寿太郎とロシア側全権セルゲイ・ウィッテは講和条約に調印した。日本はサハリン島の南半分を獲得し、１９０６年より国境の境界画定作業が行われた。かつて日本は、１８７５年の樺太千島交換条約により、千島列島の18島を譲り受けるかわりに、ロシアに対してサハリン島全島を放棄した。それから40年の時を経て、日本は再びサハリン島の一部を領有した。

１９１１年にまとめられた統計によると、日露戦争におけるロシア側の戦死者は２万４８４４人、戦傷者は14万６５１９人にのぼった。さらに別の統計によると、７万２９０９人が捕虜になった。ロシア軍の捕虜は日本各地に分散して収容され、松山収容所などでは、丁重に扱われたことで有名である。

一方、勝った日本も満身創痍だった。総務庁の『日本長期統計総覧』によると、戦死者は８万５０８２人、戦傷者は、統計の残る陸軍のみでも15万３５８４人を数えた。日清戦争における日本の戦死傷者は合計１万７７９８人だったので、桁違いの犠牲者を出したことになる。

日本が投じた戦費も莫大で、約20億円、現代に換算すると約2兆6千億円に相当するといわれる。1905年度の政府歳入は約4億円だったので、戦費のほとんどは国内外からの借金（公債）でまかなわれた。戦中から戦後にかけて、国民はこの借金返済のための重税に苦しまされる。

日本はようやく手に入れた満洲の権益を維持するために、ロシアとの関係を調整する必要に迫られた。ロシアも、緊迫する欧州情勢に傾注し、日本とは再戦を避けるため、対日関係の改善に傾く。

1907年7月に調印された第1回協約では、秘密協約で、ロシアは大韓帝国における日本の優越的地位を、日本は外モンゴル（ゴビ砂漠北方のモンゴル高原）におけるロシアの特殊地位をそれぞれ尊重することや、日露間の満洲における権利利益の南北分界線などが定められた。さらに、1910年7月に調印された第2回協約では、第1回秘密協定で定められた分界線に基づいて、満洲における日露両国の「特殊利益地域」を画定した。

このように、日露両国が提携を強めたのは、アメリカへの対抗という側面もあった。鉄道王エドワード・ハリマンによる満鉄の日米合弁事業提案や、フィランダー・ノックス米国務長官の「満鉄中立化案」など、鉄道事業を通じた満洲進出に意欲を見せるアメリカに、日露両国は警戒心を高めていた。

1909年10月26日に、元老の伊藤博文（いとうひろぶみ）が、ロシアのウラジーミル・ココフツォフ蔵相と会談するためハルビンを訪れたのも、日露の接近を促すためだった。伊藤はハルビン駅で暗殺されたが、日露両国はこの事件の責任を不問に付し、波風を立てなかった。

1911年10月に辛亥革命が起きると、同年12月1日、外モンゴルが独立を宣言する。これをきっかけに、日露両国は内モンゴルにおける勢力範囲を設定するため、1912年7月に、第3回日露協約を締結する。この協約では、第1回協約の分界線を延長し、内モンゴルにおける各自の「特殊権利地域」を東西に分割した。

さらに、1914年に第1次世界大戦が勃発すると、ドイツとの戦争で軍需物資が不足するロシアは、その供給先として、同じく連合国の陣営に属す日本に期待を寄せる。また日本側でも、元老の山県有朋（やまがたありとも）や、満洲での権益拡大を狙う陸軍がロシアとの接近を図る。その結果、1916年7月2日、第4回日露協約が結ばれる。この協約では、中国が日露両国に敵対的な第三国（どの国を指すのかは明記されていない）の支配下に置かれるのを防止するため、事実上の攻守同盟を結んだ。

第1次世界大戦中に日本は、大量の軍需物資や食糧をロシアに提供した。大戦中の1915年から翌年にかけての対「露領亜細亜（ろりょうあじあ）」（ロシア極東とシベリア、中央アジア）への輸出は、日本の輸出総額の大きな割合を占めた。1915年には総額の11・5%、翌年は6・2%である。輸出相手国としてはアメリカ、中国に次ぐ第3位だった。

以上のように、両国は日露戦争後に急速に接近したが、それは満蒙における戦略的互恵関係があったためで、1917年のロシア革命後、この互恵関係が機能しなくなると、「日露同盟」は崩壊することになる。

（麻田雅文）

21

シベリア出兵から日ソ国交樹立へ

★関係再構築までの苦闘★

1917年3月にロシア帝国の首都ペトログラード（現在のサンクトペテルブルグ）で起きたデモが引き金となり、3月15日にニコライ2世は、皇太子ともども譲位すると表明した。ニコライ2世の弟も即位を辞退し、ここにロマノフ王朝は滅亡する。

ロシア革命前は、良好な関係を反映して、日露間は皇室外交も盛んだった。1916年1月には、ゲオルギー・ミハイロヴィチ大公が訪日した。同年9月には、答礼に閑院宮載仁親王が訪露している。そのためロマノフ王朝が滅亡すると、日本への亡命を考える皇族もいた。

1918年5月に、ゲオルギー・ミハイロヴィチ大公は、イギリスか日本へ行くことを希望していたと、駐露臨時代理大使の丸毛直利に述べている。アレクサンドル3世の従弟にあたるニコライ・ミハイロヴィチ大公も、同年4月に、駐露大使館付武官の橋本虎之助少佐に、「嘗テ日本ニ至ランコトヲ欲セシモ今ハ不可能トナルヲ語リタリ」（「JACAR（アジア歴史資料センター）Ref.B03051215800」）。彼らは亡命できずに、処刑された。

ロシア帝国に代わって成立した臨時政府を日本は承認する。しかし、1917年11月7日、共産主義者が臨時政府を打倒し、ソビエト政権を樹立すると、列強と同じく、日本は承認しなかった。翌年2月、ソビエト政権がドイツなど協商国と講和して、世界大戦を離脱すると、内田康哉(うちだこうさい)駐露大使は翌月に帰国した。以後7年間、モスクワと東京は正式な国交のない状態が続く。

1918年8月の帰国まで、モスクワの北東部のヴォログダに身を潜めた橋本少佐や熊崎恭(くまさきやすし)モスクワ総領事は、ロシアへの出兵を東京に促す。彼らはドイツとソビエト政権の講和後、ヨーロッパ・ロシアにドイツの勢力が伸張していると憂いていた。

英仏両国も、ドイツの脅威などを理由に、ロシアへの干渉を盛んに日本へ促す。しかし、干渉を嫌うアメリカが動かないのを見て、日本は出兵をためらった。現地の邦人保護を掲げ、ウラジオストクに艦艇を派遣するのにとどめる。

詳細は省くが、1918年8月に、シベリア東部で孤立したチェコスロバキア軍団を救援する目的で、日米両国を中心とする連合国軍が出兵する。しかし、救出は表向きの理由である。1918年6月6日に、後藤新平(ごとうしんぺい)外相は珍田捨巳(ちんだすてみ)駐英大使に宛て、「独逸ノ勢力ニ服従スル労農政府」の「羈絆(きはん)ヲ脱セシムルノ目的ヲ以テ」、シベリアに「自治又ハ独立ノ政治団体ヲ確立」しようとするロシア人を援助する意向を示していた。そのことで「露国復興ノ基礎」を作ろうというのである（『日本外交文書』大正7年第一冊）。当初からロシアへの内政干渉を意図していたことは、参謀本部も同様であった。

シベリア出兵により、日本はこの地域の政治と内戦に深く関わることになる。なかでも、日本が1918年8月から1922年10月までの長きにわたって、事実上の占領下に置いたのがウラジオストクだ。シベリア出兵以前から日本人が多数定住し、日露の結節点となった街であったが、出兵中には反革命派の拠点となり、その背後で日本軍が政治を左右した。

また原敬（はらたかし）内閣は、アレクサンドル・コルチャークがオムスクに樹立した反革命派の政権を仮承認し、大使を派遣する。１９１９年６月には、ハバロフスクに初めて領事館を設置した。しかし、日本軍がアムール州、沿海州から次々に撤兵してゆくと、在留日本人も景気の後退や共産主義の政権を恐れ、帰国してゆく。

写真21-01　革命を避け、ウラジオストクに逃れてきたペトログラードの女性や子どもたち。「ペトログラード・チルドレン」と呼ばれた（1919年、アメリカ議会図書館蔵）

一方、ソビエト政権を嫌うロシア人たちも、日本や朝鮮、満洲を経て、欧米へと脱出した。中には日本へ定住し、ロシア文化の伝道者となった人々もいる。神戸で洋菓子店を開業したモロゾフ親子は名高い。日本のプロ野球史上、初めて３００勝を達成したヴィクトル・スタルヒンも、両親はロシア革命から逃れてきたロシア人だ。他にも、エリアナ・パヴロワは鎌倉でバレエスクールを開き、日本のバレエの基礎を築いた。

シベリア出兵を通じて、日本は東欧の諸民族とも関係を深めた。シベリアには、ロシア帝国下で政治犯として流刑されたポーランド人や、その子孫が住んでいた。ロシア革命後の混乱の中、多くのポーランド人児童は孤児となって流浪する。ポーランド児童救済会から救済を求められた日本政府は、彼らを保護し、日本で手厚く看護したのち、ポーランドへ送り届けた。この他にも、日本陸軍は、大戦中にロシアの捕虜となった千人あまりのトルコ兵を母国に送還した。もっとも、日本は例外なく難民を救済したわけではない。たとえば、ウラジオストクに逃れてきたエストニアの難民が本国への帰国支援を要請したが、陸軍は断っている（「JACAR. Ref.B08090299200」）。

なおロシアの内戦は外モンゴルへ波及し、結果的に再度の独立をもたらした。モンゴルは中国の宗主権のもとで自治が認められたが、中国政府は、モンゴルの自治を撤回した。1915年に、外モンゴルは中国の宗主権のもとで自治が認められたが、中国政府は、モンゴルの自治を撤回した。その後、ロシア革命に敗れた白軍が侵入し、外モンゴルを支配したが、1921年にモンゴル人民党（のちにモンゴル人民革命党と改称）が極東共和国の軍の支援を受けて、外モンゴル人民臨時政府を樹立した。1924年11月には、モンゴル人民共和国の成立が宣言される。以後、同国のソ連の衛星国としての歴史が始まる。

写真 21-02　後藤新平とヨッフェ（1923年、フランス国立図書館蔵）

話題を日露関係に戻そう。シベリア出兵で険悪化した日ソの国交樹立に奔走したのは、日露協会会頭の後藤新平であった。シベリア出兵を外相として推進した彼だが、生来の日露提携論に立ち戻ったのである。1923年にはソ連の外交官アドルフ・ヨッフェを東京に招き、加藤友三郎（かとうともさぶろう）首相とも連絡を取りながら、日ソ交渉を進めた。

後藤の交渉は頓挫したが、英仏のソ連承認が追い風となって、1925年に日ソ基本条約が結ばれ、日本とソ連は国交を樹立した。この際、サハリン島北部で石油と石炭の採掘権がソ連から日本へ譲渡された。日本軍は1925年5月にサハリン島北部から撤兵し、ここに7年にわたるシベリア出兵は終わりを告げた。

後藤は1927年末から翌年初めにかけて、ソ連に招かれ、ヨシフ・スターリン共産党書記長と会見するなど、その後も精力的に活動した。中国を見据えた日ソの政治的な提携という彼の提案に、ソ連側は消極的だったが、1928年1月13日に調印された日ソ漁業条約は、後藤の訪ソの成果である。これにより、北洋漁業は無条約状態を脱し、日本の漁船がより安全に操業できるようになった。

（麻田雅文）

22

満洲事変から日ソ戦争まで

★スターリンとの対決★

1931年9月、関東軍は満洲事変を起こして、満洲全土の占領に踏み切った。翌年3月には、満洲国も建国される。満洲国を介して、長大な国境を接することになった日本とソ連は、双方とも警戒心を抱き、軍備増強に邁進した。

さらに1936年11月に日独防共協定が締結されると、ソ連政府は対日態度を著しく硬化させた。ソ連はとくにドイツを仮想敵としていたためだ。

ソ連は北樺太石油会社の社員など多数の日本人を拘引し、ソ連領近海に出漁中の日本船を相次いで拿捕(だほ)した。さらにソ連側の圧迫により、1937年9月にノヴォシビルスク、オデーサの両領事館が閉鎖に追い込まれる。翌年8月には、ハバロフスクとブラゴヴェシチェンスクの両総領事館も閉鎖させられた。同年1月、日ソ間小包郵便交換も停止される。

こうした対立の背景には、1937年7月に勃発した日中戦争で、ソ連が中国側を支援していたこともある。ソ連は蔣介石率いる国民政府側に武器や借款を供与し、パイロットや軍事顧問も派遣していた。日本側はこれに抗議し、日ソ関係は悪化の一途をたどる。

緊張する日ソ関係を背景に、１９３７年には、ソ連極東に住む朝鮮人たちが、モスクワの指示で中央アジアに追放された。朝鮮は日本の植民地なので、ソ連当局に内通の恐れありとにらまれたのである。大規模な軍事衝突も起きる。１９３８年7月11日、満洲国東南端、図們江（ともんこう）下流に位置する張鼓峰（ちょうこほう）にソ連兵が進出し、陣地の構築を開始する。これを撃退しようと日本軍が出動し、双方は多数の死傷者を出した。

この張鼓峰事件の責任を取らせる形で、スターリンは関東軍と対峙していた特別赤旗極東軍を解体し、将校たちを粛清した。密告に怯える赤軍の将校たちは、日本側に背中を見せるわけにはいかなくなる。他方、日本陸軍は赤軍の大粛清を過大評価し、侮っていた節がある。これらは、次に述べる軍事衝突の遠因となった。

１９３９年5月11日、満洲国とモンゴル人民共和国の国境上のノモンハン西南で発生した満洲国軍とモンゴル人民革命軍との軍事衝突は、９月まで続く関東軍とソ連の赤軍との大規模な戦闘に発展する。

ソ連崩壊後に、赤軍の死傷者数の方が日本軍より多かったことを示す史料集がロシアで刊行された。これによると、赤軍で従軍した兵士は6万９１０１人、戦死者は９７０３人、行方不明者は５７６人、負傷者は1万５２５１人、合計2万５６５５人である。

これ以降、実はノモンハンでは勝っていたという言説が日本で流布する。しかし、ノモンハン事件の本質は国境紛争であり、どちらが係争地をより多く取ったかで勝敗は判定されるべきだ。日本人がこの点を看過しがちなのは、１９４５年に満洲全土を失ったことで、ノモンハンの国境線の移動が意味を失ったためだろう。一方、この時に移動した国境線を継承するモンゴルと中国にとって、その変遷の意義は少なくない。

イタリアが1940年にドイツ側に立って参戦し、フランスがドイツに屈すると、日本ではドイツとの提携を強化する機運が高まり、日独伊三国同盟が結ばれた。さらに前年から独ソ不可侵条約が結ばれていたことで、日本はソ連にも接近する。日中戦争の泥沼から抜け出せない日本は、ユーラシア大陸を貫く日独伊ソの連携で、中国を支援する米英へ対抗しようとした。

ドイツとイタリアの訪問を終えた松岡洋右（まつおかようすけ）外相は、1941年4月7日、モスクワでヴャチェスラフ・モロトフ外務人民委員に不可侵条約の締結を提議した。しかし反応は芳しくなく、松岡外相は4月9日の会談で不可侵条約案を撤回し、中立条約の無条件締結をモロトフに訴えた。スターリンは中立条約案を受け入れる一方、サハリン島北部の利権に関する英文書簡に関しては、スターリンがサハリン島北部の利権問題を「数月内ニ」解決するよう努力すると文言に修正を加えさせ、妥協が成立した。日ソ中立条約は4月13日に調印される。

1941年6月の独ソ開戦や翌月の松岡外相の辞任に伴い、日本側はサハリン島北部の利権解消の引き延ばしを図った。一方ソ連側は、太平洋戦争で日本の戦局が悪化すると、この利権解消を強く要求する。日本政府は、日ソ関係の静謐保持が緊要の課題であるとの立場から同意し、1944年3月30日、サハリン島北部の石油・石炭利権移譲の議定書に調印した。日ソ中立条約こそまだ破られてはいなかったが、日ソ間の力関係は、ソ連の優位へと逆転していた。

ドイツが無条件降伏したあとの1945年6月、日本の指導者たちは、ソ連の仲介で和平交渉を行うことを決定した。しかしソ連は、同年2月のヤルタ会談で、サハリン島南部と満洲の旧ロシア権益の回復、千島列島の引き渡しを条件に、ドイツ降伏後の対日参戦を米英に約束していた。

ソ連は8月8日深夜、日ソ中立条約を破って日本に宣戦布告する。翌9日からは満洲で、その後、朝鮮北部とサハリン島南部でも攻撃を始めた。

日ソ戦争に参加した兵士は、赤軍がおよそ185万人、日本側は関東軍だけでも60万人を超える。大規模な動員に反して、戦闘は半月足らずで終わったものの、死傷者は少なくない。赤軍の戦死傷者

写真22-01　日ソ戦争で鹵獲した、日本軍兵士の「寄せ書き日の丸」を持つソ連兵たち（РГАКФД, 0-329228）

写真22-02　満洲で捕虜となってから、ソ連兵に米を支給される日本兵（1945年8月、РГАКФД, 0-225719）

は計3万6456人とされる。モンゴル軍の戦死傷者は197人で、未帰還者は72人である。

一方、不明な部分が多いのが、日本側の犠牲者数である。戦死者だけで8万人を超えると言われるが、正確な統計がない。武装解除された将兵や、女性を含む民間人の一部は、戦後にソ連やモンゴル人民共和国に抑留され、6万人以上が犠牲となった。いわゆるシベリア抑留である。

より多くの犠牲が出たのは日本人の民間人だ。戦闘に巻き込まるか、戦後の逃避行で、24万人ともいわれる人々が命を落とした。彼らは、赤軍は言うに及ばず、日本政府や、現地の政府からも保護を受けられずに難民となった。満洲の各地に設けられた収容所にたどり着いても、帰国までに餓死者や伝染病による死者が続出した。

一方ソ連は、日ソ戦争の結果、千島列島、サハリン島南部を制圧した。これらの地域のうち、いわゆる北方領土については、日本政府は不法占拠されているという立場をとっている。平和条約の締結と国境の確定まで、日ソ戦争の「戦後処理」は終わっていないとも言える。

（麻田雅文）

23

「シベリア抑留」の始まりと終わりの地

★日本人兵悲劇の舞台、ロシア極東★

戦後の悲劇的な歴史である日本人抑留は、ロシア極東・シベリアと切っても切れない関係にある。1945年8月9日から始まった10日間に及ぶ日ソ戦争では、61万1237人の日本人将兵がソ連軍の捕虜となり、一部集結地での死亡や脱走もあったが捕捉された者はその後すべてソ連へ労働力として送られた。「シベリア抑留」の発生は、当時のソ連最高指導者ヨシフ・スターリンが1945年8月23日にソ連国家防衛委員会決定第9898号「50万人の日本軍軍事捕虜の受け入れ、配置、労働使役について」を決議したことに由来する。この悪名高き指令により、満洲や朝鮮半島に留め置かれていた大量の日本人将兵の運命が決定づけられた。なかでもロシア極東は、移送された日本人将兵の数が最も多く20万人を超えていた。極東から先のシベリア、ヨーロッパ・ロシア方面、中央アジアに抑留された者も、その地へ行くには必ず極東を経由したから、戦後の極東は抑留の始まりの地と言ってもよいだろう。

極東を始まりとした「シベリア抑留」は、「シベリア三重苦」(飢え・寒さ・重労働)という痛ましい労苦を抜きには決して語ることのできないものである。とくにソ連の長い「冬」にあたる

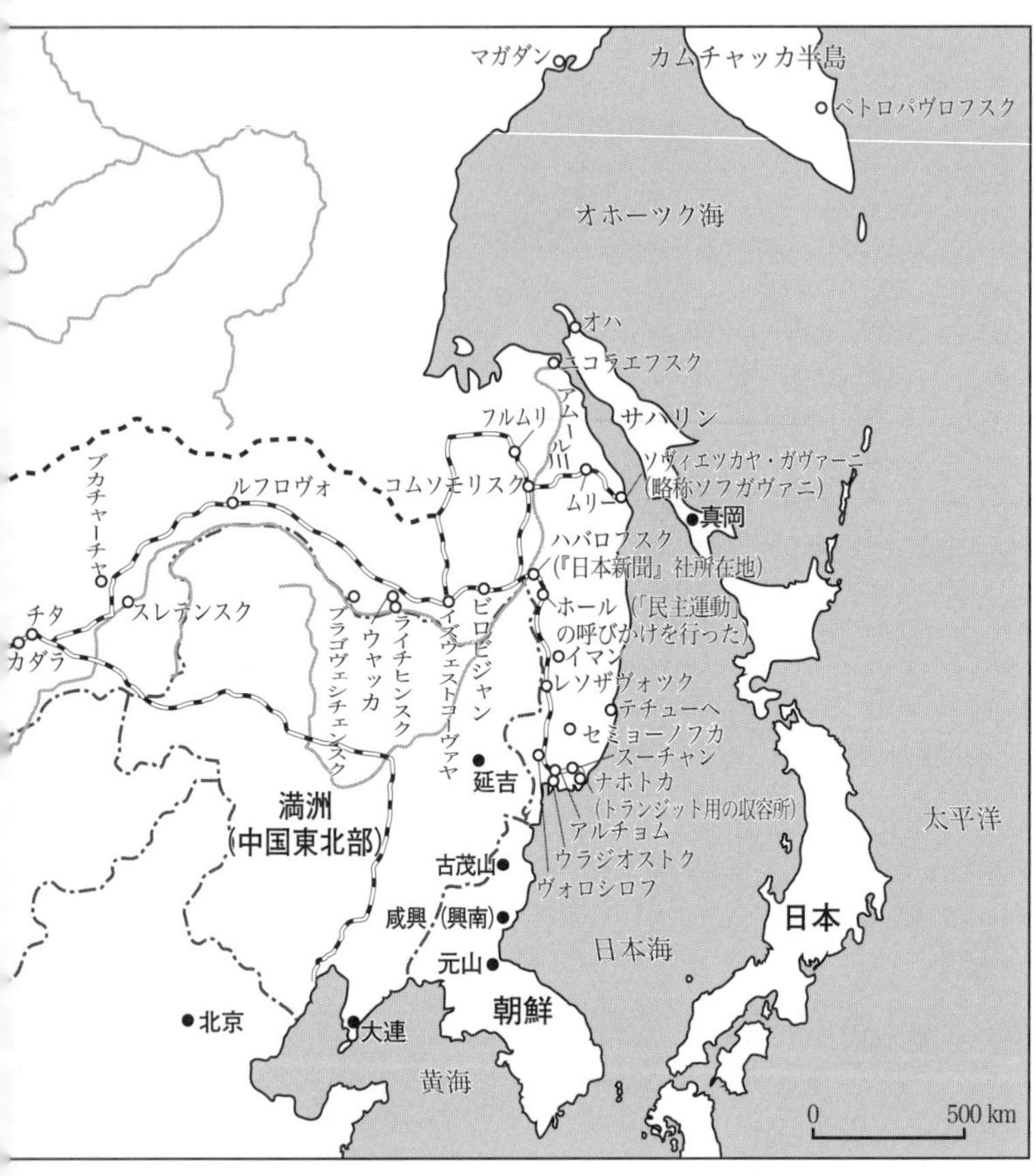

〜9頁の地図を基に筆者作成）

秋から春先にかけた氷点下での労働は凄惨を極めた。抑留経験者の林照によれば、当時極東地域の気温は、各地でマイナス35〜53度を記録していたという。おそらくシベリアの気温もこれと同等のレベルにあったことだろう。

　氷点下を大きく下回る中での労働は、たとえ防寒具があったとしても1時間もいれば凍傷の危険さえある。このような気候に不慣れな日本人捕虜は、戦争で弱りきった身体を酷使し、建築や土木作業、森林伐採、道路建設、炭鉱や鉱山労働、

図 23-01　日本人軍事捕虜収容所

長勢了治『シベリア抑留―日本人はどんな目に遭ったのか』（新潮選書、2005 年

鉄道建設、積卸などの肉体労働に従事した。社会主義体制下のソ連では、計画経済に従った労働義務をノルマにして課していたが、それは外国人捕虜である日本人に対しても同様であった（現在日本語でも定着しているノルマという言葉は、ロシア語を語源とし、日本人捕虜が帰還したのち日本で広く流布したとも言われている）。ソ連経済に組み込まれた日本人捕虜の労働時間は原則1日8時間であったが、ノルマが遂行できなければ超過労働を要求されることも多かった。極寒の中での肉体労働は体

力の消耗が甚だしかったが、それに見合った食事量が提供されることはなかった。

食糧配給は、黒パン300グラムとほとんど具の入っていないスープが支給されたが、ノルマの超過度合いに応じて配給は変動し、遂行できなければ減食させられた。ロシアの公文書では、当初黒パンに加えて米300グラムと味噌も支給するとされていたが、筆者がこれまで確認した限りにおいて、味噌汁や米がこの規定通り支給されていた事例は体験記等で裏付けられていない。おそらくソ連的な書類上の「作り話」であろう。

日本人捕虜は粗末な食事、極寒の中での慣れない肉体労働と厳しいノルマによってどんどん衰弱し、栄養失調者が続出した。多くの者が抑留1年目の冬を越せず亡くなった。筆者は、抑留経験者で人道的観点から4万6303人分の死亡者名簿を独自に作成した村山常雄（むらやまつねお）の調査をもとに、抑留1年目の間に死亡した割合がどのくらいなのかを算出した。その結果、亡くなった時期は、抑留の開始から翌年の4月まで：57％、翌年12月まで：75％であった（全抑留期間中の死亡者総数はおよそ6万人と言われているが、正確な死亡者総数は今日でも未解明のままである）。とくにハバロフスク地方の死亡者数は最も多く、抑留開始4か月の間に日平均にして20人以上が亡くなっていた。これは先にあげた「三重苦」に加え、ハバロフスク地方に予定数を大きく超過する日本人捕虜が収容され飽和状態にあったこと、ハバロフスク地方政府の受け入れ体制が整備されていなかったこと、ソ連到着までに衰弱していた捕虜が多数いたことが重なった結果であった。

ソ連政府は日本人捕虜にソ連の優位性を宣伝する日本語版プロパガンダ、『日本新聞』を配布、その新聞社本部をハバロフスクに置き、ここを政治教育の拠点とした。日本新聞社の編集長には、戦前に国立極東大学を卒業し、日ソ戦争の停戦会談に通訳として同席したイヴァン・コヴァレンコ（のちのソ連共産党中央委員会国際部課長）が就任した。日本人編集責任者には、宗像肇、浅原正基（あさはらせいき）、相川春喜（あいかわはるき）がいて、いずれも高等教育を受けた者や学生時代からプロレタリア活動に加わっていた者が選ばれた。

政治教育本格化の萌芽は抑留最初の冬を終えたばかりの１９４６年4月、ハバロフスク市近辺のホール第17地区から始まった反軍闘争、いわゆる「民主運動」を皮切りとした。以降『日本新聞』では、盛んにこれを宣伝した。ソ連側は政治教育の1つとして位置づけた運動であったが、多くの者にとっては抑留生活を生きぬく「生命線」としての意味を持った。なぜなら、ソ連へは部隊ごとに移送されたため、圧倒的多数者からなる下級クラスの元兵士にとって、ソ連の収容所でも続く日本軍国主義的な上官命令への絶対的服従を強いられる生活は、「シベリア三重苦」に加えまさに地獄だったからである。食事のピンハネや執拗な虐めは日常茶飯事で、生命の危機を感じていた者が各地の収容所に多数存在し、反軍闘争を支持した。とくに高死亡率を示していたハバロフスク地方においてそれは切迫した様相をなしていた。

ナホトカは「シベリア抑留」の終わりの地であった。ナホトカはロシア語で発見、掘り出し物といった意味がある。ナホトカ市は、１９６１年より京都舞鶴市と姉妹都市提携を結び現在でも交流を続けている。ナホトカと舞鶴を結ぶ歴史は「シベリア抑留」にまで遡り、それぞれ引揚船が出入りした港があって約46万人が利用した。

抑留された日本人捕虜の帰還業務が開始されたのは、米ソ協定が結ばれた１９４６年12月からで、多くがすでに帰らぬ人となっていた。帰還させる日本人捕虜の集結を始めたばかりの頃のナホトカでは、受け入れ体制が未整備で混乱が至る所でみられた。本国送還用収容所の収容上限は6千人であったというが、連日列車で数千人単位の捕虜が到着する一方で、船の出港は1日から3日置きであり（それ以上待つこともあったと思われる）、あっという間に人口1万人足らずのナホトカは数万人単位の日本人捕虜で溢れかえっていたという。ようやく収容所の増設や管理体制が整い始めたのは１９４７年後半のことであった。

ナホトカでは過激な「民主運動」も発生した。反動を徹底的に締め上げる「吊るし上げ」や「人民裁判」は、帰還を目前に控える者たちによる狂気の沙汰の様相を呈した。大多数の捕虜が積極的にこれに加担するか、その行為には見て見ぬ振りをして黙認して帰還までの自己防衛に努めた。「民主化」した捕虜かどうかが、祖国の地を踏む「通行手形」になっていた。

日本人捕虜は１９５１年までにほとんどが帰還したが、ソ連政府による日本軍の戦争責任を追及した一方的なハバロフスク軍事裁判（１９４９年12月）にて実刑判決を受け、「戦犯」としてその後も長期抑留を強いられた山田乙三（やまだおとぞう）らの将官たちもいた。最終的にすべての日本人がソ連から帰還したのは、日ソ共同宣言が締結された後で、すでに彼らの抑留期間は11年に及んでいた。最後の日本人長期抑留者を乗せた興安丸は、１０２５人を乗せナホトカから舞鶴港へ１９５６年12月26日に到着した。

（小林昭菜）

24

サハリン残留朝鮮人とサハリン残留日本人

★〈樺太〉と〈サハリン〉を生きた人々★

「樺太」からの引揚げ同様に「サハリン」での「残留」も悲劇と呼ばれる。残留はなぜ起き、人々はどんな戦後を経験したのか。

1945年8月11日、日本領樺太であった南サハリンへの侵攻をソ連が本格的に開始する。混乱の中で、瑞穂(みずほ)事件や上敷香(かみしすか)事件などの日本人による朝鮮人殺害事件が発生したことは知られているが、その一方で日本人と朝鮮人がともに避難行動をとった事例もみられる。行政による「緊急疎開」や漁船などでの自主的「脱出」などの形で住民の北海道への避難が開始されるが、ソ連軍が同月23日に主都・豊原を占領し「緊急疎開」は停止、「脱出」はソ連官憲の目を逃れる「密航」という形で継続した。樺太はポツダム宣言で日本の領有権放棄が定まっており、1946年2月にソ連政府は千島と併せて領有宣言を発し、樺太と千島からなる南サハリン州を設置、住民たちは進駐・移住によって増加するソ連人たちに間貸しするなどの共住生活を経験する。同年12月には米ソ間の引揚協定により日本人の引揚げ(前期引揚)が開始、1949年7月の終了までに日本人住民は約1500人を残して退去した。なお、樺太アイヌの大部分も日本へ渡ったとされる。

表24-01　樺太・サハリン州の朝鮮人・朝鮮系住民および日本人の概数

（単位：人）

1945年（緊急疎開前）		1949年（引揚げ終了後）		1988年	
日本人	約35.8万	日本人	約1,500	日本人	約400
朝鮮人	約2.3万	朝鮮人	約2.3万	朝鮮系住民	約3.5万
樺太総人口	約38.2万	州総人口	約48.7万	州総人口	約71.7万

（出所）中山大将『サハリン残留日本人と戦後日本』国際書院、2019年ほか

カイロ宣言では朝鮮の独立がふれられ、朝鮮人は日本への引揚対象に含まれず、ソ連占領地域である朝鮮半島北部への送還計画も発案されたが朝鮮戦争により霧散、冷戦下では韓国や日本との往来は厳しく制限され続け、ソ連樺太侵攻時に樺太に居住していた朝鮮人約２万３千人ほぼすべてがサハリンにとどまり続けることを強いられた。なお、ソ連の身分証発行時に「民族籍」を「日本」とした者や日本人の妻となっていた者の中には日本へ引揚げた者がいた。また、前期引揚と同時進行で、ヨーロッパ系ソ連人や中央アジアの朝鮮系ソ連人（高麗人）、朝鮮北部からの朝鮮人労働者のサハリンへの移住も発生していた。

１９５６年の日ソ共同宣言後、１９５０年から断絶していたソ連・樺太地区の引揚げが再開（後期引揚）され、サハリンからは１９５７年から１９５９年にかけて日本人７４９人とその夫や子どもなど朝鮮人家族１５４１人が日本へと引揚げた。その後、１９７６年まで個別引揚で日本人１３５人とその朝鮮人家族２９８人が日本へと帰還した。この中には、樺太先住民族の一部も含まれていたほか、シベリア抑留者となった樺太先住民族にも日本への送還希望者がいた。

「サハリン残留朝鮮人（サハリン残留韓国・朝鮮人）」と言う場合、ソ連樺太侵攻時に樺太に居住していた朝鮮人のうち前期引揚終了後もサハリンに居住していた朝鮮人を指す。サハリン残留朝鮮人の３分の１は、戦時動員の始まる１９３９年以前に樺太へ移住した人々であり、労働者や技術者、経営者など経済的多様性があったほか、樺太生まれや地方議員など社会的多様性もあり、農村や炭鉱町、都市など居住地にも多様性があった。残りの３分の２は戦時

動員（「徴用」「強制連行」などとも称される）で来島した労働者であった。ソ連の樺太侵攻直前の男女比は2：1と推計される。ソ連の施政下では当初無国籍者として扱われたが、1950年代になると、ソ連政府や朝鮮民主主義人民共和国（以下、北朝鮮）政府により国籍取得が促された。サハリン残留朝鮮人には大韓民国（以下、韓国）地域出身者が多く、それらの国家の国籍を取得すると故郷への帰還ができなくなることを懸念し国籍取得を拒む者が少なくなかったが、進学や昇進での不利益を避けるため国籍取得が進み、1988年にはサハリンの朝鮮系住民の約9割がソ連国籍者であった。ソ連の施政開始後、朝鮮人の民族学校が各地に開設され公式に朝鮮語の学習が開始されたものの中高等教育はロシア語中心の一般の教育機関で学ぶため、1930年代生まれの場合は、日本語・朝鮮語・ロシア語の三言語使用者が珍しくなく、ソ連領内各地へ進学、移住する者も現われた。朝鮮系住民はサハリンの総人口の約5％を占め朝鮮語新聞も発行されるなど「朝鮮民族」の存在は可視的であった。1950年代後半から1960年代前半にかけて北朝鮮がサハリンの朝鮮系住民に帰国を呼びかけ、サハリン残留朝鮮人の中からも進学や就労のために応じる者が現われた。ただし、この帰国はサハリン残留朝鮮人の間では否定的に評価されることが多い。1960年代中盤には朝鮮民族学校は閉鎖され、サハリン残留朝鮮人の子や孫の世代の言語・文化・アイデンティティ面でのソ連・ロシア化が進んでいく。

一方、「樺太残留邦人」は日本政府の行政用語であり、後期引揚終了後もサハリンやそのほかのソ連領内に居住し続けていた人々を指す。「サハリン残留日本人」は、研究上は前期引揚終了後もサハリンやそのほかのソ連の領土・実効支配地域内に居住していた人々を指す。研究上、「後期引揚」を「冷戦期集団帰国」、「個別引揚」を「冷戦期個別帰国」、両者を合わせて「冷戦期帰国」と呼ぶ場合がある。「冷戦期帰国」は、日ソ間問題であったこと、帰国者がすでに10年以上ソ連社会を生きていること、朝鮮人成人男性も日本人と世帯関係にあれば同伴帰国できたことなど前期引揚と大きく異なるためである。

サハリン残留日本人の残留背景として、①サハリン残留朝鮮人との世帯形成、②熟練労働者の引き留め、③引揚実施期間中の収監などが挙げられる。冷戦期帰国実施後も残留が継続した背景としては主に、①朝鮮人家族の反対、②帰国事業や手続きに関する情報不足、③帰国後の経済的不安、④日本社会の朝鮮人差別に対する懸念などが挙げられる。サハリン残留日本人は、人口的僅少に加え、7割近くが朝鮮人の妻や子という立場にあったと推計でき、ソ連社会と朝鮮人社会に二重に埋没する存在であり、朝鮮人と世帯関係にあった場合は、日本語・朝鮮語・ロシア語の三言語使用者がみられる。

冷戦期帰国によって日本へ移住したサハリン残留朝鮮人の一部は「樺太抑留帰還韓国人会（樺太帰還在日韓国人会）」を結成し、サハリン残留朝鮮人の帰国促進に対する日本政府の責任を求める「樺太裁判」（1975〜89年）を起こすなど帰国促進運動に取り組み、1980年代以降のペレストロイカや韓ソ国交樹立、そしてソ連崩壊の中で、日韓社会の関心の高まりや政治的協力を得て、1988年には永住帰国と一時帰国の第1号が実現、翌年の日韓の赤十字による「在サハリン韓国人支援共同事業体」発足以後、韓国への一時・永住帰国が本格化し、3500人以上が永住帰国を実現した。

サハリン残留日本人も、1989年に帰国支援運動が開始、翌年に第1次一時集団帰国が、その翌年にポスト冷戦期の永住帰国第1号が実現、以後50名以上が永住帰国を果たした。帰国者は「中国残留邦人等帰国促進・自立支援法」に基づく支援を受けている。

（中山大将）

III

シベリア・極東の民族と文化

25

ロシア文学に描かれたシベリア

★探検と流刑のトポス★

シベリアを描いた文学は文化記号学的な立場から「シベリア・テクスト」と総称される。「探検」「刑罰」「天然資源」がその空間の特徴であり、主たる登場人物は「開拓民」「囚人」「先住民」だ。ドストエフスキー『死の家の記録』、チェーホフ『サハリン島』が流刑の地を描くひとつの系譜だとすれば、北極圏や密林(タイガ)を舞台にした調査記録や冒険小説、極東の地の社会主義建設を描く産業小説もシベリア・テクストの一種ということになる。『罪と罰』の結末のラスコーリニコフにとってのように、シベリアは主人公を変容と復活に導く重要な場(トポス)である。

シベリア文学の最初の主人公にふさわしいのはイェルマークだろう。多くの作家にインスピレーションを与えたニコライ・カラムジンの『ロシア国家史』の第9巻(1821年)は、16世紀のロシアのシベリア進出を物語る。ヴォルガ流域の盗賊だったイェルマークは、シビル・ハーン国との戦争で歴史に名を残す英雄となった。このような文学的イメージは、人間が変容して罪があがなわれる空間というシベリア・テクストの枠組みにぴったり当てはまる。急進的なデカブリストのコンドラチイ・ルイレエフの叙事詩『イェルマークの死』(1822年)と保守

写真 25-01 『シベリア物語』の DVD ジャケット

写真 25-02 『シベリア物語』の1場面

的スラヴ主義者のアレクセイ・ホミャコフの戯曲『イェルマーク』（1828年）は、両者の政治的立場は異なるものの、イェルマークのシベリア征服をロシアの文化的記憶に刻む役割を果たした。民話詩『せむしの仔馬』で知られるシベリアのトボリスク県（現チュメニ州）出身のピョートル・エルショフの叙事詩『スズゲ――シベリアの伝承』（1838年）は、シビル・ハーン国の王妃の視点から、敵にも寛容な態度を見せるイェルマークの人物像を描いた。スターリン時代の映画監督イヴァン・プィリエフの『シベリア物語』（1947年）は、戦争で利き腕を使えなくなり失意の音楽家が、シベリアで新たなインスピレーションを得て壮大なオラトリオを作曲する。ソ連によるシベリア開発を高らかに讃えるその歌曲は、やはりイェルマークの戦いを想起するところから始まる。

シベリアの豊かな地下資源のうちで、早くから開発されたひとつにネルチンスクの銀山（のちには金鉱も開発）があり、帝政期に囚人による労働が組織されたことでも知られている。詩人ニコライ・ネクラーソフの『ロシアの女性たち（デカブリストの妻）』（1872～73年）は、主人公のマリア・ヴォルコンスカヤがデカブリストの反乱で流刑になった夫と銀山の坑道で再会する場面で幕を閉じる。東シベリア出身の詩人ドミトリー・ダヴィドフの詩『バイカルの逃亡者の思い』（1858年）は鉱山からの無名の脱獄囚が歌い手となっており、有名なロシア民謡『聖なる湖バイカル』の原型となった。映画『シベリア物語』で歌われたもうひとつの民謡『バイカル湖のほとり』も鉱山で働く囚人の歌だ。

　ソ連時代にはシベリアの資源開発が、社会主義リアリズムの主要なテーマとなった。ヴァシーリー・アジャーエフの小説『モスクワから遠く離れて』（１９４６～48年）では、模範的な労働者たちがサハリン島の石油を大陸に運ぶパイプラインを建設する。しかし史実によれば、これもまた囚人による強制労働であり、作者アジャーエフも政治犯としてラーゲリで暮らした実体験をもとに創作したことが分かっている。オレーグ・クヴァエフの小説『テリトリー』（１９７４年）は、地質学者の主人公がチュクチ半島の未発見の金鉱を探索するという冒険小説風の作品でベストセラーとなり、２度にわたって映画化された。しかし同じ地域の実際の金鉱では、ヴァルラーム・シャラーモフの『コルィマ物語』が示すように過酷な囚人労働が組織されていた。シベリアの黄金のイメージには裏表がある。

　急激な開発はその反動として環境問題を引き起こす。イルクーツク州出身で「農村派」の作家ヴァレンチン・ラスプーチンは小説『マチョーラとの別れ』（１９７６年）でアンガラ川のダム建設によって水没した農村を描いている。１９８０年代にはバイカル湖の汚染問題について積極的に発言した。

　最後に先住民族がシベリアの文学で担った役割を見てみよう。イルクーツク出身のイヴァン・カラシニコフは、シベリアを題材にしたロマン主義風の歴史小説を次々と発表して、「シベリアのＪ・Ｆ・クーパー」と呼ばれた。『カムチャダールの娘』（１８３３年）は18世紀末のカムチャッカを舞台にして、現在であればイテリメンと呼ばれる先住民の人々とロシアの官憲、コサックとの関係を描いた。探検家ウラジーミル・アルセーニエフは、沿海州南部の森林地帯（タイガ）の調査を手伝ったナナイ人ハンターとの交流を『デルス・ウザーラ』（１９２３年）で魅力的な物語に仕立てた。

ソ連体制のもとでシベリア先住民の多くは「文明以前」の段階から数千年の歴史的なプロセスを飛び越えて一息に社会主義に到達するものと想像された。エンゲルスが『家族・私有財産・国家の起源』（１８８４年）で、原始共産制の事例としてサハリンのニヴフ人を取り上げたことも、ソ連文学が先住民を描く際のヒントとなっただろう。アレクサンドル・ファジェーエフの未完の長編『最後のウデヘ人』（１９２９〜36年）は、代表作『壊滅』（１９２７年）と同様にシベリア出兵や内戦時代の極東を取り上げ、その中心に先住民社会の変容の物語を置いた。文壇の有力者だったファジェーエフは極東を取材した作品を書くよう、他の作家に呼びかけてもいる。ヴェーラ・ケトリンスカヤの小説『勇敢』（１９３８年）は、共産主義青年同盟（コムソモール）の名を冠した極東の新都市コムソモリスクナアムーレの建設と並行して、ナナイ人の新しい世代の誕生を描いた。ウランウデ出身のゲンナジイ・ゴールは実験的な作風やＳＦ小説で知られる異色の作家だが、『ランジェロ』（１９３８年）はニヴフ人の若者が目撃する社会主義的な近代化の様相を「異化」の手法を用いて描き出した。

ソ連の民族政策の成果は功罪相半ばするが、文字と文法が整備されたことで、ナナイのグリゴリー・ホッジェル、チュクチのユーリー・ルィトヘウ、ニヴフのウラジーミル・サンギなど、民族語で表現できる作家が輩出した。ファジェーエフのようなソ連作家が先住民に社会主義の未来を投影したのに対して、民族文学の作家たちはむしろ伝統文化の再生と記憶を志向した。こうした少数民族の文学を含めて、ソ連解体後の文学は従来のシベリア・テクストの枠組みを超える可能性を持っている。

（越野　剛）

26

極東・シベリアの先住少数民族

★民族の分類・分布★

ロシア極東、シベリアにはアジア系の少数民族が暮らしている。彼らはロシア国家の領土がウラル山脈を越えて太平洋に届く以前から、この地域に暮らしてきた先住民である。アフリカで誕生した人類がシベリアに暮らし始めたのは約3万年前と言われている。諸説あるが、約1万4千年前にはベーリング海峡を越えて、その子孫の一部は北米大陸に渡っていった。極東・シベリアの先住少数民族の祖先は北米に渡らずにそのまま留まった人々である。

日本列島と先住少数民族は歴史的に深い関係がある。北海道のオホーツク海沿岸には5~13世紀の遺跡でオホーツク文化と呼ばれるものがある。これはサハリンやアムール川下流域の先住民の祖先で海獣狩猟の文化を持つ集団が、北海道を訪れ、アイヌ民族の祖先と交流していたことを示すものである。江戸時代後期に北海道から樺太そして大陸に渡った間宮林蔵(まみやりんぞう)の記録「東韃地方紀行」には、彼が現在ニヴフやウィルタと呼ばれる先住民と出会った様子が描かれている。

江戸時代の日本人が、こうした先住少数民族と出会った時に驚いただろうと思うのは、その社会が農耕社会ではなかったことである。人々は生活の糧を、狩猟採集・トナカイ牧畜・漁撈によって得ていた。漁撈や海獣狩猟に依存度が高い沿岸部社会の場合、定住的傾向があったが、それ以外は移動・遊牧社会であった。また人々はアニミズムやシャーマニズムの信仰の中で暮らしてきた。言語学的には古アジア諸語、ツングース系言語等に分類される民族である。日本社会と外国の歴史的関係は、中国や韓国など東アジアの文明世界であることはいうまでもない。ただ日本列島の北方もまた異文化と独自に繫がっていたのである。

写真 26-01　トナカイ橇で移動するエヴェン人の兄妹（ロシア連邦サハ共和国オイミャコン郡。2007 年 3 月）

北方の先住少数民族の多くは国家という政治体制とは切りはなされてその歴史を歩んできた。狩猟採集やトナカイ飼育による生産は、分散的な社会を作り出したからである。アルタイ山脈やバイカル湖付近の「南シベリア」、現在の中国東北部付近の「極東」では中央アジアや中国の王朝の影響が部分的にあったが、地域住民が独自に国家を作るということはなかった。17 世紀に帝政ロシアが東征を始めシベリアを植民地化することで、彼らの多くは初めて国家と遭遇したのである。非キリスト教で農業を行わないアジア系の諸民族は「異民族」とカテゴリー化され、間接的な統治体制が敷かれ、毛皮税が課された。その一方、ロシア正教の布教が活発に行われ、多くの先住民はロシア風の洗礼名を持つようになり、ロシアの文化も部分的に浸透した。

ロシア革命前後においてシベリアに暮らしていた諸民族の政治体制は平等主義・分散的社会から階層的で政治的統合を行った社会までさまざまだった。ソ連政府は、1920年代には、この中で狩猟採集・漁撈・トナカイ牧畜で生計を営む26の諸民族を「北方少数民族」という法的カテゴリーでまとめることにした。農業を「知らない」こうした諸民族を「原始的」と見なし、急速な近代化を促進する民族政策を進めるためであった。本章の見出しとなっている「極東・シベリアの先住少数民族」の考え方はこの政策に遡るのである。北方少数民族以外の先住民は自治共和国という行政制度によって民族政策が実施された。

北方少数民族という法的なカテゴリーは現在のロシア連邦にも引き継がれている。1999年に「ロシア連邦先住少数民族基本法」が採択され、この中で伝統的居住地に暮らし、伝統的生活様式・生業を維持し、独自の民族的アイデンティティを自覚する集団にあって人口5万人以下の民族を「先住少数民族」と規定したのである。民族というものは長期的に存在すると一般的に考えがちだが、現在の社会科学では短期的にも民族が生成することは確認されている。実際に、この法律採択後の国勢調査では、極東・シベリアの先住少数民族は40に増加した。

ソ連時代、先住少数民族の社会は大きく変容した。移動する生活から、村落への定住化が進められたからである。政府によって建設された村落には学校や病院などが設置され、電気などのインフラも整備された。人々の伝統的生業は、農業集団化・国営農場化政策の中に取り込まれ、産業として実施されるようになった。たとえば、革命以前、ある先住民の生業は、家族が中心となって少数のトナカイの群れを飼い、遊牧しながら狩猟漁労を行う複合的なものだった。それが女性や子どもは村に定住し、成人男性が5~6人で構成される飼育班を形成し、千数百頭のトナカイの群れを遊牧し、肉畜を生産・販売する体制に変わったのである。

こうした近代化政策の中で先住少数民族の言語の多くは危機的となった。1つにはロシア語などで学校教育が行われ、民族語では実施されなかったからである。家族がトナカイ飼育産業に携わった場合、子どもは村落の寄宿舎で育てられ、母語を自由に使えなくなった。意外に思われるかもしれないが、ソ連は少数民族言語の保護に熱心だった。多くの先住少数民族言語に正書法が定められ、キリル文字での表記が可能となり、先住民出身の作家が出現した場合もある。ただ、ロシア社会の中で生きる先住民は就職や地位獲得にロシア語は必須であった。また新聞やテレビなどのメディアでは民族言語が用いられることが少なく、結果として、先住少数民族の多くは母語を失った場合が多い。現在彼らの多くはロシア語を母語としているか、バイリンガルのいずれかである。

ソ連崩壊後、ロシアはエネルギー資源の輸出によってグローバル経済と繋がっている。その供給地は先住少数民族が歴史的に暮らしてきた地域であることが多い。資源開発は彼らが暮らす地域経済に肯定的な影響を与えているのも事実である。ただトナカイ牧草地の真ん中をヨーロッパに向けて附設された石油パイプラインが横断したり、環境汚染が生じたりしている場合もある。とはいえソ連時代の北方少数民族政策の効果もあり、現在のロシアには先住民出身の政治家や国連などと連携する先住民組織が活動している。彼らや当事者となった地域社会が、環境と経済の持続可能性をさぐってさまざまな取組をしているのが現状である。

（高倉浩樹）

27

極東・シベリア先住少数民族の言語

★アルタイ諸語★

言語は、系統（歴史的に同一祖先に遡る親縁関係）と類型（言語構造のタイプ）の2つの面から分類できる。極東・シベリア地域には、アルタイ諸語と総称される言語群が分布する。アルタイ諸語は、類型の点では日本語によく似ており、系統の面でも日本語と共通の起源を持つのではと考えられることもあった。

同一祖先に遡る関係にある言語群を、「語族」と呼ぶ。極東・シベリア地域には、ウラル語族、テュルク語族、モンゴル語族、ツングース語族、チュクチ・カムチャッカ語族が分布する。アルタイ諸語とは、このうちテュルク語族、モンゴル語族、ツングース語族に属する言語の総称である。

一方で、同一祖先を持つ他の言語が見つからないものを「孤立言語」と呼ぶ。朝鮮語やアイヌ語は、典型的な孤立言語である。日本語も、祖先を共有する言語は琉球語以外にはない。極東・シベリア地域にも、ニヴフ語やユカギール語などの孤立言語が分布している。

言語の系統関係について、テュルク語族を例に見てみよう。シベリア地域には、テュルク語族に属する言語としてサハ語（ヤクート語）、トゥバ語、ハカス語、ショル語などが分布する。こ

	ショル語	ハカス語	トゥバ語	サハ語
魚	palĭk	palïx	balĭk	balĭk
私	min	min	men	min
4（数）	tört	tört	dört	tüort
知る	pil-	pɨl-	bil-	bil-
なる	pol-	pol-	bol-	buol-

れらの言語の語彙は、表に見るようによく類似するだけでなく、厳密な音的対応関係も有する（たとえばサハ語・トゥバ語の/b/はハカス語・ショル語の/p/に対応する）。語彙の類似と規則的な音的対応が、異なる言語間の歴史的同源性の何よりの証拠となる。

テュルク語族・モンゴル語族・ツングース語族の３つが、すべて同一祖先に遡るとする説がある（「アルタイ仮説」と呼ばれる）。研究者によっては、これらにウラル語族も加えている。さらに朝鮮語や日本語も含めて、すべての言語が共通の源に遡ると主張されることもあった。

たとえば藤岡勝二は、１９０８年に「ウラル・アルタイ的特徴十四箇条」を提示した。そこに含まれる「語頭にｒ音が立たない」「冠詞がない」「疑問標識が文末に来る」などは、たしかに日本語（や朝鮮語）とウラル語族・アルタイ諸語に共通の言語特徴だと言える。しかしながら、同様の特徴を持つ言語は世界に数多いこと、歴史的親縁関係の最大の証拠である語彙の音的対応が確立できないことから、現代の言語学者はアルタイ仮説に極めて否定的である。

アルタイ仮説は19世紀頃から主張され始めたが、21世紀の今日に至っても十分な証拠が示されたことはない（２０１０年頃から欧州の一部の学者らが提唱している「ユーラシア大語族」説も決定的なものとは言えない）。とはいえ、完全な棄却はいわゆる「悪魔の証明」であり困難を極める。「アルタイ諸語」の名称も、系統の問題に中立

①	münööder	kinoo-do	ošo-xo	gü-š
ブリヤート語	今日	映画 - に	行く - 未来	か -(君)
②	bügün	kiine-ğe	bar-a-ğïn	duo
サハ語	今日	映画 - に	行く - 現在 -(君)	か

の立場を表わすものでもある。

今度は言語の類型の側面から、アルタイ諸語を見てみよう。①と②は、ブリヤート語（モンゴル語族）とサハ語（テュルク語族）における「（君は）今日映画に行くか」を表わす文である。この短い文を見るだけでも、アルタイ諸語（および日本語）の言語構造上の類似を見て取ることができる。

まず、明示的な主語が現れていない。動詞述語「行く」は文末の要素として現れ、それに疑問標識（ブリヤート語ではgüサハ語ではduo）が後続する。日本語の「に」に相当する格標識の使用（ブリヤート語では-doサハ語では-ğe）も共通する。このような特徴は、日本語にも似通っていると言えるものである。

一方で、もちろん相違点もある。大きな違いの1つは、主語に対応する人称語尾の出現位置である。ブリヤート語では疑問標識güの後に二人称主語「君」に対応する語尾-šが現れるが、サハ語では語尾-ğïnが動詞語幹に付加される。なおこのような主語に対応する人称語尾の存在は、日本語との相違点でもある。語彙に関しても、両言語に音的対応関係を見いだすのは難しい。唯一「映画」の音形が類似するのは、どちらもロシア語（kino）からの借用語だからである。

最後に再び、歴史的な問題を取り上げる。シベリアのテュルク語族の諸言語は、表に見るように語彙面などで見かけ上はよく似ている。ところが文法構造を子細に眺めると、表面的な類似以上に大きな違いも見えてくる。ユーラシア大陸の東西に広く分布するテュルク語族の中で、とくにサハ語は、他とは大きく異なった特徴を有する。

筆者は2000年から、サハ語が話されているサハ共和国での現地調査を続けてきた。2014年からは、トゥバ共和国においてトゥバ語の現地調査も始めた。その過程において、サハ語の一部の文法特徴は、祖先を同じくするテュルク語族の言語ではなく、近隣で話されるツングース語族の言語に似ているところもあることが分かった。先に示したサハ語、トゥバ語、ハカス語、ショル語は、テュルク語族のシベリア（北東）グループとしてひとまとめに下位分類されることが多い。しかしこれらの言語は、本当にグループを成す（すなわちある時期までの共通の歴史的変遷を辿り、その後分岐した関係だと言えるのであろうか。それともサハ語のみが、単独で分岐した結果なのであろうか。

これらの言語に関する過去の文献資料は、遡っても19世紀半ばがやっとである。したがって文献以前の歴史的空白期にどのような言語変化を被って現在の姿に至ったのかは、同系・異系の言語同士を丁寧に対照しながら推し量るしかない。この作業の遠い遠い先には、アルタイ仮説や日本語の起源の問題も見えてくるのかもしれない。

（江畑冬生）

28

カムチャッカ半島の先住民言語

★ 18 世紀から現在までの言語分布の変遷★

カムチャッカ先住民には、ロシア人が到来する以前からカムチャッカに居住している民族と、ロシア人の到来以降にカムチャッカ半島に居住するようになった民族がある。ロシア人到来以前からこの地に居住していた民族として、まず挙げられるのはチュクチ人、コリャーク人、アリュートル人、ケレック人、イテリメン人である。このうちイテリメン人を除く4民族は共通の祖先をもつチュクチ・カムチャッカ語族と呼ばれる言語を話す。なお、アリュートル語は長年にわたりコリャーク語の方言とみられていたため、古いロシアの文献ではコリャーク人とアリュートル人を区別していないことが多い。本章でも当時の記述に従う。イテリメン語は伝統的にチュクチ・カムチャッカ語族に分類されているが、その帰属については以前から疑問がもたれており、現在では文法の類似は接触による影響であるという見方が優勢である。現在これらの民族の大部分がカムチャッカ半島北部に居住しているが、ロシア人が到来した当時はカムチャッカ全域に居住していた。

かつてはカムチャッカ半島全域に居住していた先住民が、なぜ北部に居住するようになったのかは、先住民とロシア人との

図 28-01　19 世紀末のカムチャッカ地図

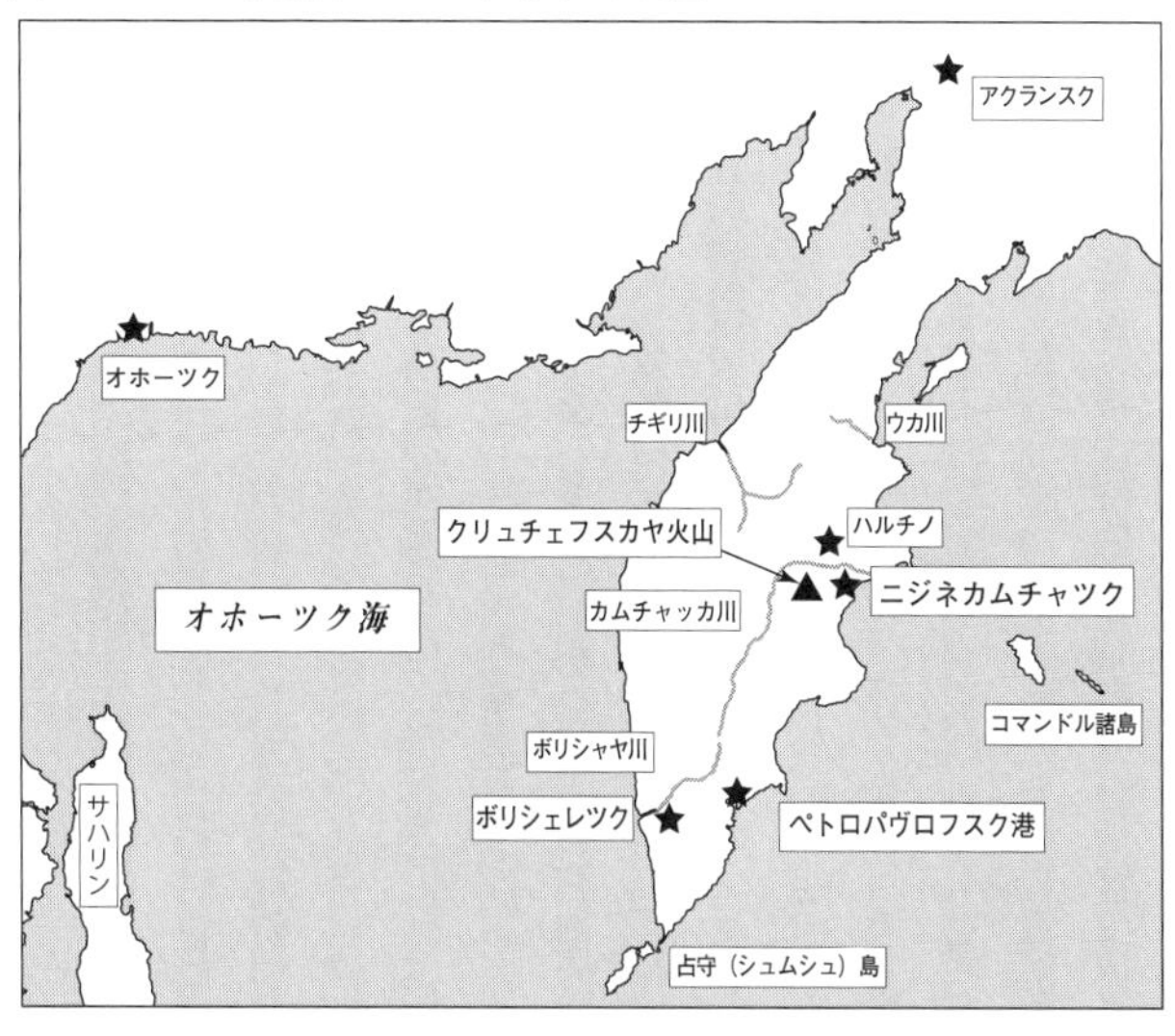

接触の歴史から説明できる。ロシア史では、カムチャッカがロシアに併合されたのは１６９７年とされているが、これはコサック隊長ウラジーミル・アトラーソフがクリュチェフスカヤ火山の北側を流れるカムチャッカ川の川岸に十字架を立てた年である。しかし先住民の征服はこの年に完了したわけではなかった。カムチャッカ半島にコリャーク人という民族が居住すること、当地にクロテンが多数生息していることについてロシア人が知ったのは、１６４０年代後半で、そこからカムチャッカに進出し、カムチャッカ全域の先住民を征服するのには１００年以上を要した。

ロシア人がカムチャッカに到達した当時の先住民人口はおよそ2万人程度であったと推測される。アトラーソフの報告によれば、当時カムチャッカ南部にはイテリメン人（旧称カムチャダール人）の村落が１６０あまりあった。それらの大部分は消滅し、現在はカムチャッカ南部に先住民の村はない。イテリメン人は北ではコリャーク人と接しており、東岸のウカ川流域から西岸のチギリ川流域が北限であった。18世紀のロシアの記録によればウカ川流域の先住民はコリャーク語とイテリメン語の二言語を話し、コリャーク人を自称していた。この地域で話されていたイテリメン語東部方言は、19世紀末までにすべて消滅した。

カムチャッカ半島北部は、ロシア人によれば「平和的ではない」コリャーク人の居住地であり、ロシア人は、チュクチ半島のアナディリを経由した陸路による安定した交易路を開くことができず、コサック隊はたびたび先住民に襲撃された。カムチャッカ先住民は初めてロシア人と接した当時は火器を知らなかったが、すぐに使用法を覚え、略奪した銃でロシア人と戦った。そこでロシアはオホーツク海沿岸のオホーツク港から海路でカムチャッカ西岸のボリシェレツクへ至る航路を開拓し、1716年に出発した最初の船の積荷となったのは先住民制圧に必要な大砲であった。

カムチャッカ探検にあたるコサック隊やその後の探検隊の荷物を牽引する労役に動員されたのは、カムチャッカ南部に居住するイテリメン人であった。さらに、ベーリング海峡を発見したベーリングを隊長とする第一次カムチャッカ探検隊（1725～1731）も大勢の先住民を徴用した。長期にわたる労役が先住民社会に与えた影響は、コサックによる略奪や虐殺を凌ぐものであった。先住民は夜明けから日没まで食事も休憩も与えられずに酷使され、犬橇の犬が過労のあまり死んだ後は、人間が犬に代わって荷を引かされ、多数の死者を出した。こうした犬橇輸送の労役は「犬の天然痘」と呼ばれて恐れられるほどの脅威であった。また村に残された家族も、成人男性を徴用されたために十分な食料を貯蔵することができず、餓死者が続出した。

コリャーク人は南ではイテリメン人と、北ではチュクチ人と接していた。第二次カムチャッカ探検隊（1733～1743）に参加したクラシェニンニコフはコリャーク語の四方言を記録しているが、現存するのはそのうち一方言にすぎない。ウカ川流域のコリャーク語は19世紀末までに消滅したと考えられる。18世紀に編纂されたパラスの『欽定全世界言語比較辞典』には現在のマガダン州を流れる

図 28-02　カムチャッカにおける先住民とロシア系住民の人口の推移

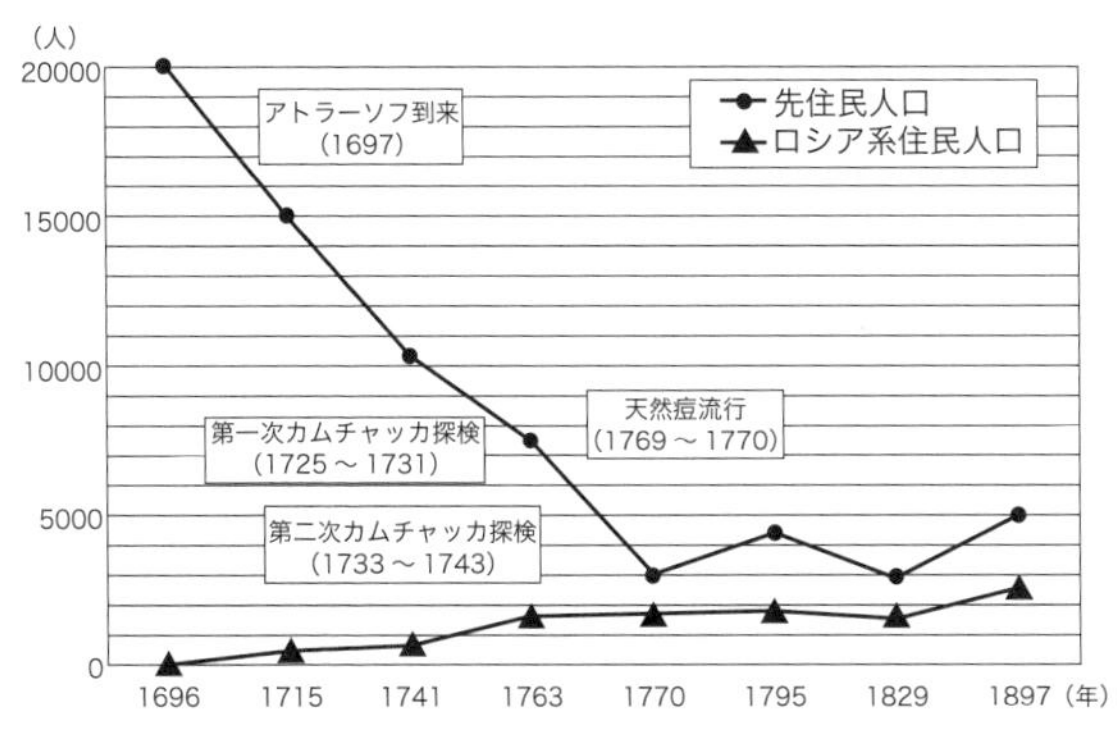

コルイマ川流域のコリャーク語が採録されているが、この方言は現存しておらず、資料はこれが唯一のものである。

カムチャッカ南部に居住するコリャーク人の多くはコサック隊にトナカイを徴用されて家畜を失ったため、トナカイ飼育から定住生活への移行を余儀なくされた。クラシェニンニコフはペトロパヴロフスク付近でこの地に残る最後のコリャーク人に会い、ロシア人が増えたために仲間はみんな北部へ移住してしまったという話を記録している。徴税吏やコサックはしばしば正当な毛皮税の数倍にあたる量の毛皮を要求し、支払えない場合には毛皮の衣類や、冬に備えて備蓄していた食料まで略奪した。略奪するものが何もない場合には男や女や子どもを連れ去り奴隷化した。当時の記録によれば、すべてのコサックが、奴隷化した先住民を十数名から20、30名も従え、王のように振る舞っていたという。こうしたコサックの略奪に対し先住民は激しく抵抗し、18世紀初頭の20年間だけで31回の先住民とロシア人との武力衝突が記録されている。大規模なものとしては1731年にカムチャッカ川中流域でイテリメン人フョードル・ハルチンを主導者とする蜂起が、1745年にはアナディリのコリャーク人エオント・コシンコイによる蜂起があった。後者はコサックが籠城した半島北部のアクランスク要塞を包囲し、半島中部のウカ川流域の先住民も巻き込む大規模な衝突となった。主導者はいずれも処刑されたが、ハルチンはミリコヴォ地区のハルチノ村（廃村）としてその名を残した。

ロシア人が持ち込んだ伝染病もまた、先住民人口を大幅に減少させた。1768年から1769年にかけてカムチャッカを襲った天然痘の流行により、当時の先住民人口の約半数が死亡し、カムチャッカ南部では住民が全滅した村も多数あった。

アイヌ人について、ロシア政府はロシアの先住民族として公式に認めていないが、ロシア国内のアイヌ団体からの度重なる要請を受け、プーチン大統領は2018年にアイヌ人を先住民族とする提案に賛成した。18世紀ロシアの探検家の記録によれば、カムチャッカ半島南端から占守島には「近いクリル人」が居住し、イテリメン語とアイヌ語との二言語併用者であったという。この地域にはイテリメン語およびアイヌ語地名が混在している。この地域ではまた、15世紀から17世紀のものとされる遺跡から、アイヌ文化に特有の土器が見つかっている。カムチャッカ南端に居住していた人々がアイヌ人なのか、イテリメン人なのか、あるいは両者の混成集団であったのか、限られた資料から同定することは困難だが、いずれの民族とも深い関連を持つことは疑いない。なお、1875年の樺太千島交換条約締結後、北千島アイヌ人の一部はロシア政府によりカムチャッカに、ほかのものは日本政府により色丹島へ移住させられた。2010年の国勢調査によれば、カムチャッカには約百名のアイヌ人が居住している。

カムチャッカのアリュート人は、毛皮猟に従事させるために1820年代に露米会社がアリューシャン列島およびコディアック島からカムチャッカ半島沖のコマンドル諸島と千島列島へ移住させた人々の末裔である。コマンドル諸島のメドヌイ島ではアリュート語とロシア語との混成言語であるメドヌイ・アリュート語が形成された。千島列島のアリュート人は、1867年に露米会社が解散した後に現地に置き去りにされたが、ペトロパヴロフスクを経てコマンドル諸島へ移住した。

ツングース系のエヴェン人は、トナカイとともに1840年ごろにカムチャッカ半島へ移住してきたとされる。ソ連の集住化政策によりコリャーク人やチュクチ人と同じ村に居住するようになると、異なる民族間での結婚が増え、エヴェン人としてのアイデンティティは保持しつつも、エヴェン語からコリャーク語への移行が進んだ。

このほかに、ロシア人などの移住者と先住民との混成民族であるカムチャダール人がいる。カムチャダール人は文字通りには「カムチャッカの住人」を意味し、イテリメン人の旧称でもある。しかしこの名称には注意が必要である。イテリメン人と混成民族としてのカムチャダール人とを区別するために、イテリメン人という名称を採用した際に、マガダン州に居住するカムチャダール人をイテリメン人と言い換えた。ロシアの研究者の指摘によれば、マガダン州のイテリメン人はロシア系住民と先住民の混成民族、すなわちカムチャダール人であるという。また、ロシア政府がアイヌ人を先住民族と認めていないため、国勢調査で自分の民族をアイヌ人として登録することができず、カムチャダール人として登録したアイヌ人もいるという。

こうして、ロシア人到来後の約200年間で、カムチャッカ先住民の構成および居住地は大きく変化した。1930年にカムチャッカ半島北部にコリャーク自治管区が設立されたが、ソ連の集住化政策により先住民の村の多くが廃村となり、強制移住により先住民言語はさらに打撃を受けた。その後コリャーク自治管区はカムチャッカ州と合併し、カムチャッカ地方コリャーク管区となったが、現在も先住民の大部分がこの地域に居住している。

（永山ゆかり）

29

極東・シベリア先住少数民族の生活・生業様式

★自然・社会環境変化の中で★

本章では、第26章で紹介されている「極東・シベリアの先住少数民族」においてみられる特徴的な生活・生業様式の特質を述べたい。シベリアと言っても各地の自然環境や周辺民族との関係等の歴史的経緯は一様ではない。しかし高緯度寒冷、タイガ、ツンドラといった植生帯というマクロな自然条件では共通しており、それゆえの特色もある。とくに長期の寒冷期の生活・生業に与える影響は共通したものが多い。

極東・シベリア先住少数民族の生活・生業様式については、20世紀においてソ連民族学者により綿密に調査・研究がなされてきた。とくに「経済・文化類型」と「歴史・民族学的領域」という2つの基準概念を用いた生業様式を含む地域・領域区分が作成され、地図化された。前者は生活領域の自然環境や生態系を主要因として、後者は歴史的な文化接触等を主要因として文化の類型を分類する体系である。これらは現在も学術的価値を有しているが、これらの概念は産業化以前の静的な段階を前提とするものであり、20世紀以降に諸民族の経験した社会・経済・環境変化という諸条件を考慮する作業を経ていない。そのためここでは、これらにはこれ以上言及せずに、現在の生業様式（狩猟・漁撈・牧畜）の状況を個別に簡述することとしたい。

先住民にとって狩猟、漁撈、トナカイ牧畜（飼育）は、寒冷地の環境に適応しつつ生存するために必要な生業様式であり、これらを複合的に従事するのが一般的であった。それ故、ソ連期にはこれらの3つの生業を一括して「北方の三位一体」と称された。これらの生業様式は生活様式とも密接な関係を有している。とくにトナカイ牧畜はトナカイの牧地を求めて移動（遊牧）する生活様式を基本としている。一般に漁撈は定着性の高い生活様式を前提とするが、狩猟は獲物を追う移動性の高い生活様式となることが多かった。

狩猟や漁撈は、自家消費用食料の獲得のために必須である一方、余剰分は売却して現金収入源ともなった。また毛皮獣狩猟のように、帝政ロシア期より毛皮獲得のために先住民に課せられた現物貢租徴収という歴史的経緯による展開・変容がみられた狩猟もあった。狩猟も漁撈もソ連期には農業集団化体制の下で国営企業（ゴスプロムホーズ〔国営狩猟会社〕等）や協同組合組織（漁業コルホーズ等）による集団化経営も行われた。

狩猟は居住地の資源状況により、リス、テン、キツネのような小型毛皮獣の罠猟や猟銃狩猟から、野生トナカイやヘラジカ、シベリアビッグホーン等の大型動物まで、狩猟者や狩猟具に応じたものが実施されてきた。またオオカミ、クマ、クズリといった家畜トナカイの害獣駆除目的の狩猟も行われてきた。たとえば、サハ共和国では害獣駆除に対して報奨金が支払われてきた。

野生トナカイやヘラジカは食用として重要な大型獣であり、食料確保のために狩猟が盛んに行われている。野生トナカイ猟は、かつて人数を確保しての追い込み猟も行われてきたが、現在は猟銃によ

写真 29-01　ネネツ人遊牧民による罠猟でのツンドラ・ライチョウの捕獲（ヤマル・ネネツ自治管区）

る個別的狩猟が多い。これに対して罠猟は、罠を仕掛けて一定期間後に獲物の確認に行くという簡便さ故に広く実施されてきた。とくに毛皮獣の狩猟用には、毛皮を損傷しないような工夫もなされた、概して一定の様式を有する共通性もみられる。たとえば自動弓、毛皮獣用の括り罠や圧殺式罠等の仕掛けである。罠は毛皮獣のみならず、自家消費用の小動物などにも適用された。いわゆるトラバサミも多用されている（写真29－01）。毛皮獣狩猟は、防寒用具の素材の多様化、嗜好の変化、環境団体の圧力等により、一部の高級素材（クロテン等）を除くと毛皮需要が低下し、買取価格も低迷している。北東アジアの沿岸部を居住地とする諸民族（チュクチ人、エスキモー人）は、セイウチ、アザラシ、コククジラ等の海産哺乳類狩猟を狩猟組織を構成して行ってきたことで特異な地位を占めている。

無数の湖沼や蛇行する河川の広がるシベリアでは、漁撈は用具等の技術的制約もあり内水面漁撈が普及している。寒冷期（氷結期）にも氷下漁撈という形態で

写真29-02　ツンドラ・ネネツ人遊牧民の宿営地とトナカイ

の漁獲活動が展開してきた。漁獲対象魚として重要なのは、一般内水面ではサケ科コレゴヌス属の各種魚（ホワイトフィッシュ）、カワヒメマス、キタノウグイ、カワカマス、シベリアチョウザメ、カワメンタイといった魚種、さらに太平洋岸ではサケ科の太平洋サーモン類の各種魚を対象とする河川漁が行われてきた。先住民族の自家消費用の場合は、個々の家庭で刺網等を使った小規模漁が中心であるが、集団で小舟を使った巻き網、曳網類を使った漁撈も展開している。冬季の氷下漁は刺網によるものが普及しているが、サハ共和国やアムール川流域では、曳網を使った集団的氷下漁が行われている。

トナカイ牧畜は従事民族が限定されてはいるが、それでも西はサーミ人から東のチュクチ人に至るまで、ユーラシア大陸の高緯度地方に広く展開してきた生業であり、このように広範に先住民族が居住することを可能にさせた生業に他ならない。トナカイ牧畜には環境によりタイガ型とツンドラ型という分類が可能であるほか、搾乳の有無、移動手段としての利用法としての騎乗か橇牽引か、等の多様な様式が存在する。

20世紀を通じてソ連期には集団化による国営企業（ソフホーズ）化が進み、農業部門の一角を構成してきた。しかし肉等の産品の流通範囲は局限され、農業部門として発展するには至らなかった。ソ連崩壊直後は国営企業系の組織が不振に陥り、頭数も全盛期（250万頭程度）の半数以下の120万頭台に落ちた。その後は西シベリアのネネツ型トナカイ牧畜が、ソ連期に温存された個人経営組織を中心に興隆し、頭数回復の大きな要因となっている。2018年現在、ネネツ型トナカイ牧畜の中心地であるヤマル・ネネツ自治管区にはロシア連邦全体（180万頭）の半数である90万頭の家畜トナカイが集中している（写真29—02）。しかし、頭数増大には過放牧という弊害もあり、ロシア連邦全体のトナカイ牧畜従事地域・民族間での調整や頭数管理・健全化への試みも検討されている。

ここでは言及できなかったが、これらの生業と生活の状況は、現在環境問題、社会・経済情勢という大規模社会に起因する諸状況の圧力の下にある。また多くの民族にとってアイデンティティの源泉という意味合いを有することからも、これら生業の保持、存続の必要性が唱えられている。

（吉田　睦）

30

シベリア（先住）諸民族における口承文芸

★語られた文芸の記録叢書★

昔話や神話、歌や諺、謎々などは、地域や時代を問わず、どの社会でも口頭で伝承されてきた文芸である。西欧世界や日本など文字を持つ社会では、そうした口承文芸は書き留められて、書物として読まれるようになり、話し手と聴き手によって醸しだされる音声の場は次第に失われる。声による伝承は、言語を共有する人々の集団のなかでこそ成りたつ文化である。つまり、原理的にいえば、ある地方の固有の言語、いわば方言で語られる昔話は、その方言のなかで生活している聴き手によって十全に享受されるが、その方言を共有しない聴き手にとって理解することは難しい。たとえば、日本では殊に20世紀の中頃からの都市化、つまりは農漁村の地域社会のあり方に変化が生じ、それとともに、昔話などを語り、それを聴く場ばかりでなく、住人の動態、構成などにさまざまな変容が生じた。そうして語りを聴く「場」と楽しむ人が、端的にいえばなくなったということになる。

同じような傾向はシベリア諸民族のもとでもあった。ただ、その歴史・社会経済的な事情は異なる。言語についていえば、ソビエト時代に諸民族の言語・教育政策に幾度かの転換がなされたことが大きな要因ではあるが、それだけでなく、20世紀のソ連社会におけるロシア語や多数民族の言語の普及拡大によって少数民族社会の固有の言語が著しく衰退したことである。つまり、親と子、祖父母と孫の間で本来の民族語が通じなくなるという情況が時代を追うごとに顕著になった。こうして、21世紀には、語りつがれてきた民族固有の昔話を母親はロシア語で子どもに語るということも珍しいことではなくなった。

シベリア諸民族の口承文芸について手がかりにできるのは、19～20世紀を通じて民族学者や言語学者たちが各地で精力的に調査採録した資料などである。

口承文芸にとって重要なことは、語り手の語りをそのまま記録することにある。たとえば、探険家が現地で通訳を介して記録した話などは、厳密な意味では口承文芸の記録には当たらないであろう。シベリア各地で語り手の音声を筆録することには、何よりも言語学的な関心と素養がなくてはならなかった。各地の語り手たちから聴きとった音声を、言語学者などはラテン文字やキリル文字に補助記号などを付して記録する努力をした。それが昔話のように比較的短い語りならともかく、数時間にもわたって謡われる英雄叙事詩を筆録することがどれほど大変なことであったかは想像に難くない。語りの流れを殺がないように、聴き手は必死に手をうごかさなければならなかった。その原語のテキストに対訳が付されて公刊されたとき、口承文芸はある民族の「原語」という言語の制約を放れて広く世界に知られることになる。

ソ連時代を通じてシベリア各地の語り手の昔話や神話、英雄叙事詩などが、主として、言語学者によって集められ、ロシア語訳や解説がなされて公刊されたが、その考察の基準はロシアを含めヨーロッパ世界の学会で構築された分類や指標であった。ただ、その西欧的な分類基準はそのままシベリア諸民族に伝承されてきた口承文芸には当てはまらない。たとえば、オロチの昔話や氏族起源の話が、神話やトーテミズム、アニミズム、シャーマニズムなどの要素と絡み合って、実話のように語られているという指摘がある。このことは他の民族についても同じようである。

シベリア諸民族の口承文芸は、厳密な意味で生きたことばの営為であったと、21世紀も20年になる今日では過去形で言わなければならない。

ところで、20世紀後半のオーディオ・ビジュアル器機の普及は、口承文芸の調査研究にとって大きな福音となり、急速に進化し続けた器機は、語りの場をそっくり録音録画する一般的な手法となった。本来一過性である昔話や神話、英雄叙事詩などの口演をそのまま記録した音声・画像は、時間を経ても再現できる。それは写真と同じように、過去を現在に再現できる手段である。ところが、そのようなオーディオ・ビジュアルの記録は、その言語を解する者にとっては貴重ではあっても、そうでない者にとってアクセスすることはできない。シベリア諸民族に限らず、どの民族のものであれ、口承文芸は人類文化ではある。

この点でソ連時代の後半に始まったノヴォシビルスクの科学アカデミー・シベリア支部歴史・文学・哲学研究所の企画は特筆に値する。『シベリア・極東諸民族のフォークロア遺集』と題する全60巻企画のシリーズは、録音された生の声の語りを文字（キリル文字）に起こし、それにロシア語の逐語訳を付した、シベリア諸民族の30もの原語の口承文芸資料である。今日では、刊行された34巻がオンラインでアクセスできるようになっている（2018年現在）。そのなかにはシベリアのロシア人、ウクライナ人、ベラルーシ人の資料数巻が含まれている。

写真30-01『エヴェンキの英雄叙事詩』(1990年)書影

このシリーズの初巻『エヴェンキの英雄叙事詩』(1990年)の冒頭には、企画・編集者V・M・ガツァク、A・P・ジェレヴャンコ、A・B・ソクトエフ諸氏による60ページに及ぶ解説が付されている。そこでは、シベリアの考古学から説き起こし、諸民族の民族史、口承文芸の研究史とその背景、成果などについて論じられており、シリーズ刊行の並々ならぬ意気込みが窺われる。既刊30数巻に及ぶ各巻の書名には次のような標題がみられ、シリーズ「フォークロア」の内容が明らかである。

(1)『英雄叙事詩』(エヴェンキ、ブリヤート、ヤクート、トゥバ、アルタイ、ハカス、ショルの巻)
(2)『民話』(ロシア、ブリヤート、アルタイ、ヤクート、ハカスの巻)
(3)『フォークロア』(内容は多様)(ナナイ、ウデヘ、ドルガン、ネネツ、ユカギール、ショル、ベラルーシの巻)
(4)『儀礼歌』、『歌謡』(トゥバ、ロシアの巻)

その他、『魔法昔話』(ブリヤートの巻)、『言い伝え、伝説、神話』(ヤクート、マンシ)

シベリアばかりでなく、ユーラシアの口承文芸・伝統文芸のなかにはユネスコの『世界無形文化遺産』に登録された例がある。それは語りや実演が現に「活きて」いる例のようであるが、それとても、実情や課題はさまざまである。

『シベリア・極東諸民族のフォークロア遺集』は紛れもなく、人類の文化遺産である。ただ、その膨大で貴重な資料を、今、どのように「活かしていく」ことができるのか——それがシベリア諸民族にとって、そして私たちにとっての課題であろう。

(荻原眞子)

31

イスラームのシベリアと仏教のシベリア

★その歴史と現在★

まず、イスラームについて。ロシアのイスラーム信仰は、ヴォルガ・ウラル地域やカフカス地域のそれが話題になることが多いが、西シベリアにおけるイスラーム（スンナ派）も長い歴史を持つ。

中央ユーラシア西方でのイスラーム伝播に大きな役割を果たしたのが、モンゴル帝国の一部を成し、キプチャク草原を中心に興亡した遊牧国家ジョチ・ウルスだった。その一政権としてシビル・ハーン国は、16世紀にイルティシ川流域のシビル（現在のトボリスク南東）を首都とし、西シベリアのイスラーム化を促す役割を果たした。それよりも以前の14世紀末に、スーフィー教団であるナクシュバンディー教団がブハラからイルティシ川流域にやってきて、戦いの末に現地の人々にイスラームを受容させたとする伝承もあるという。中央アジアからイルティシ川、さらにウラルを通って中央沿ヴォルガ地域に至るキャラバン道があり、「ブハラ商人」と呼ばれた中央アジアからの商人の姿が西シベリアで頻繁にみられた。また、18世紀半ばから19世紀半ばまで、西シベリアは新疆とも結びつき、露清双方のムスリム商人の往来もあった。

地図31-01　アジアロシアでモスクがある地域（インターネットで確認できたもの）

シベリアの在来信仰は依然として強かったが、西シベリアのテュルク系諸民族のあいだでイスラームの受容が進んだ。13世紀以前にシベリアに先住する民族と交わったテュルク系諸民族がのちにイスラームを受容し、さらに、18世紀から19世紀にかけてカザンや沿ヴォルガ地方などからの移住民と混血した集団を総称して、シベリア・タタール人という。

帝政期のシベリアにおけるイスラーム信仰の広がりを象徴するのが、19世紀末に建てられたイルクーツクの金曜モスクだ。現在でも、イルクーツク中心部からカール・リープクネヒト通りを下り、シナゴーグを過ぎて、さらに進むと、左手にモスクを見ることができる。このモスクは、イルクーツクのタタール大商人シャフィグリン兄弟が建設したもので、初等学校が併設されていた。その当時、金曜日には尖塔（ミナレット）から礼拝を呼びかけるアザーンが聞こえていたという。ソ連時代の1939年から1946年までは閉鎖され、尖塔が破壊されたが、建立115周年を記念し2012年に尖塔も再建された。モスクは州のイスラーム共同体の拠点であり、通りを挟んだ向かいにはハラール食品店もある。

ソ連下にあってはシベリアのイスラームも弾圧を受け、とくに1930年代後半から、シベリア各地でモスクの閉鎖や破壊が行われた。しかし、第二次世界大戦の中で全国民的動員が要請され、モスクの再開や礼拝も認められるようになった。ペレストロイカ期にはその他の宗教と同様に、イスラームでも復興運動がみられるようになり、ソ連解体後、その動きは一気に加速した。1994年、オムスクでシベリアのイスラーム受容四百周年が祝われたことに象徴されるように、1990年代から2000年代にかけて、シベリア各地にモスクが再建または建立された。また、とくに2000年代以降、中央アジア諸国から多くのムスリム労働移民がシベリアに流入するようになり、シベリアのイスラーム共同体は新たな時代を迎えている。

つぎに、シベリアの仏教（トゥバについては触れない）。インドで興った仏教は、西アジア・中央アジアで大きく展開した後、東に伝えられ、突厥など北アジアの遊牧国家も仏教を一部受容した。しかし、東シベリア南部で今日まで広く信仰されているのは、チベット仏教（とくにゲルク派）である。インド密教の影響を強く受けつつ、独自に発展したチベット仏教は、モンゴル帝国によるチベット侵攻（13世紀）を契機に、チベット域外への劇的な広がりを見せた。とくにパクパ（サキャ派）がフビライの師となり、フビライが仏教の保護者となることで、モンゴル社会は古代チベットの理想化された仏教政治の再現が要請される世界に取り込まれた。16世紀後半のダライラマ3世（ゲルク派）によるモンゴル布教、さらに清朝の順治帝によるダライラマ5世の北京招聘（1652年）などによって、ゲルク派の教えがモンゴル高原に広く浸透した。

東シベリア南部のブリヤート支配層は、隣接するモンゴル社会の権力構造を模し、正統性の象徴としてチベット仏教を受け入れた。17世紀後半には、バイカル湖東部で移動式天幕の寺院の存在が確認される。僧侶の中にはチベット医学に通じた医師もいて、治療を通じた布教も伝播に大きく貢献した。キャフタ条約（1727年）によって露清間の国境は画定されたが、往来は秘密裏に続けられ、多くのブリヤート人がチベットに留学し修行した。

写真31-01　映画「アジアの嵐」（1928）にも登場した、タムチャ寺の現在の様子（2012年）

ロシア帝国は、清朝に対抗する形でチベット仏教を保護する政策に転じ、1741年に領内の仏教僧侶の活動を公認し納税を免除した。1768年に僧侶ザヤエフが皇帝エカテリーナ2世に謁見し、バンディド・ハンボラマ（東シベリア仏教徒の指導者）として承認されたといわれる。シベリアに戻ると、ザヤエフは皇帝を観音菩薩の慈悲の現れである白ターラー菩薩の化身として神格化した。1830年代からは、代々のバンディド・ハンボラマをタムチャ寺（グシノオジョールスキー・ダツァン）の長が務めるようになった。湖西はシャーマニズムが強く残ったが、政府の庇護のもとで、東西バイカル地域で仏教信仰が急速な拡大を遂げた。帝国の宗教制度を巧みに利用するとともに、ブリヤート人僧侶はロシア政府や社会と友好的な関係を積極的に結ぼうとした。ロシア・チベット関係史のなかで、高僧ドルジエフらブリヤート人が大いに活躍した背景に、こうした仏教界とロシア社会の密接な関係がある。

ソ連政府は、1930年代後半に仏教界に対して激しい弾圧を加え、1940年には全寺院の閉鎖を行った。しかし、第二次世界大戦中の1945年3月に新たな寺院の建立が決定した。これがイヴォルガ寺（イヴォルギンスキー・ダツァン）である。イヴォルガ寺にはソ連中央仏教宗務局が置かれ、無神論国家ソ連の唯一の仏教教団として機能した。こうしたスターリンによる仏教の破壊と創造について、「青い象」にまつわる古代インドの俗説が広まった。つまり、その昔、青い象は生涯をかけて仏塔建設に尽くしたが、彼の努力は無視された。怒りに駆られた象は、生まれ変わっても3度仏教を破壊することを誓ったという。その3回目の生まれ変わりこそ、スターリンだったというのだ。

ソ連中央仏教宗務局は、現在、ロシア仏教伝統僧伽（サンガ）と名前を変え、1995年からアユシェーエフがバンディド・ハンボラマとして指導する。彼は帝政時代にならって大統領のプーチンやメドヴェージェフを白ターラー菩薩の化身と表象し、信徒の間でも物議を呼んだ。2022年2月に始まったロシアのウクライナ侵攻では、アユシェーエフは「特別軍事作戦」に参加することをロシア仏教徒の「聖なる義務」と位置づけている。

（井上岳彦）

32

特徴的なロシア人ローカル・グループ

★コサック、古参住民、古儀式派教徒★

シベリア、ロシア極東のロシア人（民族）の間には、独特の名前で呼ばれるさまざまなローカル・グループがある。各集団の分類基準は移住時期や元の居住地域、職業や信仰、先住民との関係性などと多様であるが、この地域全体で広くみられる分類としては、主に次の3種類がある。すなわち、帝政ロシアの特殊な軍事身分であったコサック、比較的早い時期に当地に移住してきた祖先を持つ「古参住民」、そして主流派ロシア正教とは異なる信仰を持つ古儀式派教徒である。

最初に挙げたコサックはイェルマークを含む最初期のシベリア遠征の担い手で、その後も同地の征服と開発、防衛に従事してきた人々である。帝政末期のシベリア、ロシア極東には、「シベリア、ザバイカーリエ、アムール、ウスリー」の4つのコサック軍団が置かれ、ロシア革命直前の1916年には約50万人のコサックがいた。その中には後述する古参住民や古儀式派教徒もいたが、移動や補充、脱退も多く、成員構造は流動的だった。またスラヴ系のみならず、タタール系、ブリヤート系、ツングース（エヴェンキ）系のコサックもいた。

ロシア革命後の内戦で帝政側（白衛軍）の主流であったコサッ

クは、ソ連時代の大弾圧で大きく数を減らしたが、ソ連解体前後から各地でコサック団体が結成されていった。このときコサック団体に加入した「新コサック」がいる一方、祖先がコサックであることを語りたがらない人も多い。

「古参住民」（スタロジール。以下、ローカル・グループのロシア語名は単数形で示す）とは、ロシアによるシベリア、ロシア極東開拓初期（16〜18世紀頃）に当地へ移住してき人々の子孫のことである。地域によっては「シベリア人」（シビリャク）とも呼ばれるが、これは19世紀以降に移住してきた新住民たちとの間で、互いを「シベリアの地元民」、「ロシア（ウラル山脈以西のこと）から来た新参者」（ロシスキイ）と呼びあった名残である。なお19世紀後半にロシア領となった極東南部地域では、併合後から20世紀に入る前までの移住者を「古参住民」と呼ぶなど、地域によって時期区分が異なる。

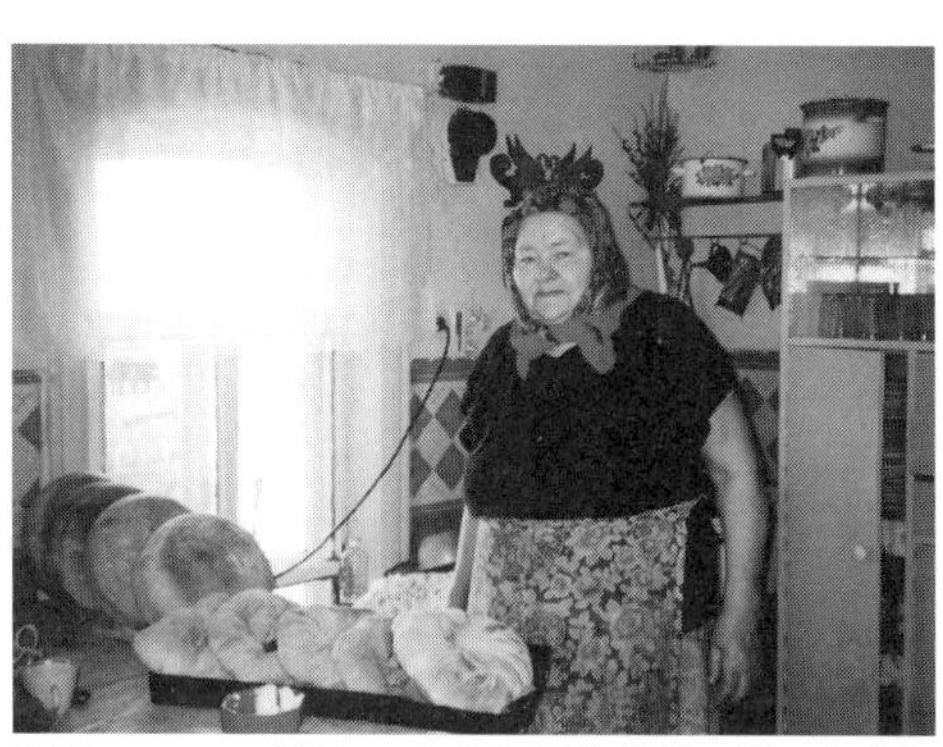
写真32-01　ブリヤート共和国古ザガン村の古参住民「シビリャク」の女性。この村を開いたのはコサックの任を解かれて農民身分に移った人々だった（2002年撮影）

一般にシベリア、ロシア極東の古参住民の文化には、初期移住者を輩出したヨーロッパ・ロシア（ロシアのヨーロッパ側の地域）北部の要素が強くみられる。またロシア人の人口が少なかった東シベリアや極北地域では、アジア系先住民との通婚によって後者に近接した集団が形成された。帝政期の作家ウラジーミル・コロレンコによる短編小説「マカールの夢」（1885年）の主人公も、身体的、文化的にヤクート（サハ）民族に近接した古参住民だった。先住民によるロシア文化の受容もあって両者の区別が簡単にはつかないこともあったが、全体的な傾向としては、住民の身分が「コサック」や「農民」「町人」ならロシア人、「異族人」（イノロージェッツ）なら先住民とされていた。

ソ連時代になって身分制が廃され、個人の民族帰属（民族籍）が重視されるようになると、シベリア古参住民をはじめ、混血の進んだ集団の民族籍がしばしば問題となった。チュクチ自治管区の古参住民「マルコヴェッツ」の場合、ソ連時代の民族籍が「カムチャダール」「ロシア人」「チュクチ」「チュヴァン」と揺れ動いた。このうち「カムチャダール」は、帝政期にはカムチャッカ地方（時代によってチュクチ半島なども含む）の先住民（イテリメンなど）とロシア人古参住民の両方を指す呼称だったのだが、法定民族名としてはソ連時代初期に廃止され、ソ連解体後のロシアで復活した。ただしその対象は主にカムチャッカ半島の古参住民だけとなっている。

帝政期のシベリア、ロシア極東のロシア系住民の中には、さまざまな宗教的マイノリティが含まれていた。そのうち流刑に処された者はむしろ少数で、多くは当局の干渉から逃れるために自発的、積極的に移住を選んだ人々とその子孫だった。こうした人々のうちで最も多かったのは、ロシア正教の一派である古儀式派の信徒だ。19世紀末の人口調査では、シベリア、ロシア極東の同信徒数は25万人程度だったが、実際はその何倍もいたと考えられている。

古儀式派は17世紀中頃のロシア正教会の改革に反対し、帝政当局と主流派正教会から弾圧を受けた宗派である。帝政期には侮蔑的に「分離派」（ラスコール）や「セクト」とも呼ばれてきた。同じく帝政ロシアで異端視されてきたモロカン派、ドゥホボール派、鞭身派、去勢派などと混同されやすいが、本来は異なる存在である。古儀式派教徒は教会改革前の儀礼や文化を守ろうとし、三本指ではなく二本指で十字を切る。男性は顎髭を剃らず、煙草や過度の飲酒を慎む。農民層が多かったが、持ち前の勤勉さから裕福な者も多く、のちには資本家も輩出した。なお、古儀式派教徒は主流派正教徒を含む「異教徒」との結婚を忌避したが、ひとたび彼らが古儀式派に改宗しさえすれば、ヨーロッパ系、アジア系の区別なく受け入れた。

シベリア、ロシア極東の代表的な古儀式派集団として、ここでは西シベリアに多い「ケルジャク」と、アルタイ地方の「ポリャーク」、およびザバイカーリエ地方の「セメイスキー」を取り上げよう。

ケルジャクは17～18世紀初頭に沿ヴォルガ地域の古儀式派の拠点ケルジェネツから、ウラル地方や西シベリアに移住してきた人々の子孫である。当局の追及が厳しかった17～18世紀にはこれら地域でも、追い詰められた古儀式派教徒たちの集団焼身自殺が発生した。ケルジャクの間には司祭と教会を認めない「無司祭派」（ポモーリエ派や礼拝堂派など）の信徒

写真32-02　ブリヤート共和国の古儀式派教徒セメイスキー。ウランウデから来た観光客を、合唱団メンバーが伝統的な衣装を着て出迎える（2017年シャラルダイ村で撮影）

が多い。

2つ目の集団であるポリャークとセメイスキーは教会改革後にロシアからポーランド領（現在はロシアとベラルーシの国境付近）へ逃亡した人々の子孫だ。彼らの祖先は18世紀に南シベリア開発のためにポーランドからそれぞれの地に連れてこられた。「ポリャーク」はポーランドから来た人という意味だが、「セメイスキー」の語源については諸説ある。ヨーロッパ・ロシア北部文化を受け継いだケルジャクと異なり、ポリャークとセメイスキーの文化は南ロシアやウクライナとの共通点が多い。また両集団の間では、主流派正教会に叙任された司祭を再洗礼して迎え入れる司祭派（逃亡司祭派）の勢力が強かったが、ポリャークのもとでは他の集団の影響で無司祭派が増えていった。

ソ連時代に宗教弾圧が始まると多くの古儀式派教徒がそれに抵抗し、なかには国外逃亡や密林への隠遁を選ぶ者もいた。1930〜40年代の「満洲国」で有名になった「ロマノフカ村」の人々や、1978年にハカス自治州（現共和国）の密林で「発見」されたルィコフ一家もそうした人々だ（後者については邦訳『アガーフィアの森』が詳しい）。しかし全体としては、ソ連時代に古儀式派教徒の信仰離れは進んだ。ソ連解体を経た現在、古儀式派のもとでも信仰復活は起きているが、帝政期と同じ状態に戻ったわけではない。セメイスキーについては、2001年にユネスコの「人類の口承及び無形遺産の傑作」に「セメイスキーの文化空間と口承文化」が選定されたが、これは彼らの伝統文化が保護を要するレベルにまで衰退したことを意味している。一方で礼拝堂派の中には、前述のロマノフカ村からの帰還者を含め、昔ながらの信仰をある程度保持している集団もある。一般人が簡単には近づけないシベリアの奥地には、現在でも礼拝堂派の共同修道隠舎がある。

（伊賀上菜穂）

33

シベリアのポーランド人・ウクライナ人・ベラルーシ人

――★19世紀末から20世紀初頭にかけての自由移民★――

ポーランド、ウクライナ、ベラルーシ地域からのシベリアへの移住は、16世紀以降さまざまな形で行われてきたが、そのほとんどが戦争における捕虜や政治犯の流刑囚としての強制によるものであった。それに対して、19世紀末から20世紀初頭にかけてのわずか20年足らずの短い期間ではあったが、前述の地域から自主的にシベリアへ移住した自由移民が多くいたことは、意外にもほとんど知られていない。

19世紀後半においては、当時帝政ロシアの支配下にあったポーランドおよびウクライナやベラルーシの大部分を含む東スラヴ地域にあたる、いわゆる「ヨーロッパ・ロシア」から西欧諸国やアメリカ合衆国への移住が主流であったのは事実であるが、その一方であえてシベリアへ移住する人々もいたことは注目に値する。このようなシベリアへの自由移民は、シベリア鉄道の建設が始まっていた1895年以降活発になり、1907年以降は農民や労働者がその大半を占めるようになった。そして、この流れは1914年まで続いた。当時のロシア当局は、これもシベリアへの「移住」と呼んでいたようだが、このような自主的な移住はかつてない例外的なケースであったと考えられる。わずか20年ほどの短い期間であったとはいえ、シベリアは戦争捕虜や政治流刑囚の地という暗いイメージが先行するため、まさか自主的に移住するような人々がいるとは思いもよらないからである。

加藤九祚（かとうきゅうぞう）も著書『シベリアの歴史』のなかで「単調なシベリアの生活に遠いヨーロッパのことをつたえたものとして、数的にはそう多くはないが、流刑ポーランド人の役割は重要である」と強調している。その大規模なものとしては、18世紀後半から始まった第1次、第2次、第3次ポーランド分割と帝政ロシア時代におけるポーランド独立運動に関連して、ポーランド人のシベリア流刑が相次いだことが挙げられている。それにもかかわらず、シベリアに自由移民がいたということは、必ずしもシベリアが前述のような暗いイメージを持つ土地ではなかったことを証明している。多くの人々にとって、仕事や収入のためだけでなく、出世や幸運が期待できる土地でもあったということであろう。

帝政ロシア時代におけるシベリアへの自由移民政策は、１８８０年代半ばから１９０５年まで（１９０４年から１９０５年までは日露戦争、１９０５年から１９０６年まではロシア第一革命のため中断）と１９０６年後半から１９１４年前半までの２つの期間に区分される。１８９２年から１９０４年まではシベリア鉄道建設のため、多くの労働者、技術者、エンジニア、機関士、鉄道員そして肉体労働者が仕事に就いていた。シベリアの大都市では軍人、商人、役人、宿泊業者、理美容師、マッサージ師、薬剤師、さらに教師や芸術家などが居住していた。20世紀初頭には、ポーランドで職を得ることができなかった高学歴のエンジニア、弁護士、医師までもが職を求めてシベリアへ移住した。

ロシアの統計によると、１８８６年から１９０６年までの間に約１７０万人がシベリアへ移住し、そのうちポーランド人は約1万7千人とわずか1％程度に過ぎなかったが、1906年以降はポーランドから農民出身の労働者や貧しい農民たちがシベリアを目指した。日露戦争やロシア第一革命のため、1904年から1906年初頭までは移住が禁止されていたが、1906年3月15日にようやくサンクトペテルブルグの中央移住管理局が移住再開の許可を出した。移住政策はとくにシベリアの植民地農業化の絶大な支持者であったストルイピン政権下（1906〜11年）で集中的に実施された。帝政ロシアの西部や南西部地域にあたる「ヨーロッパ・ロシア」やポーランドにおいて、ストルイピン政権のアジテーションによる幅広い広報・斡旋活動が行われたのである。

当時のロシア当局はシベリアへ移住する者には土地を無償で提供、新生活を始めるにあたっての一時金の支給とシベリアまでの鉄道運賃の割引などの優遇措置により、支配下にあった「ヨーロッパ・ロシア」やポーランドに居住するあらゆる民族にシベリアへの移住を促した。以上のような厚遇を受け、ポーランド人、ウクライナ人、ベラルーシ人など合わせて100万人以上がシベリアへの自主的な移住を決意したといわれている。主にシベリア鉄道沿線に位置する当時のトボリスク県、トムスク県、エニセイ県、そしてイルクーツク県への移住が当局主導により積極的に進められた。

1910年にストルイピン首相がシベリアへの視察旅行に行った際、その報告書において、ロシアによるシベリア支配が行われた約300年（1600〜1910年）の間に、約450万人が移住

写真33-01　イルクーツクの聖マリア教会。1863年にポーランドで起きた独立運動（1月蜂起）で弾圧され、流刑されたポーランド人により建てられたことから「ポーランド教会」とも呼ばれている。

し、そのうちの約３００万人は最近15年間のことであり、その半数近くは１９０６年からの彼の政権下によるものであると誇らしげに語っていたというエピソードもある。

他方、当時のポーランドのカトリック教会や地元メディアでは、シベリアへ移住するポーランド人を激しく非難する大きな反対運動が行われていたことにも言及しておかなければならない。１９０６年から１９０９年までの間に約20％、１９１０年から１９１４年までの間に約40％の移民がポーランドへ引き返した。多くの農民たちのなかで、とくにウクライナから移住してきた農民のなかにはシベリアの厳しい自然環境に耐えきれず、引き返す者が多かったという。ただし、一部のウクライナ人はより温暖でウクライナの気候に近いロシア極東地域へと向かった。ベラルーシ人は森林生活に慣れていたため、移民の90％近くが、シベリアの地に残ったといわれている。

たとえばイルクーツク州には、ポーランドや「ヨーロッパ・ロシア」からストルイピン改革を機にシベリアへたどり着いたさまざまなディアスポラが現在もなお存在している。筆者による最近の現地調査でも、ポーランド語やポーランド文化を保存しているユニークなディアスポラの存在をこの目で確認することができた。イルクーツクから１２０キロほど北上したところにポーランド系住民が大半を占める人口５００人程度のヴェルシナという村がある。一見したところ、ごくありふれたシベリアの農村のように見えるが、村の中心部にはカトリック教会やポーランド文化会館などがあり、住民のほとんどがカトリック教徒なのである。

加藤九祚の言葉を借りるなら、彼らは「単調なシベリアの生活に遠いヨーロッパのことをつたえた」民族であり、シベリアの社会経済の発展に多大な貢献をしたことを忘れてはならない。

（森田耕司）

IV

現代のシベリア・極東の諸問題

34

シベリア・極東をめぐる国際関係

★「東方シフト」が抱え込むいっそうの困難★

豊かな天然資源を有し、アジアに近接したシベリア・極東は、ロシアに大きな外交的・経済的ポテンシャルをもたらす。他方、モスクワから遠く離れ、広大で人口が少ないことにより、安全保障上の脆弱性や統治・開発上のコストももたらされる。

19世紀末から20世紀初頭の極東地域の発展には、中国、朝鮮、日本の移民が重要な役割を果たした。その後1930年代には日本との、1960年代には中国との対立の最前線となる。1970年代に始まる「アジア太平洋」経済統合の構想は、この地域に再び国際協力を通じた発展の可能性をもたらす。1986年、ゴルバチョフはウラジオストクで演説し、アジア太平洋諸国との関係改善と極東地域開発の強化を訴えた。外資も利用しながら地域の輸出能力を高め、ウラジオストクをアジア太平洋の交流の地にする展望を示した。

1989年の中国との関係正常化、1990年の韓国との国交樹立、1991年のソ連解体により、シベリア・極東はアジアに開かれ、中国、日本、韓国との経済関係が急拡大した。しかし、1990年代のロシア政府はこの地域を統治する能力を失う。経済停滞と人口流出、政治・社会秩序の混乱が深刻化し、中国との担ぎ屋貿易や日本との中古車貿易が拡大した。こうした中で巨大な人口を抱える中国からの移民が急激に増加したことは、この地域の脆弱性を強く認識させた。

2000年に大統領に就任したプーチンは、こうした極東地域の経済停滞と人口流出に危機感を表明する一方、欧州偏重の対外関係の是正とアジア太平洋経済との統合においてこの地域が有する「巨大な戦略的意味」を強調し、後の「東方シフト」へとつながる視点を早くから打ち出している。2003年に策定されたエネルギー戦略は極東・東シベリアの石油・天然ガス開発強化とアジア太平洋への輸出拡大方針を定めた。2006年12月の安全保障会議で極東・東シベリア地域の開発強化が国家的課題とされ、翌2007年には大規模な地域開発プログラムが策定された。同プログラムの中核は、アジア太平洋経済協力（APEC）首脳会議の舞台とされたウラジオストクを「アジア太平洋におけるロシアの政治的・経済的影響力のセンター」とするための再開発であった。

2012年、プーチンが大統領に復帰したロシアは、リーマンショック後のアジア経済の回復と対欧米関係の緊張を念頭に、「東方シフト」を鮮明にする。同年開催のウラジオストクAPECで、「アジア太平洋のロシア」が内外にアピールされた。同じ会場で2015年から年次開催されている「東方経済フォーラム」は、シベリア・極東開発をめぐる国際的議論とアジア太平洋の首脳対話の場となった。極東発展省（現「極東・北極発展省」）の下で、特区の設置などを通じて民間投資や外資を誘致し、アジア太平洋向け輸出の拡大を目指す地域開発戦略が推進された。ウクライナ侵攻後の対欧米関係の決定的な悪化により、「東方シフト」の成否はロシアにとって死活的な意味を持つに至る。

最重要パートナーは中国である。中露は「米国一極支配」に対抗しながら首脳会談を重ね、200

写真 34-01　2018 年９月のウラジオストクにおける東方経済フォーラムで顔を揃えた日中露首脳（クレムリン HP より）

4年には長年の領土問題を解決し、「戦略的パートナーシップ」を強化してきた。これを下支えすべく、シベリアからのエネルギー輸出やロシア極東・中国東北の国境協力が促された。2014年のロシアのクリミア併合は中露関係をさらに緊密化させた。天然ガスパイプライン「シベリアの力」建設に弾みがつき、ロシアのエネルギー部門への中国の進出も進んだ。国境の橋の建設など、中国東北とロシア極東を結ぶ輸送インフラ整備も進む。とはいえ、ロシアが天然資源を、中国が機械製品を輸出する貿易構造や、ロシア側の対中国貿易依存度の一方的な拡大などへの懸念は大きい。極東地域への中国の投資も実態としては多くはなく、加工産業や先端技術産業への投資は少ない。ウクライナ侵攻によりいっそうの中国依存が不可避となる中で、中国への脅威と不信はさまざまな形で見え隠れする。

日本は、北方領土問題の解決に加え、エネルギー協力、中国への対抗などを見据えてロシアとの関係強化を探り、その中でシベリア・極東での協力を重視してきた。とくに第2次安倍晋三政権はプーチンとの首脳会談を重ねる中で「8項目提案」に沿った多数の経済合意を結び、そこでは極東・東シベリアでの協力が焦点となった。しかし、ウクライナ侵攻に伴い日本が欧米と足並みを揃えて対ロシア制裁を導入したことに対し、ロシアは日本を「非友好国」に認定し、北方領土を経済特区化する法を成立させるなど、日露協力のムードは完全に冷え込むこととなった。韓国は国交正常化以来積極的にロシア市場に進出し、極東地域での貿易・投資では日本と肩を並べる存在であったが、やはりウクライナ侵攻に伴う対ロシア制裁によりロシアの「非友好国」とされた。

中国依存脱却のためにも、ロシアはインドやASEANなどとも極東・シベリアでの協力を求めている。とりわけインドは、中国への牽制や武器・エネルギー輸入などでロシアとの関係を重視する大国であり、極東・シベリアの資源開発に進出し、極東地域への投資や北極海航路の利用などでもロシアと議論を始めている。とはいえ、こうした国々との協力のポテンシャルは高いとは言い難い。

プーチンは早くから北朝鮮との関係の再構築を図り、これを通じて朝鮮半島問題で影響力を持つ大国としての存在感を高めた。ロシアにとって朝鮮半島はエネルギー・輸送戦略上も重要である。ソ連時代から続く北朝鮮労働者の受け入れも、労働力不足に悩むシベリア・極東にとって重要であり、国連制裁で禁止された後もさまざまな抜け道を通じて継続されているとみられる。ロシアのウクライナ侵攻を全面的に支持する北朝鮮との関係は、さらに強化されていく可能性がある。

極東地域への外資誘致は、ロシア政府の期待通りに進んではいない。逆に、地域開発政策には政権の外交戦略や社会政策上の配慮がより強く反映され、効率性を重視した当初の方針が歪められていった。極東地域からの人口流出には歯止めがかからず、アジア太平洋におけるロシアは原料・資源供給国の地位から脱却できていない。「東方シフト」がもたらしてきたのはもっぱら中国依存の深まりにほかならず、日韓との関係悪化はそれをいっそう顕著にするだろう。

（堀内賢志）

35

シベリア・極東の石油・ガス

★ロシア経済を支える貴重な資源★

ロシアは世界有数の石油ガスの生産国で、同国の経済は石油ガスに支えられているといっても過言ではない。ロシアでは当初沿ヴォルガ地方が石油生産の中心地であったが、1960年代半ばに西シベリアのハンティ・マンシ自治管区でサモトロールという世界最大級の油田が発見されたことを契機に石油生産の中心地は同自治管区に移行した。同自治管区では全盛期の1983～88年には年間約3億6000万tもの石油が生産されていた。最近は資源の枯渇傾向が顕著となっており生産量は減少傾向にあるが、2020年時点でもロシア全体の約4割に相当する2億t強が同自治管区で生産されていた（表35―01）。西シベリアでは、その他、ヤマル・ネネツ自治管区、チュメニ州南部、トムスク州などでも石油生産が行われており、西シベリア全体の石油生産量は2020年時点で3億t弱（ロシア全体の6割弱に相当）に達していた。

ハンティ・マンシ自治管区の減産分を補填する存在として注目されているのが、東シベリアの大規模油田である。輸送インフラが存在しなかったためそれらの大規模油田は開発されないままとなっていたが、東シベリアと沿海地方の港を結ぶ長大な

「東シベリア～太平洋」石油パイプラインの第1期工事が完了した2009年末頃から事態が急展開し始め、2007年時点でわずか100万t程度に過ぎなかった生産量が2016年には約4000万tにまで増加した。ただ、2017年以降は急激な増産の弊害が出始めており、生産の伸びは鈍化している。

極東地方では20年ぐらい前から複数のプロジェクトが動き出し石油の本格的な生産が開始されている。極東地方の石油生産プロジェクトの中でも最も知名度が高いのはサハリン1とサハリン2である。サハリン1は、日本のSODECO、ロスネフチ、インドのONGC等が参加するプロジェクトカンパニーが取り組んでいるサハリン大陸棚の石油ガス田を対象とするプロジェクトで、2000年代半ばから石油の生産を開始している。2007年に年産1100万tを達成した後、一時生産量が減少していたが、2018年から再び増産に転じ、2019年には過去最高の年産約1300万tを記録することに成功した。サハリン2もやはりサハリン大陸棚の石油ガス田を対象とするプロジェクトで、ガスプロム、三井物産、三菱商事等が株主となっているサハリンスカヤ・エネルギヤ（旧サハリンエナジー）がその実現に取り組んでいる。同プロジェクトでは、1999年より油層の開発が開始され、2009年からはガス層の開発も開始されている（同時にLNGの生産も開始された）。サハリン1と2は日ロ経済協力の成功例として位置付けられていたが、2022年2月のロシアによるウクライナ侵攻開始後、1のエクソンモービル、2のシェルというオペレーターが撤退し、先行きは不透明となった。極東では、サハリンの他にサハ共和国も産油地域として知られている。

以上の記述からもわかる通り、シベリア・極東はロシアの石油生産の中心地だが、資源基盤は枯渇傾向にある。とくに状況が厳しいのは西シベリアで、すでに減産傾向が顕著になっている。また、東シベリアでも一部の大規模鉱床ですでに減産傾向が観察され始めている。さらに、極東地方にもあまり増産余力は残っていない。すなわち、シベリア・極東では今後、資源基盤の弱体化を受け減産テンポが加速する可能性が高い。シベリア・極東の減産分をカバーしうる新しい産油地域の開発はロシアにとって焦眉の課題であるが、今のところ先行きは不透明となっている。北極海大陸棚に巨大な油田が多数存在するとの説も唱えられているが、資金不足や技術の後進性の影響で調査作業はほとんど進んでおらず、北極海大陸棚の油田のうち2020年時点で商業生産の段階に入っていたのはわずか1つだけであった。北極圏の陸上部にも未開発の大規模油田が複数存在するが、やはり本格的な商業生産の開始の目処はたっていない。正確な時期を予測するのは困難であるが、このままではロシアの石油生産量はそう遠くない将来に減少に転じるかもしれない。

ロシアのガス生産の中心地はヤマル・ネネツ自治管区で、同国が世界有数の産ガス国として注目されるようになったのは、同自治管区でメドヴェジエ、ウレンゴイ、ヤンブルグといった巨大ガス田が発見され開発が開始された1960年代後半のことであった。その後、最大の規模を有するウレンゴイ・ガス田の生産量がピークに達した1980年代半ばから、新たに建設されたガスパイプライン経由での欧州へのガス輸出も本格化することになった。2010年代に入ったころから上記の3大ガス田では資源の枯渇傾向が顕著となっているが、ザポリャルノエとボヴァネンコヴォというやはりヤマル・ネネツ自治管区に所在する2つの比較的新しい巨大ガス田がそれら3大ガス田の減産分を補塡しているので、ガスプロムのガスの生産水準は今のところ安定している。ただ、ガスプロムの資源基盤

表 35-01　シベリア・極東の主要産油地域の石油生産量（単位　100万t）

連邦構成主体名	2012	2018	2019	2020	2021	2022
ハンティ・マンシ自治管区	261	236	235	210	216	223
ヤマル・ネネツ自治管区	36	58	62	64	67	72
クラスノヤルスク地方	19	25	24	20	20	19
サハ共和国	7	12	14	16	17	19
イルクーツク州	10	19	18	18	17	17
サハリン州	13	19	20	18	16	9
ロシア全体	519	556	561	513	524	535

出所：ロシア連邦統計局および各地域支部。

が揺らぎ始めているのも否定し難い事実で、早晩同社の生産量は減少に転じるであろう。ウクライナ侵攻後、主力の欧州向け輸出が激減している現実もある。なお、ガスプロムはシベリア・極東にもチャヤンダ（サハ共和国）とコヴィクタ（イルクーツク州）という比較的規模の大きなガス田を保有しており、それらを起点として中国に向かうガスパイプラインを完成させ２０１９年末から中国へのガス輸出を開始している。

ロシアのガスの総生産量に占めるガスプロムのシェアはかつて8割以上に達していたが、ここ数年、同社以外のガス会社の台頭が著しく２０２０年時点の当該の数字は65％となっていた。台頭してきたガス会社の中でも最も注目されているのはノヴァテクという民間ガス会社で、ヤマルＬＮＧというガス液化プラントをヤマル・ネネツ自治管区のヤマル半島に建設し、２０１７年末から稼働を開始している。さらに、同社は現在、ヤマル半島に隣接するギダン半島にアルクチクＬＮＧ2というもうひとつのプラントを建設中である。ちなみに、ロシアで最初のガス液化プラントを建設したのは上記のサハリンスカヤ・エナルギヤだが（サハリン2）、同社が生産するＬＮＧの約半分は日本に供給されている。

シベリア・極東はロシアの石油ガス生産の中心地だが、今後、資源基盤の枯渇の他、脱炭素シフトへの対応という難問にも直面することになるであろう。ただ、少なくとも脱炭素社会への移行の具体的道筋が明確になるまでは、シベリア・極東の石油ガス分野はロシアにとって重要な意味を持ち続けるであろう。

（坂口　泉）

36

シベリア・極東は資源の宝庫

★ダイヤモンド、石炭、金、水産物★

シベリア・極東は石油ガス以外の資源も豊富であるが、ここではそれらのうちダイヤモンド、石炭、金、水産物を取り上げそれぞれの状況を説明する。

シベリア・極東の石油ガス以外の天然資源の中で世界的に最も知名度が高いのは恐らくダイヤモンドであろう。極東のサハ共和国は世界最大のダイヤモンド原石の産地として知られており、出所により数字は大きく異なるが、世界のダイヤモンド原石の埋蔵量の少なくとも20％以上が同共和国の地下に眠っているといわれている。同共和国ではアルロサという世界最大のダイヤモンド原石の生産量を誇る会社が4～5の鉱山で原石の採掘を行っており、2019年には3670万カラットの原石を生産した（アンゴラで活動する合弁企業「カトカ」の分も含めると3800万カラット強）。これは、同年の世界のダイヤモンド原石の総生産量の3割、ロシアのダイヤモンド原石の総生産量の9割弱に相当する数字であった。ちなみに、ロシアではアルロサの他にAGDダイヤモンズという会社が原石の採掘を行っているが、同社はシベリア・極東ではなく北西連邦管区のアルハンゲリスク州を拠点にしている。

ロシアではダイヤモンドの研磨加工部門が未発達であるため生産される原石のほとんどすべてが輸出に供されている。主要な輸出先はダイヤモンドの取引所があるベルギー、アラブ首長国連邦、インド（同国は世界最大級のダイヤモンドの研磨加工地としても知られている）の3か国で、2019年の総輸出量に占める当該3か国の割合は95％に達していた。ただ、ウクライナ侵攻を受け、2023年12月にEUはロシア産ダイヤモンドの禁輸を決定しており、今後はその流通に大きな変化が予想される。

ロシアは米国に次ぐ世界第2位の石炭埋蔵量を有し生産量および輸出量の点でも世界有数の地位を占めているが、シベリア・極東は同国の石炭分野の中心地で、2020年の同国の石炭生産量に占めるシェアは約96％にも達していた。なかでも最もプレゼンスが高いのは、クズバス炭田を擁する西シベリア地方で、2020年には同年のロシアの石炭の総生産量の6割弱に相当する2億3210万tが生産された（鉄鋼の製造に使用される原料炭に限定すればそのシェアは8割弱に達する）。その他、極東地方と東シベリア地方の存在感も強くなっており、2020年にはそれぞれ7000万t以上の石炭が生産された。連邦構成主体別の生産動向を見ていくと数字が突出しているのは西シベリアのケメロヴォ州で、2020年には約2億2000万tが生産された。また、極東地方では、サハ共和国、沿海地方、ハバロフスク地方、サハリン州、ザバイカーリエ地方などが、東シベリアではクラスノヤルスク地方、ハカス共和国などがそれぞれ生産の中心地となっている。

ロシアは2020年時点でオーストラリアとインドネシアに次ぐ世界第3位の石炭輸出国だったが、同年には約2億tが中国、韓国、日本、台湾、インド、ベトナム、オランダ、ドイツ、ポーランドなどに輸出された。一時期は、日本のロシア産石炭の輸入量も年々増加していた。しかし、ウクライナ侵攻を受け、欧米はすでにロシア産石炭の輸入を禁止しており、日本も脱ロシア産石炭の方針を決めているので、ロシアの石炭輸出もまた変容を迫られている。

シベリア・極東は世界有数の金の産地としても知られている。アメリカ地質調査所（USGS）によれば、ロシアはオーストラリアに次ぐ世界第2位の金の確認埋蔵量を有しており、2019年末時点の数字は5300tだったとされているが、主要な金産地はシベリア・極東に集中している。なかでもとくに埋蔵量の大きな連邦構成主体としてはイルクーツク州、クラスノヤルスク地方、マガダン州、サハ共和国、ザバイカーリエ地方、チュクチ自治管区、ハバロフスク地方、アムール州を挙げることができる。

ロシアの金地金の生産量はここ20年若干の波を描きつつも一貫して増加しており、2020年には291tの一次地金が生産された。1998年の生産量は115tであったから、この20年余でロシアの金地金の生産量はほぼ3倍に増加したことになる。

2020年の連邦構成主体別の生産量を見ると、最も数字が大きかったのはクラスノヤルスク地方で57tが生産された。以下、マガダン州：50t、サハ共和国：40t、アムール州：29t、イルクーツク州：26t、ハバロフスク地方：25t、チュクチ自治管区：21t、ザバイカーリエ地方：12tなどとなっている。クラスノヤルスク地方はここ10年ほどトップの座を維持しているが、2位に入る構成主体の顔ぶれはめまぐるしく変化しており、2011～13年にはアムール州が、2014～16年にはチュクチ自治管区がその座を占めていたが、2017年以降は砂金の生産量が伸びているマガダン州がその座を占めている。なお、埋蔵量が最も多いイルクーツク州の生産量がそれほど大きくないのは、同

表 36-01　極東漁業水域での主要魚種別漁獲量（単位　1,000 t）

魚種名	2017	2018	2019	2020	2021	2022	2023
スケトウダラ	1,734	1,680	1,733	1,831	1,739	1,900	1,879
ニシン	407	367	384	410	414	471	386
マダラ	103	124	156	172	169	133	112
サケ・マス	452	680	498	300	539	272	609
カニ	69	76	72	80	76	...	...

出所：ロシア連邦漁業庁。

州にはスホイログのようなまだ開発が本格化していない金鉱山が複数存在するからである。

シベリアは淡水エリアが多く水産資源は豊富とはいえないが、オホーツク海やベーリング海に面した極東は世界有数の漁場として知られており、ロシアの漁業の中心地となっている。２０２０年のロシアの漁業水域別の水産物の生産量を見ると、極東漁業水域の数字が突出しており、全体の７割強に相当する３５７万ｔに達していた。同地方におけるここ数年の主要魚種別の漁獲量は表36―01の通りだが、同表からもわかる通り極東漁業水域で最も漁獲量が多い魚はスケトウダラである。スケトウダラの身は加工製品の原料として国内・国外に供給され、また商品価値の高い卵巣（スケコ）は韓国や日本などに輸出されている。日本でタラコと呼ばれているのは大体においてスケコのことであるし、辛子明太子の原料として使用されているのもスケコである。その他、漁獲量自体はスケトウダラと比較すると少ないが、日本では極東産のカニの人気も非常に高くなっている。

以上４つの資源を紹介したが、その他、シベリアはニッケルと白金族（パラジウム等）の世界有数の産地としても知られており、ロシアのニッケル埋蔵量の約４分の３、白金族埋蔵量のほとんどすべてがクラスノヤルスク地方の北部に集中している。（坂口　泉）

37

プーチンの極東開発

★覚悟と信念の四半世紀★

世界一長い斜張橋（しゃちょうきょう）は、どこの国のどの都市にあるかご存知だろうか。答えはロシアのウラジオストクである。市内の大陸側とルースキー島を結ぶ連絡橋である。最大支間長で見ると、1104mの長さがある。市内中心部の金角湾にも、連絡橋を小さくした横断橋が架かる。2つの橋とも、2012年に完成した。

極東開発は、プーチン大統領の東方シフトやアジア太平洋政策と密接に結びついている。そこに欧州の不況、シェールガス革命、ウクライナ危機といった当時の事情があったのは間違いないものの、欧州の経済成長が今後それほど大きく見込めないと判断し、成長エンジンをダイナミックな成長が続くアジア太平洋に求めることを決め、東に戦略の舵を切ったのは確かだった。それはまた、戦略転換をしなければ、成長が見込めなくなるとのロシアの危機感の裏返しでもあった。

ロシア（ソ連）では戦後、極東地域の経済開発を進め、1989年にはバム鉄道を開業させた。ソ連解体後も極東の経済開発を進めたが、経済混乱と財政難で、多くのプロジェクトが実行されなくなっていった。極東開発は、計画しても実行されない、というのが当たり前となり、1996年までのプログラムも2005年までのプログラムもほとんど実行されないままで終了を迎えた。その当時のプログラムは、多くの部分を外部資金、つまり民間投資を頼りにしていた。極東地域の投資環境はお世辞にも良いとは言えなかった。そんな場所に大規模な投資を行おうとする企業はほとんどいなかった。2000年代に入って、極東開発が活況を呈している背景には、そのような事情がある。

ロシアは、2000年代初めの早い時期から東方シフトに取り組んだ国である。とくに、2012年のAPEC（アジア太平洋経済協力）首脳会議開催決定を受けて2007年にウラジオストクを大開発する方針を打ち出したことから、国内で極東開発が本格化した。

ロシアからアジア太平洋諸国に輸出するものといえば、エネルギーしかない。そこでまず、ロシアが取り組んだのが、石油や天然ガスなどエネルギー資源の輸出拡大である。サハリン大陸棚石油・天然ガス開発プロジェクトのサハリン1とサハリン2が2000年代以降、原油と液化天然ガス（LNG）の本格出荷を開始したのを始め、バイカル湖近くのイルクーツク州のアンガルスクまでしか通っていなかった石油パイプラインを、東シベリア・極東の未開発鉱床の近くを通る形で、日本海沿岸までつなげ、原油輸出を2009年末から開始した。このパイプラインは中国ともつながり、日本海沿岸向けと中国向けを合わせた年間輸出量は6000万t以上に達する。2019年にはガスパイプライン「シベリアの力」が完成し、中国へのガス輸出を開始した。極東港湾から出荷される石炭の量もこの10年間で3倍以上に増えている。ロシアはエネルギー供給者としての地位を着実に強化している。

「ロシアはアジア太平洋国家」、「ロシア極東が東の玄関口」といっても、極東地域のことを少しでも知っている人なら、頭の中に？マークが浮かぶのはないかと思う。ウラジオストクやハバロフスクがシンガポールやクアラルンプールと同じかといえば、どうよく見ても、そうではない。ガタガタの道路、蓋のないマンホール、茶色に濁ったお湯、頻繁に断水する水道、おんぼろな路面電車などなど。どれを見ても、その姿は二流、三流国である。プーチン大統領がいくら東方シフトを唱えても、真剣にとらえる人がいないのは当然だった。エネルギー資源のアジア向け輸出をいくら増やしたとしても、ロシア極東は「マイナス」のイメージを脱することができないでいた。

写真 37-01　マツダ・ウラジオストク工場の組み立てライン

そこでプーチン大統領は、２０１２年のＡＰＥＣサミットの誘致を機に、ウラジオストクの大開発に取り掛った。ガスプロムなどの国営企業やプーチン政権に従順な新興企業グループの資金も含めて、６８００億ルーブル（当時の為替レートで約2兆円）を投じ、巨大な橋や旅客ターミナルなどのインフラを整備した。日本の自動車メーカーの工場も誘致した。その結果、街は見違えるように変貌し、サミットは成功に終わった。ウラジオストクは世界で最も活気のある都市の1つになり、「ロシアの東の玄関口」にふさわしい姿に近づいた。なお、マツダは、ロシアによるウクライナへの軍事侵攻を受け、２

022年4月に工場の稼働を停止、同11月にロシアから撤退した。

極東開発と言えば、計画はつくるが、「できない」、「しない」が当たり前だった。それが、資源高を背景に潤沢な国庫という存在もあって、「する」、「できる」に変わった。ただ、一番大きかったのはプーチン大統領の強力なイニシアティブであり、アジア太平洋地域との関係強化のためにロシア極東を変えるという彼の強い思い入れだったことは間違いない。

プーチン大統領は2013年末の年次教書演説の中で、「極東・シベリアの発展、それは21世紀の国家的プライオリティーである」と強調した。

極東地域は確かに、国からの公共投資マネーが流れ込み、立ち遅れたインフラや居住環境の改善が進んでいる。ただ、「公共事業中心の開発を続けてもあまり効果がないのではないか」との思いを、プーチン政権側は強く抱いていた。というのも、地域全体で3兆円、ウラジオストクだけで2兆円を投入しても、人口は増えず、減り続けていたからだ。プーチン政権としては、大型公共工事中心の開発手法を見直したい。しかし、極東開発は続けたい。

そんな中で、「新しい発展モデル」として打ち出されたのが、先進社会経済発展区であり、ウラジオストク自由港の構想だった。

先進社会経済発展区とウラジオストク自由港は税の優遇措置や大胆な規制緩和が受けられる特別なエリアをつくり、ビジネスのしやすい環境を創出することで、国内外から投資を呼び込もうという狙いだ。生産力を強化して、新しい成長を創出しようという戦略だ。

2023年10月現在、先進社会経済発展区は、極東地域に23か所つくられ、進出企業は900社以上にのぼる。ウラジオストク自由港は、極東地域の５つの連邦構成主体の22の自治体に設立され、進出企業は２７００社以上に達する。

進出企業を見ると、地元で消費するための食品をつくったり、断熱材を生産したりと、これまで極東地域でつくられず、他の地域からの供給に依存してきた分野の企業の進出が目立つ。ロシアは当初、特区を活用して、アジア太平洋諸国に製品を輸出することを描いていたが、その目標はとりあえず脇に置いて、まずは地域に不足しているものを生産するというスタンスに変化している。進出企業も国内企業が中心で、大企業だけでなく、地元の中小企業が新しいビジネスを興すきっかけとなっている。プーチン政権にとって、うれしい誤算だったに違いない。

極東開発の中心は、大型プロジェクトなど、いわゆるハコモノは引き続き重要としながらも、特区制度をつくって企業にビジネスを行ってもらうという、ソフトへと変化している。

極東地域の土地を希望する国民に無償で提供する「極東の１ha」や加工施設や漁船に投資する水産業者に優先的に漁獲クォータを与える「投資クォータ」など斬新な政策にも乗り出す。

エネルギー資源の輸出拡大からウラジオストク大開発、特区制度の創設まで、この20年の歩みを振り返ると、周囲の否定的な意見に惑わされることなく、信念をもって果敢に挑戦してきたプーチン政権の姿が見えてくる。

（齋藤大輔）

38

シベリア・極東を舞台とした日露経済協力

★重大な岐路を迎えた極東ビジネス★

第2次世界大戦後の日ソ経済関係が本格的に動き出すのは、1956年の国交回復と翌年の日ソ通商条約・貿易支払協定の締結で両国間の貿易体制が正常化してからである。その後、経済視察団の相互派遣を通じて、未開発の資源を有するシベリア・極東の開発に対する日本の財界の関心とソ連側の期待が高まっていく。

そして、シベリア・極東を舞台とした「シベリア開発プロジェクト」を実現するために1960年代半ばに日ソ・ソ日経済委員会（日本側事務局は経団連）が発足、両委員会をベースとして、極東森林資源開発（第3次まで1969〜86年に実施）を皮切りに、ウランゲリ港（現在のヴォストーチヌィ港）建設（1971〜73年）、パルプ材・チップ開発（第1次1972〜81年、第2次1986〜95年）、南ヤクート炭開発（1979〜98年）といった大型プロジェクトが実現していく。また将来の生産と日本への供給を見込んで、1974年にはヤクーチヤ天然ガス探鉱や1975年にはサハリン島陸棚石油天然ガス探鉱開発といったプロジェクトの基本契約が締結された。

これらプロジェクトでは、日本から長期資金をソ連へ供与し、

写真 38-01　日ソ協力で建設されたヴォストーチヌィ港のコンテナターミナル（2023 年 9 月、齋藤大輔撮影）

その資金をもとに開発に必要な資機材（鉱山機械、建設機械、クレーン等）を日本から輸出、その見返りに産出された資源（石炭、木材、パルプ材）をソ連極東から輸入する方式が採用された。当時需要が旺盛だったプラントや大口径鋼管の輸出と並んで、これらプロジェクトが貿易拡大に果たした役割は大きく、日ソ貿易は１９６８年の往復６億４２５３万ドルから１９７９年には43億７２１５万ドルへ急増した。

だが、１９７９年のソ連のアフガン侵攻により米国が対ソ制裁を発動、日本政府がそれに同調して、ソ連への公的信用供与に慎重な対応をとると、１９８０年代以降、後続のプロジェクトの実現にブレーキがかかった。その後、ソ連邦の混乱と崩壊、新生ロシアの誕生とともに、日本の財界が一体となって取り組んだシベリア開発プロジェクトの時代も終焉を迎える。

他方、ペレストロイカ期のソ連では対外開放の気運を背景として１９８７年1月にソ連合弁企業法が制定された。これにより日本を含む外国企業のソ連での活動領域が大幅に広がった。日ソ合弁の第1号は、１９８７年7月にイルクーツク州に設立されたイギルマ大陸（製材業）で、その後、１９９

1年12月のソ連崩壊までに数多くの日ソ合弁企業が設立された。

この時期に設立された日ソ合弁企業の特徴は、極東・シベリア（ただしシベリアといってもイルクーツク州が西限）への進出が多かったという点にある。また日本側出資者を見ると、中小の対ソ専門商社や北海道・新潟・富山といった日本海沿岸諸県の企業が多い。業種としては、製材業といった比較的大規模な投資もあったが、基本的には漁業・水産加工、レストラン、ホテル、観光、貿易といった小規模な合弁が多かった。

だが、この時期に設立された日ソ合弁企業は、ソ連崩壊後のロシアの大混乱と経済不振の中で、激変する環境に適応できずにほとんどが消滅した。また1990年代には、ホテル業などの合弁企業のいくつかではロシア側による乗っ取りが発生し、日本の対露ビジネスに冷や水を浴びせることになった。当時設立された合弁企業で現在も活動を続けているのは、TMバイカル（1991年設立、イルクーツク州での製材業、現在は日本側が100％所有）ぐらいであろうか。なお日ソ合弁第1号のイギルマ大陸は2008年に合弁を解消し、日本側が資本を引きあげたが、その後も同社からの日本への製材輸出は継続している。

ソ連崩壊後のロシアで成立した最大の日露協力案件は、何といってもサハリン大陸棚石油・天然ガス開発プロジェクトであろう。現在、サハリン沖ではサハリン1とサハリン2という2つのプロジェクトが成立しており、サハリン1には日本からサハリン石油ガス開発（SODECO）、サハリン2には三井物産と三菱商事が出資している。このうちサハリン1は1975年に基本契約が調印され、サハリン沖で探鉱を実施したシベリア開発プロジェクト「サハリン島陸棚石油天然ガス探鉱開発」が結実したものだ。

両プロジェクトはいずれもロシア初の生産物分与契約（ＰＳＡ）に基づく資源開発であり、サハリン２では１９９４年６月、サハリン１では１９９５年６月に契約が調印された。２つのプロジェクトあわせて投資額が４００億ドル近くとなる巨大案件で、パイプライン用鋼管の供給やＬＮＧプラントの建設受注など、関連する日本企業への波及効果も少なくなかった。

サハリン２では１９９９年に原油の生産が始まり、２００８年末に原油の通年出荷を開始、また２００９年初にはサハリン島南部にＬＮＧプラントが完成し、同年３月から日本等へ向けてＬＮＧの輸出が始まった。一方、サハリン１では２００５年に原油・天然ガスの生産が開始、翌年から日本を含むアジア諸国へ原油の輸出を始めた。２０１９年には日本の原油輸入の３・３％、ＬＮＧ輸入の８・３％がサハリンから供給されており、両プロジェクトは日本のエネルギー調達先の多角化にも大きく貢献してきた。

ロシア政府が極東開発に本腰を入れ始めたのは、この10年ばかりのことで、その契機となったのは２０１２年にウラジオストクで開催されたアジア太平洋経済協力（ＡＰＥＣ）首脳会合であった。２０１３年の年次教書演説においてプーチン大統領は「シベリア・極東の発展は21世紀を通じたロシアの国家的優先課題である」と述べ、極東連邦管区に先進発展区（ＴＯＲ）やウラジオストク自由港といった投資優遇制度を導入、２０１５年から始まった東方経済フォーラムなどを通じて極東開発への意欲と新制度に関わる情報を内外へ積極的に発信した。

こうした背景に加えて、２０１６年には日本の安倍晋三首相がプーチン大統領へ「８項目の協力プラン」を提案、「極東の産業振興」をはじめ「医療」、「都市整備」といった多方面での協力推進の意向を打ち出したこともあって、ロシア極東への日本企業の関心もにわかに高まり、これまで協力実績の少なかった分野でもいくつかのビジネスが立ち上がった。

たとえば、2012年にはマツダの出資する合弁企業がウラジオストクに日系自動車メーカーとして極東初の自動車工場を開設し、2018年にはエンジン工場を増設、そこから日本にもエンジンが輸出されるようになった。農業分野においては、ハバロフスクやヤクーツクで日本企業が温室野菜栽培事業を展開しており、冬場でも新鮮な野菜を地元住民へ供給している。また医療では、北海道の医療法人がウラジオストクで画像診断センターとリハビリセンターを開設した。

このように安倍政権時に日本企業の極東ビジネスは協力の多様化に向けて一定の進展がみられたが、2022年2月に始まったロシアによるウクライナ侵攻がすべてを一変させた。G7を中心とする西側諸国による対ロ制裁やロシア政府による制裁対抗措置に加えて、レピュテーション・リスクといった要因により、多くの日本企業がロシアでの活動やロシアとの取引を停止させた。ロシア極東では、マツダがウラジオストクの自動車工場を合弁パートナーに譲渡し、撤退した。2023年11月現在、サハリン2からのLNG輸入はかろうじて続いているが、サハリン1からの原油は西側の制裁（2022年12月に導入された原油価格の上限導入）の壁にぶつかり、日本への輸入がストップした。ウラジオストクで一大ビジネスを形成している日本からの中古車輸入業も2023年8月から日本政府が1900cc以上の乗用車の対ロ輸出を禁止したため、日本からの中古車の調達が困難になった。ロシア・ウクライナ戦争の勃発により日ロ極東ビジネスは重大な岐路を迎えている。

（中居孝文）

39

ロシア極東の漁業と日露漁業関係

★押し寄せる時代の荒波★

ソ連崩壊後、ロシア漁業は何度となく転換期を経験し、それに伴って日露の漁業関係も変化してきた。

1980年代、ソ連の漁業生産量は800万tに達し世界第3位の漁業国となったが、ソ連崩壊後、それまで母船式で世界中に展開していた漁船団が、国営事業を失い、効率を求めロシア海域にUターン、自国排他的経済水域（EEZ）での操業に専念することとなった。この結果、自国EEZが主漁場となり、社会的・経済的混乱、漁船団の更新期（漁船は一般に船齢30年を超えると老朽船と評価される）等が重なったことから、漁業機会が減少、2000年代前半には300万t台まで落ち込んだ。

その後、ロシアは、漁船団を自国EEZに対応した単船操業（漁獲物を自船で洋上加工）向けに更新を完了、何度となく政策を転換しながら、2010年代の後半から現在まで、安定的に500万t前後の生産を行い、世界で5位圏内に入る日本を凌ぐ漁業国の立場を維持している。

近年の漁業生産量500万tのうち、約7割の350万t以上は極東海域での操業によるもので（グラフ参照）、魚種別ではスケトウダラが180万tを占め、これがロシア漁業の屋台骨

図 39-01　圧倒的に極東に集中するロシアの水産物水揚げ量

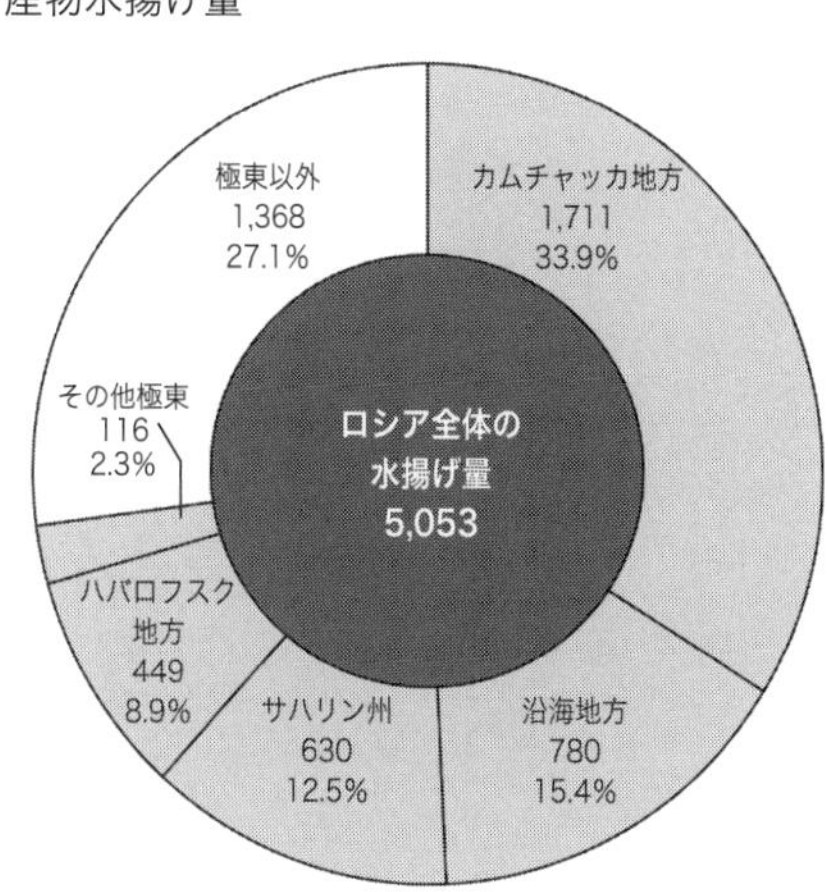

網掛け部分が極東連邦管区、2021 年、単位 1,000 t。

となっている。日本ではロシア漁業といえば、輸入が多いカニとサケ・マスのイメージが強いが、量ではスケトウダラが圧倒的に多い。世界の食用向け天然魚の漁業生産量最大はスケトウダラで、350万tが漁獲されている。ロシアの180万tは世界第1位で、米国の150万tが続き、日本が15万t、その他で構成されている。

ソ連崩壊後のロシアは、新たな国家として、水棲生物資源へアクセスする権利のあり方、資源利用税拡大の取り組み等、「資源は誰のものであり、利益の再配分はどうあるべきか」を常に考え、資源の最大活用を求め、何度となく政策を転換してきた。

このため極東漁業は、外資取り込みを目的に合弁企業に優先的に漁獲割当を配分した「極東合弁の時代」（1992〜1995年）、極東地方独自による漁獲割当配分の管理調整不全により権限がモスクワに移された「モスクワへの権限集中の時代」（1995〜2000年）、漁獲割当配分過程の透明化と資源利用税の拡大を求めた「漁獲割当オークションの時代」（2001〜2003年）、過度の投資競争を招いたオークションをごく一部に限定し、過去の漁業実績に応じて漁獲割当を配分する「歴史的原則の時代」（2004〜2018年）を経験した。

写真 39-01　投資目的漁獲割当を利用したロシア国内造船所建造スーパー・トロール漁船「カピタン・ヴドヴィチェンコ」

現在、ロシア漁業は２０１７年に発表された「２０３０年までの漁業発展戦略」に基づいて行動しており、「投資義務の時代」（２０１８年〜）となっている。この中核を成すのが「投資目的漁獲割当」で、２０１８年から漁獲割当の一定部分を、ロシア国内造船所での漁船新造と、陸上水産加工場を建設する者に優先的に配分することとした。また、伴って「歴史的原則による漁獲割当」を段階的に削減、２０２４年には、スケトウダラ、ニシン等が当該魚種全体の漁獲割当の44%、カニはそのほぼ全量が「投資目的漁獲割当」で配分される見込みとなっている。

１９９０年代前半に西側諸国からの信用供与により同諸国の造船所で建造された極東の漁船団約１００隻が更新期を迎えている。当該割当は次代に向けて、漁業者をふるいにかけ、M&A促進でエリートを残して資金力のある企業を新規参入させ、再加工向けの冷凍魚等の低次加工生産品の輸出依存から脱却、フィレ、すり身等の高次加工製品を増産することで、この分野を付加価値産業化し、更には国内造船業も発展させる等、複合的システムとしている。

一方で現在、「投資目的漁獲割当」で計画されている漁船建造の8割以上が、パンデミックの発生、ウクライナ情勢による制裁措置で、船用機器の調達等ができず、準備段階で、予定された期間での竣工が困難な状況にあり、資金不足と計画の大幅見直しの必要性が指摘されている。

２０２２年のロシアの漁業、加工に従事する企業の売上高は、総額８６６０億ルーブルで前年比７％増加したものの、税引き前利益が１５８０億ルーブルで30％以上減少、２０２３年上半期も、漁獲量が前年同期を上回っているが、当該利益は３８５億ルーブルで、前年同期の約３分の1となり、その利益率は２０１７〜２０２２年の平均14・４％から７％に下落、この分野の財務内容の悪化が報告されている。

パンデミックの発生、ウクライナ情勢による制裁措置で、ロシア産水産物の重要国際市場への製品供給は制限され、中国市場への極端な依存による輸出価格の低下、燃料価格高騰を含むコスト上昇等が要因となり、戦略は現在、想定外の危機にさらされている。ロシアがこの苦境をどのように乗り切るのか注目されるところとなっている。

さて、ロシアは日本との間で漁業分野の協定を５つ締結しており、その内訳は政府間が４つ、民間１つ、計５つとなっている。

①日ソ地先沖合漁業協定（１９８４年発効　日本側スケトウダラ・マダラ・サンマ・イカ　ロシア側イワシ・サバ）
②日ソ漁業協力協定（１９８５年発効　サケマス）
③安全操業協定（１９９８年発効　スケトウダラ・ホッケ・タコ）
④貝殻島昆布操業民間協定（１９６３年締結）
⑤密漁密輸防止協定（２０１４年発効　カニ等水産物貿易適正化）

ウクライナ情勢による制裁措置の影響で、現在、交渉が停止しているのが、日本漁船がロシア領海で操業する安全操業協定となっている。ただし、これは協定そのものが破棄されたわけではない。

ロシアは、日本だけでなく中国、韓国、北朝鮮とも、極東海域での二国間の漁獲割当配分を含む漁業協定と密漁密輸防止協定を締結している。ただ、中国、韓国等の漁業協定には、二国間で設置された漁業委員会の合意に基づく締約国漁船のロシアEEZにおける有償での漁獲割当は用意されているが、ロシア漁船による相手国EEZでの漁獲割当は設定されていない。極東においては、唯一、日ソ地先沖合漁業協定のみが両国漁船の相互入漁で、同様に設置された漁業委員会の合意に基づく漁獲割当が配分される枠組みとなっている。当該協定では、無償と有償で、日本漁船がロシアEEZでスケトウダラ、マダラ、サンマ、イカ等の漁獲割当配分を受け、ロシア漁船は、日本EEZでイワシ、サバ等の漁獲割当配分を受けている。日本とロシアの漁業分野の協力は、当該協定が基軸で、この相互性が、他の漁業協定へも影響を与えるものと評価されている。

（原口聖二）

40

軍事面から見たシベリア・極東

★配備兵力、核戦略、軍需産業★

ロシア国防省の軍事行政区分においては、極東とシベリアの東部は東部軍管区（ＶＶＯ）とされている。従来のシベリア軍管区（ＳｉｂＶＯ）東部と極東軍管区（ＤＶＯ）を２０１０年に統合したもので、11の連邦構成主体を含み、司令部は旧極東軍管区司令部が置かれていたハバロフスクである。一方、旧シベリア軍管区の残りの部分はウラル・ヴォルガ軍管区と統合されて中央軍管区（TsＶＯ）となった（表40―01）。司令部は旧ウラル・ヴォルガ軍管区司令部の置かれていたエカテリンブルグである。

これら軍管区は従来、平時の徴兵や軍事施設の維持管理を担当し、有事には複数の軍管区から成る「戦線」を構成することになっていた。しかし、２０１０年代以降の軍改革によって、各軍管区司令部には平時から統合戦略コマンド（ＯＳＫ）の資格を与えられており、域内の陸海空軍部隊（戦略核部隊や空挺部隊等を除く）を統一指揮するフォース・ユーザーとしての役割を担うようになった。両軍管区／ＯＳＫの指揮下にある部隊については表40―02にまとめた。

旧極東・シベリア軍管区の仮想敵は中国および日米同盟であり、この点は現在でも大きな変化はないとみられる。東部軍管

表 40-01　中央・東部軍管区に含まれる連邦構成主体

<table>
<tr><td rowspan="9">現中央軍管区</td><td>旧ウラル・ヴォルガ軍管区の連邦構成主体</td><td rowspan="11">旧シベリア軍管区</td></tr>
<tr><td>アルタイ共和国</td></tr>
<tr><td>アルタイ地方</td></tr>
<tr><td>クラスノヤルスク地方</td></tr>
<tr><td>イルクーツク州</td></tr>
<tr><td>ケメロヴォ州</td></tr>
<tr><td>ノヴォシビルスク州</td></tr>
<tr><td>オムスク州</td></tr>
<tr><td>トムスク州</td></tr>
<tr><td rowspan="11">現東部軍管区</td><td>ブリヤート共和国</td></tr>
<tr><td>ザバイカーリエ地方</td></tr>
<tr><td>サハ共和国</td><td rowspan="9">旧極東軍管区</td></tr>
<tr><td>カムチャッカ地方</td></tr>
<tr><td>ハバロフスク地方</td></tr>
<tr><td>沿海地方</td></tr>
<tr><td>アムール州</td></tr>
<tr><td>マガダン州</td></tr>
<tr><td>サハリン州</td></tr>
<tr><td>ユダヤ自治州</td></tr>
<tr><td>チュクチ自治管区</td></tr>
</table>

表 40-02　中央・東部軍管区の隷下部隊

<table>
<tr><td>軍管区／ OSK</td><td>軍種</td><td>連合部隊（司令部）</td></tr>
<tr><td rowspan="4">中央軍管区／中央 OSK</td><td rowspan="3">陸軍</td><td>軍管区司令部直轄部隊</td></tr>
<tr><td>第 2 諸兵科連合軍（サマラ）</td></tr>
<tr><td>第 41 諸兵科連合軍（ノヴォシビルスク）</td></tr>
<tr><td>航空宇宙軍</td><td>第 14 航空・防空軍</td></tr>
<tr><td rowspan="8">東部軍管区／東部 OSK</td><td rowspan="6">陸軍</td><td>軍管区司令部直轄部隊</td></tr>
<tr><td>第 5 諸兵科連合軍（ウスリースク）</td></tr>
<tr><td>第 29 諸兵科連合軍（チタ）</td></tr>
<tr><td>第 35 諸兵科連合軍（ベロゴルスク）</td></tr>
<tr><td>第 36 諸兵科連合軍（ウランウデ）</td></tr>
<tr><td>第 68 軍団（ユジノサハリンスク）</td></tr>
<tr><td>海軍</td><td>太平洋艦隊</td></tr>
<tr><td>航空宇宙軍</td><td>第 11 航空・防空軍</td></tr>
</table>

区で4年に1度実施されている「ヴォストーク（東方）」演習では、大量の兵力を動員した総力戦訓練が度々実施されており、これは中国との大規模戦争を想定したものと考えられよう。とくに「ヴォストーク2014」では10万人以上、「ヴォストーク2018」に至っては30万人近くの兵力が動員され、予備役の招集と予備兵器の現役復帰、滑走路が破壊された場合に備えた高速道路からの航空機離着陸訓練が実施された。ただ、近年では中国との関係緊密化に伴い、表立って中国を敵視することは控えられるようになり、「ヴォストーク2018」では中国軍との合同訓練も一部では実施された。

一方、対日米同盟を想定した訓練としては、クリル列島（北方領土と千島列島）やチュクチ半島の防衛のために兵力の緊急展開などが行われている。また、近年では北方領土とサハリンの軍事力近代化が進んでおり、新型地対艦ミサイル「バール」や「バスチョン」、長距離防空システムS－300V4およびS－400が過去5年間で相次いで配備されたほか、カムチャッカ半島の戦闘機部隊に極超音速対地攻撃ミサイル「キンジャール」を配備する計画があるとも報じられている。

2022年に始まったロシアのウクライナ侵略は、以上のような構図を大きく変えた。シベリア・極東に配備されたロシア軍部隊は、従来からロシアの軍事介入に度々動員されてきたが、この度の侵略戦争ではこれがとくに大規模に行われた。旧ソ連第2位の軍事力を持つウクライナへの侵攻兵力を集めるため、東部軍管区や中央軍管区から主力部隊の大部分が引き抜かれ、ウクライナ戦線へと送られたのである。前述したクリル列島・サハリンの防空システムも同様であり、さらに装備保管基地からも予備保管されていた戦車などの旧式兵器が多数現役復帰してウクライナに送られた。シベリア・極東の軍事力は戦争によって大幅に低下したと見てよい。おそらくはこのような兵力の減少を受けて、

２０２２年に実施された「ヴォストーク２０２２」演習は参加兵力5万人と、過去の演習と比べて小規模に留まった。

シベリア・極東部において依然、大きな戦力を保っているのは、戦略核部隊である。なかでもカムチャッカ半島を母港とする弾道ミサイル搭載原潜（ＳＳＢＮ）部隊については速いテンポで近代化が進んできた。２０１０年代半ば時点では、ソ連時代に建造された旧式の６６７ＢＤＲ型（デルタⅢ型）３隻に過ぎなかったものが、２０２４年初頭段階では新型の９５５型（ボレイ型）２隻とその改良型である９５５Ａ型（ボレイＡ型）２隻の計４隻に増強・近代化された。

また、カムチャッカには、現在開発中の原子力無人水中システム「ポセイドン」（敵国沿岸を攻撃する核魚雷としての任務も有するとされる）の搭載母艦が配備されるとも報じられており、その戦略的価値は高まっている。

ＳＳＢＮ以外の戦略核戦力としては、戦略ロケット部隊の大陸間弾道ミサイル（ＩＣＢＭ）師団がシベリアから極東に掛けて4個、航空宇宙軍の戦略爆撃機連隊が極東に1個配備されている。これらの地上・空中配備核戦力の規模自体は大きく変化していないものの、質的な近代化はＳＳＢＮと同様に進んでいる。特にＩＣＢＭ部隊については、隷下の道路移動型ＩＣＢＭ部隊すべてが最新型のＲＳ―24ヤルスへの装備更新を完了しており、サイロ発射型ＩＣＢＭについてもＲＳ―28サルマートへの転換が一部で始まっている。

これらの戦略核部隊は中央／東部ＯＳＫではなく、参謀本部を通じて国家最高指導部の直接指揮下に置かれており、平時・危機事態における核抑止と、大規模戦争勃発時の核攻撃任務を担う。したがって、極東・シベリアに配備されたロシアの軍事力は、域内の軍事紛争だけでなく、欧州における軍事的環境とも密接な関係性を有することは忘れられるべきではない。特にロシアのウクライナ侵略に際して、これらの戦略核部隊は、西側の直接参戦を阻止し、ウクライナへの軍事援助を手控えさせるという効果を発揮した。

シベリア・極東は、軍需産業の拠点としての顔も持つ。とくに有名なのはハバロフスク地方のコムソモリスクナアムーレ航空機工場（KnAAZ）で、Su－57、Su－35S、Su－30SMといった主力戦闘機の生産を担う。このほかにもイルクーツク航空機工場（IAZ）、ノヴォシビルスク航空機工場（NAZ）、プログレス航空機工場など、この地域にはロシアの重要航空産業が数多く所在する。造船業についてはソ連崩壊後に多くが倒産寸前の状態となり、艦船造修能力が大きく低下したが、近年では沿海地方のズヴェズダ造船所が大幅に近代化されたほか、コムソモリスクナアムーレのアムール造船所において20380型コルヴェットの建造が行われるようになった。

（小泉　悠）

41

日露間の北方領土問題

★「0島返還」路線に戻ったプーチン政権★

ロシア外務省は2022年3月21日、日本との平和条約交渉を中断すると発表した。ウクライナ侵攻を受けて日本がロシアに制裁を科したことに対する報復だった。

しかし現実には2019年に安倍晋三首相（当時）が進めていた交渉が頓挫して以降、日本とロシアの間では実質的な話し合いは行われていなかったというのが実態だ。

2018年9月12日のことだ。ロシア極東ウラジオストクで開かれた国際会議「東方経済フォーラム」の全体会合で、プーチン大統領が突然、来賓として出席していた安倍に対して次のように提案した。

「平和条約を締結しようじゃないか。今すぐとはいかなくても、年末までに。いっさいの前提条件をつけないで。その後で係争中の問題に取り組もう。70年間解決できなかった問題も、解決しやすくなると思う」

プーチンは平和条約締結に前向きの姿勢を示したのではない。むしろその逆だ。

プーチンがここで言った「係争中の問題」「70年間解決できなかった問題」とは、北方領土問題のことを指す。日本は一貫して「北方領土問題解決が平和条約締結の前提条件だ」と主張しており、ロシアもそれに同意していた。ところが、この2つを切り離して、北方領土問題の解決は将来に先送りして、先に平和条約を結んでしまおうというのが、プーチンの提案だった。

長年の交渉の積み重ねを無視した、ちゃぶ台返しとも言えるような提案だった。しかし安倍は「平和条約締結が必要だという意欲が示された」と前向きに捉えて、4島返還という日本が一貫して掲げてきた要求を取り下げ、2島返還での決着を目指すようになる。

「プーチンが頑ななのは、日本が4島にこだわるからだ。2島返還で早期決着させたいというのが彼の真意だ」――そう考えたのかもしれない。

安倍はこの2か月後、訪問先のシンガポールでプーチンと会談し、「1956年の日ソ共同宣言を基礎として平和条約交渉を加速させる」という方針に同意を取り付けた。

「日ソ共同宣言を基礎として」というところがミソだ。この宣言の第9項には、「日本との平和条約締結後に、ソ連が歯舞、色丹の2島を日本に引き渡す」という約束が記されている。一方で、日本が返還を求め続けてきた残る2島、つまり択捉島と国後島については何も書かれていない。

しかし、プーチンの反応は冷ややかだった。4島から2島へという譲歩に踏み切った日本に対して、その後の交渉でロシア側は以下のような主張を突きつけた。

1. 日本は、北方4島が第2次世界大戦の結果、正当にソ連の領土となったことを認めよ
2. まず平和条約を締結。領土問題に取り組むのはその後で
3. 歯舞、色丹の主権を将来日本に渡すとは限らない

いずれも、日本としてはまったく受け入れられない主張である。ロシアもそのことはよく分かっているはずで、要は問題を解決する意思がそもそも無かったと言えそうだ。

こうして、シンガポールでの「合意」から約半年で交渉は頓挫してしまったのだ。

ここで北方領土問題の源流について、簡単に振り返ってみよう。

日本と帝政ロシアが歴史上初めて国境について取り決めたのは、1855年。日露通好条約で、千島列島のウルップ島と択捉島の間に国境線が引かれた。サハリン（樺太）については国境を定めずに、両国民が共に暮らすこととされた。

その後、両国間で条約に基づく領土のやりとりはあったが、択捉、国後、色丹、歯舞の4島は、一度もロシア領となったことがない（図41—01）。日本が「四島は日本固有の領土」と主張するのはこうした歴史的経緯からだ。

第2次世界大戦末期の1945年8月9日、ソ連（ロシアは1917年のロシア革命を経て社会主義のソ連となっていた）が日ソ中立条約に反して対日参戦。日本が占領していた中国東北部、さらに千島列島や樺太南部への攻撃を開始した。日本が9月2日に降伏文書に署名した後もソ連は攻撃を続け、北方4島すべてを占領した。

当時4島には約1万7千人の住民がいた。戦後島に残った人々も1947年から48年にかけて強制的に日本本土に引き揚げさせられた。今住んでい

表41-01　北方４島のデータ

島　名	面　積（平方キロ）	人　口（2020年、人）
歯舞群島	95	—
色　丹　島	251	3,319
国　後　島	1,490	8,566
択　捉　島	3,168	6,480
合計	5,003	18,365

図41-01　日本政府が主張する国境の変遷（※外務省「われらの北方領土」より）

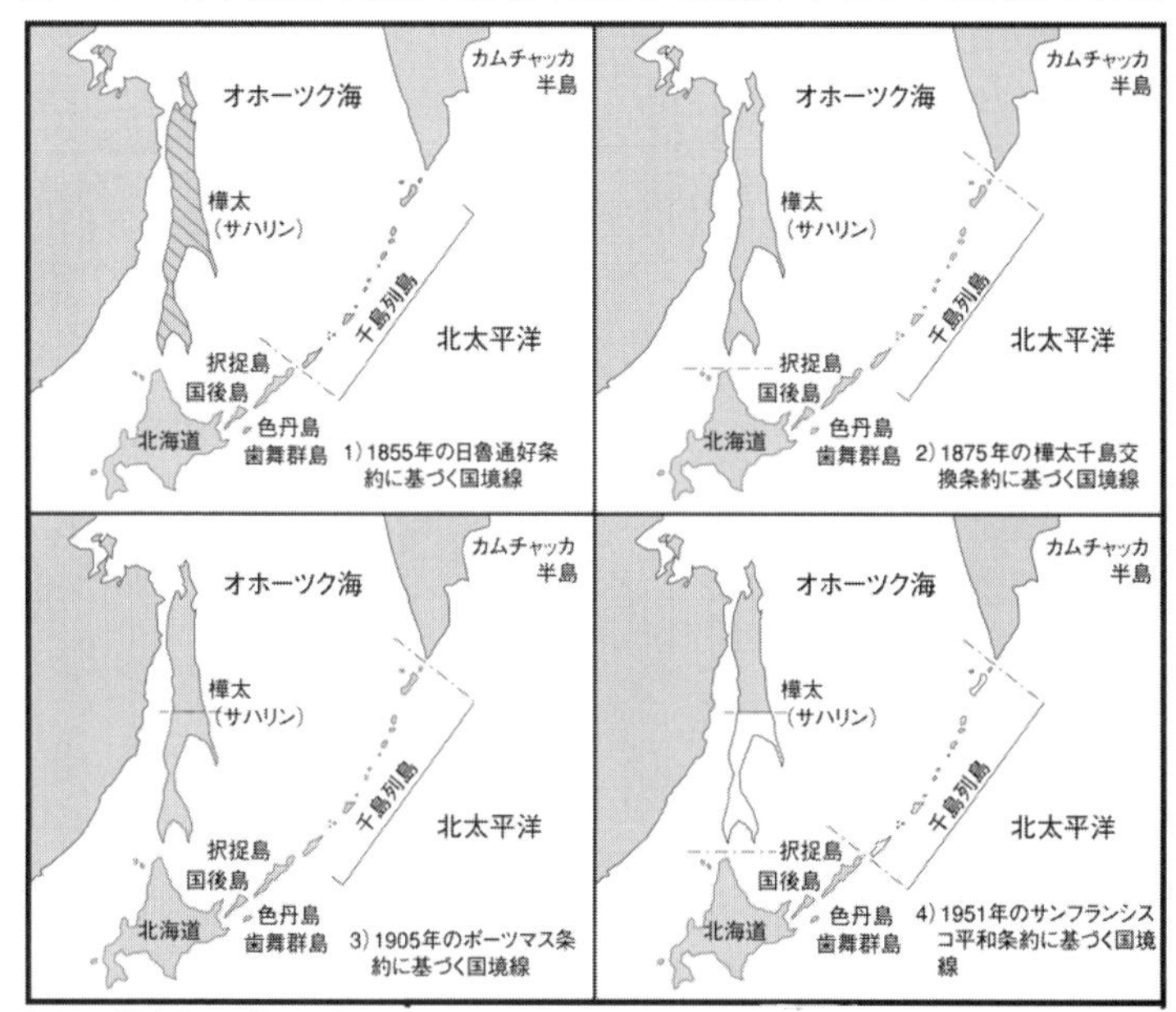

出所：外務省の「2020年版　われらの北方領土　資料編」の扉裏に掲載されている図（https://www.mofa.go.jp/mofaj/files/000035454.pdf）ももとに一部修正して筆者作成
注：ロシアは第2次世界大戦の結果、北方四島が正当に自国領になったと主張している

るのはロシア人だけだ。

1951年、日本はサンフランシスコ平和条約で米国を始めとする主要連合国との戦争状態を終結させる。日本はこのとき樺太南部と千島列島を放棄したが、「千島列島」がどの範囲を指すのかは条約には明記されなかった。

日本政府は条約批准当時、択捉、国後の2島は放棄したという見解を示していたが、1956年以降、択捉、国後は「千島列島」に含まれないという立場に転じる。米国から「ソ連に譲歩するな」という圧力を受けたことも、理由の1つだった。なお、歯舞、色丹については、日本は一貫して自国領だと主張してきた。

サンフランシスコ平和条約に署名しなかったソ連が、日本との戦争状態を終結させたのが、前述の日ソ共同宣言だ。

このときの交渉で、ソ連は歯舞、色丹の2島を日本に引き渡すことで平和条約を締結しようと提案。日本側には受け入れるべきだという意見もあったが、最終的には4島返還を要求し、交渉は決裂。平和条約締結は断念し、共同宣言による国交回復を先行させることになった。

その後、ソ連は1960年の日米安保条約改定に反発し、共同宣言に書かれた2島引き渡し規定も無効になったとの立場に転じた。

1991年のソ連崩壊後、北方領土問題は新生ロシアに引き継がれた。1993年にはエリツィン大統領（当時）が来日して、4島の帰属の問題を解決して平和条約を締結するという方針を「東京宣言」で確認した。

しかし2018年以降の交渉でプーチンが突きつけた要求は、ロシアの立場が1960年当時のソ連と同じ「0島返還」まで後退してしまったことを物語っている。

その背景には、ロシア国民を束ねるための神話として第2次世界大戦での勝利を重視する政権の姿勢や、対米関係悪化に伴う千島列島の戦略的価値の向上がある。

2022年のウクライナ侵攻は、国際約束を平然と踏みにじって隣国を侵略する国と平和条約を結ぶ意味があるのかという根源的な問いを私たちに投げかけている。

（駒木明義）

42

アジアシフトで変わるシベリア鉄道

★増え続ける貨物輸送★

シベリア鉄道といえば、広大なユーラシア大陸の西から東の果てまで約1万kmを結ぶ、言わずと知れた大幹線である。モスクワとウラジオストク間の全長は9289km。レールの幅は日本の新幹線よりも少し広い1520mm。全線が電化・複線化されている。

歴史を振り返ると、シベリア鉄道の建設は1891年に開始され、日露戦争や第1次世界大戦などの困難な時期を経て、ロシア革命前の1916年に完成した。

2002年、電化工事開始以来73年ぶりに全線電化が実現した。複線化は1939年にアムール川にかかる鉄橋を除いて完了していたが、2009年、鉄橋の複線化が完了し、全線複線化が実現した。

首都モスクワからカザン、エカテリンブルグ、チュメニと主要都市を通り、オムスク、ノヴォシビルスク、クラスノヤルスクのシベリア地域に至る。イルクーツク州のタイシェトから南下し、イルクーツク、ウランウデとバイカル湖南を走り、チタ、ビロビジャン、ハバロフスクと極東の南部を通り、最後に南下してウラジオストク、ナホトカに至る。

モスクワからオムスクまでは複数の路線がある。主要ルートはモスクワからウラジーミル、ニジニノヴゴロド、ペルミ、エカテリンブルグ、チュメニを経由してオムスクに至る路線とモスクワからカザン、イジェフスク、エカテリンブルグ、チュメニを経由してオムスクに至る路線の2つである。このほか、モスクワからヤロスラヴリ、キーロフ、ペルミ、エカテリンブルグを経由する路線やモスクワからサマラ、ウファ、チェリャビンスク、クルガン、パヴロダル（カザフスタン）の南部を通りオムスクに至る路線もある。この南ルートは開業当初のシベリア鉄道のメインルートであった。

オムスク以東からタイシェトまでも複数の路線が走っている。ただし、幹線はノヴォシビルスク、クラスノヤルスクなど主要都市を通過する路線である。

タイシェト以東からウラジオストク、ナホトカまでは1つの路線である。

シベリア鉄道の開業は、ソ連国内におけるモノと人の輸送・移動を飛躍的に増大させるとともに、国家の内陸部への進出を助け、沿線の資源開発を促進した。経済・軍事の大動脈として、ソ連の国家建設とその後の経済発展に大きな役割を果たした。

その利用は、原燃料の産地から加工地への供給、農村または港湾からの都市への食糧運搬、工業製品の全国各地への配送、人の移動など多岐にわたっており、国内の人・モノの流れの要として、ロシアの経済発展を側面から支え続けている。

とくに、東シベリアおよび極東地域においては、バイカル・アムール鉄道（バム鉄道）の輸送力不足のため、シベリア鉄道は、ヨーロッパロシア部とシベリア・極東地域を結ぶ唯一の「大動脈」となっている。

国内の人・モノを輸送するだけでなく、ヴォストーチヌィ港やナホトカ港などの極東諸港やサンクトペテルブルグ港などのロシアの西にある港ともつながり、陸路で欧州、中央アジア、中国、モンゴルなど周辺諸国ともつながっているので、欧州とアジア太平洋諸国との間の輸出入やトランジット輸送で相当な役割を果たしている。近年は中国・欧州間のコンテナ輸送も拡大していた（ただし、ウクライナ侵攻でこのトランジット輸送の利用は急減した）。

一方、バム鉄道の建設は1974年に着手され、1984年に開業、1989年に営業運転を開始した。建設距離は3145kmである。

レナ川上流のウスチクート（イルクーツク州）からバイカル湖北のセヴェロバイカリスク（ブリヤート共和国）、トゥインダ（アムール州）とシベリア・極東の内陸部を通り、アムール川下流のコムソモリスクナアムーレ（ハバロフスク地方）に至る。着工前に開業していたタイシェト～ウスチクート間、コムソモリスクナアムーレ～ソヴィエツカヤガワニ（ハバロフスク地方）間を含めた総延長約4300kmを「バム鉄道」と称することもある。

沿線は針葉樹林が生い茂り、冬は厳寒という厳しい気象条件の中を通る。シベリア鉄道の弱点である輸送力不足の補完や国境に近すぎるという戦略的な欠陥の克服とともに、シベリア・極東地域の内陸部における資源開発の促進も目的の1つとしていた。

バム鉄道はロシア内陸部と極東諸港を結ぶ最短ルートであり、ウラジオストクやナホトカへは約200km、シベリア鉄道経由よりも短く行くことができる。

しかし、単線・非電化区間が存在するため、輸送力は制限されているのが実態で、さらに資源開発

写真 42-01　極東地域を走る貨物列車

や沿線開発による輸送量が計画を下回ったこともあり、シベリア鉄道の代替線としての役割は非常に限定された。

では、どんな貨物を運んでいるのか。これについてもロシア鉄道全体の実績があるだけで、シベリア鉄道やバム鉄道だけの数字はない。2019年のデータによると、石炭・コークス（29%）と石油・石油製品（18%）が抜きんでている。続いて建材（10%）、鉄鉱石・マンガン鉱（10%）となっている。シベリア鉄道も似たような構成であると考えられる。

一方、シベリア鉄道東部区間（タイシェトより東の区間）とバム鉄道について、極東諸港を通じてアジア向けに輸出される石炭への著しい偏りから推測して、石炭が占める割合はロシア鉄道全体のそれと比べて倍以上と考えられる。

列車本数は、シベリア鉄道の東端区間のハバロフスク～ナホトカ間で、1日当たり120本前後、バム鉄道の東端区間のコムソモリスクナアムーレ～ワニノ間で、1日当たり33本程度である。このうち、旅客列車はシベリア鉄道で1日30本から40本前後走っている。モスクワとウラジオストクを結ぶ旅客列車「ロシア号」は2日に1本の頻度で運行されている。

グローバル化の中で、極東とシベリア地域を走るシベリア鉄道の東部区間とバム鉄道は、輸送量がアジア向け資源輸出の拡大で増加し続けている。2013年の輸送量は6000万t余りに過ぎなかった。輸送量は毎年1000万tほどの割合で増え続け、2022年には1億5800万tになった。このうち、シベリア鉄道東部区間が1億2000万tと4分の3を占めている。一方、バム鉄道は、東端区間のコムソモリスクナアムーレ～ワニノ間で3800万t前後となっている。

ロシアの東方シフトは一段と強まり、ロシアの石炭や木材など資源の人気は高い。この流れに乗ろうと、プーチン政権はシベリア鉄道東部区間とバム鉄道の輸送力拡張を最重要課題の1つに位置づけ、複線化、電化、トンネルや橋梁の新設・改修などに取り組んでいる。なかでも、バム鉄道を複線化・電化することによって、シベリア鉄道と並ぶ幹線にする、事業費1兆円規模のメガプロジェクトが進められている。こうした取り組みにより、シベリア鉄道東部区間とバム鉄道の輸送力を2024年までに1億8000万t、2030年までに2億1000万tに増強する計画である。

貨物の東方シフトで、「お荷物」だったシベリア鉄道東部区間とバム鉄道は活気を取り戻し、貨物の東方シフトとそれに伴う鉄道の輸送力拡張は今や、ロシアの中長期的なトレンドとなっている。10年後、さらにどのような変貌を遂げているのか、楽しみである。

（齋藤大輔）

43

シベリア・極東の人口減少問題

★90年代の混乱と2000年代の安定化★

ロシアがソ連崩壊後、極めて急速な人口の減少に直面したことが知られる。ソ連崩壊直後の1992年におけるロシアの総人口は1億4850万人であったが、そののち2010年まで継続的に減少し1億4200万人を下回った。社会の安定化や好景気、出産年齢の女性人口の増大等を背景に出生率が上昇・死亡率が低下したことでそこから2017年までは総体的に安定的な推移を見せるが、それ以降は再度人口減少が生じている。2020年の総人口は(クリミア共和国・セヴァストーポリ市を除いて)1億4400万人であり、ソ連崩壊時と比較すれば400万人を超える減少を見せたことになる。

シベリア連邦管区・極東連邦管区(2020年の管区区分による。以下、単にシベリア・極東と略記する)の人口も、ロシア全体と同様の傾向を見せた。ただし、シベリア・極東の自然人口動態はロシア全体のそれに比べれば、相対的には安定していたということができる。すなわち、死亡数が出生数を上回る状況に至ったのは全体の傾向と同様であるが、死亡率の上昇にせよ、出生率の低下にせよ、シベリア・極東における自然動態はロシア全体ほど酷い状況を見せるものではなかったのである。図43－01

図43-01　ロシア全体・シベリア・極東の人口動態（粗出生率と粗死亡率、人口1000人あたり）

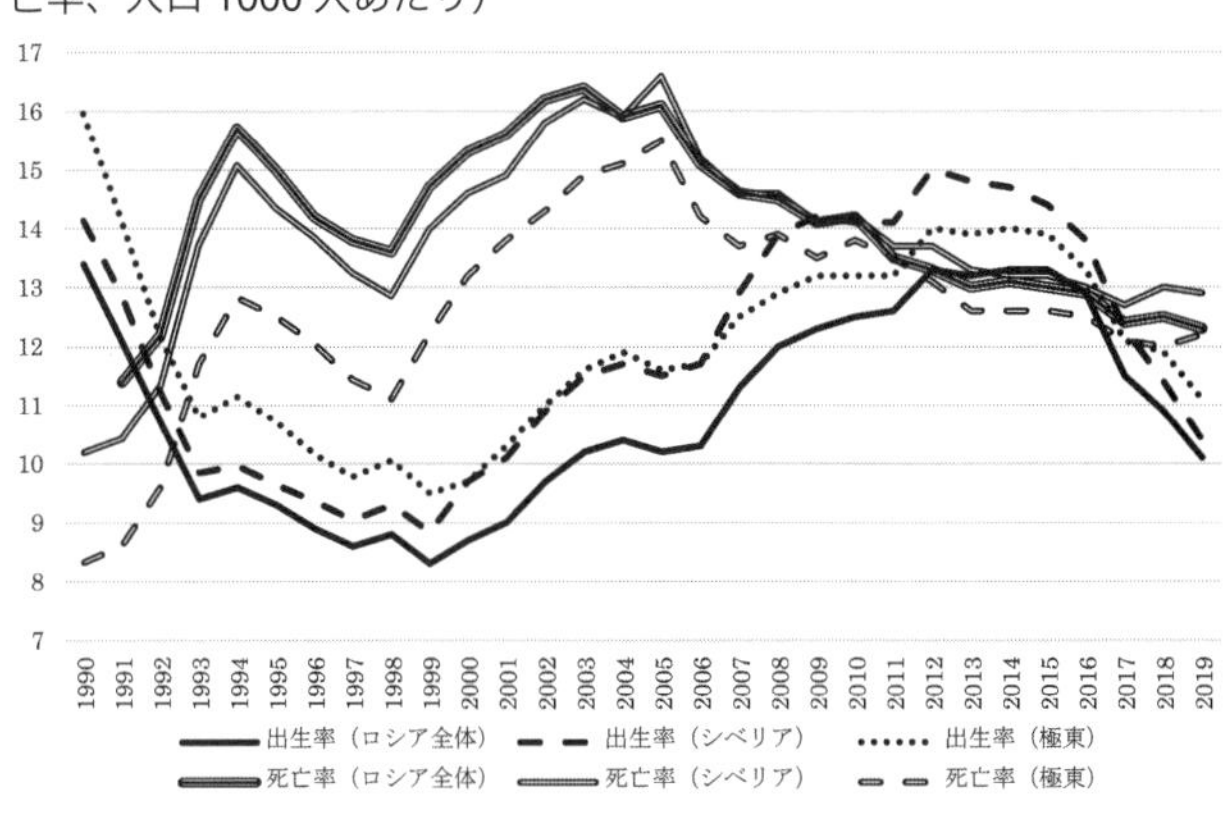

に示すとおり、シベリアの死亡率は２０００年代初頭に至るまであるいは極東の死亡率はほぼ常にロシア全体よりも低く、また出生率についていえばシベリア・極東は一貫してロシア全体の数字よりも大きくなっていることが分かる。

　これは明らかに、シベリア・極東の人口構成が、ロシア全体と比較して「若い」ことによる。ロシアの老年（この場合は年金受給年齢未満）人口比率は１９９０年代には20％程度で、２０２０年には25％に達している。他方シベリアは、１９９０年代にはそれよりも３～４％低く２０００年代に至っても２％低い。極東地域においては、ソ連崩壊後一貫して５％から４％は低い比率をみせている。シベリア・極東は言うまでもなく国内でも最も人口密度が低く、ソ連時代には開発対象地域として多くの労働流入が見られていた。したがって、人口構成が若年層寄りになったのである。

　ある程度肯定的な自然動態にも関わらずシベリア・極東の人口が激しい減少をみせたのは、それまでとは逆の地域間移動が生じたことによるものであった。ロシア全体は旧ソ連構成共和国からの民族的ロシア人帰還により人口の自然減少を緩和することができたが、シベリア・極東は大規

図 43-02　ロシアにおける地域間人口移動率（1 万人あたり）

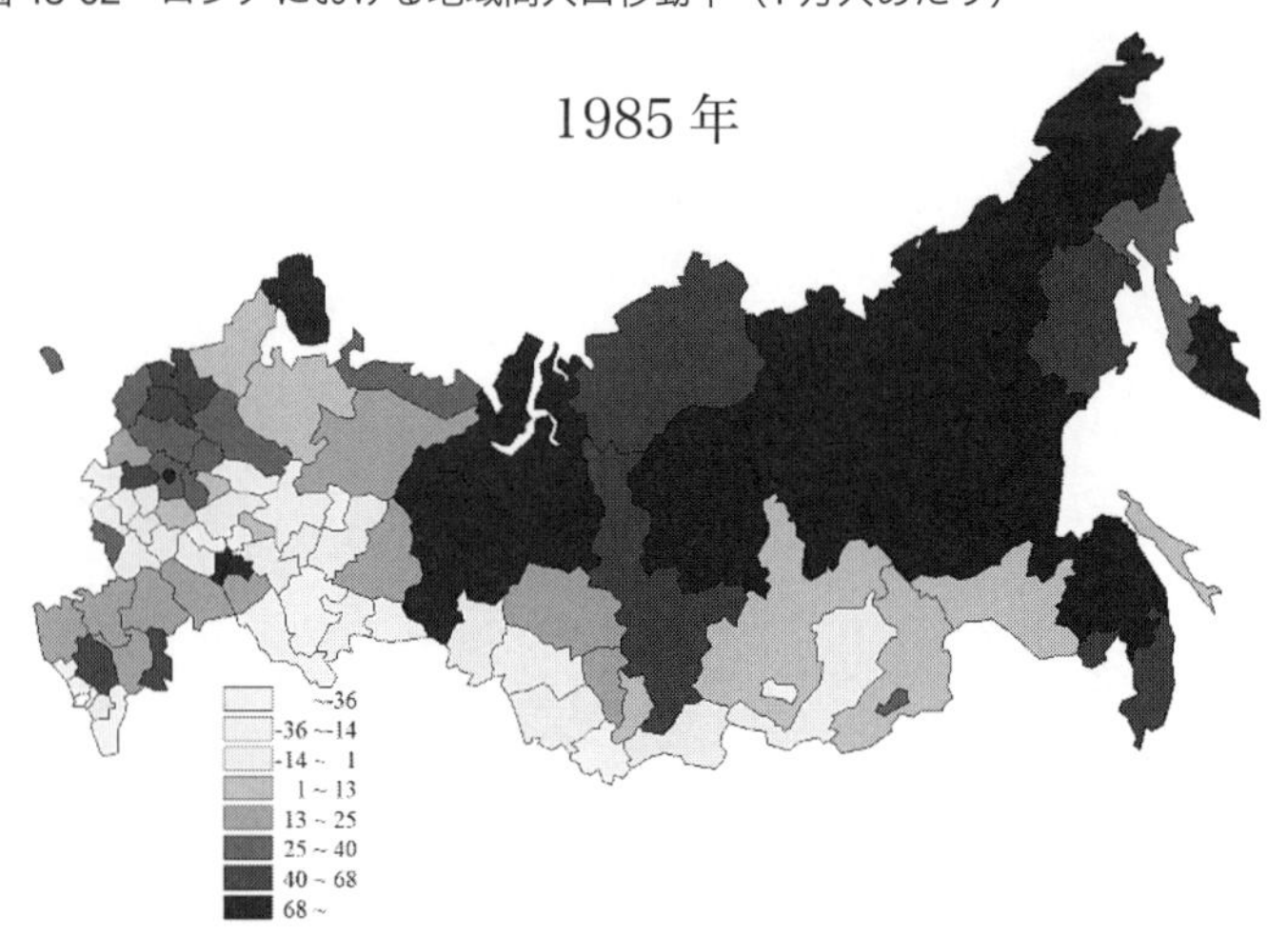

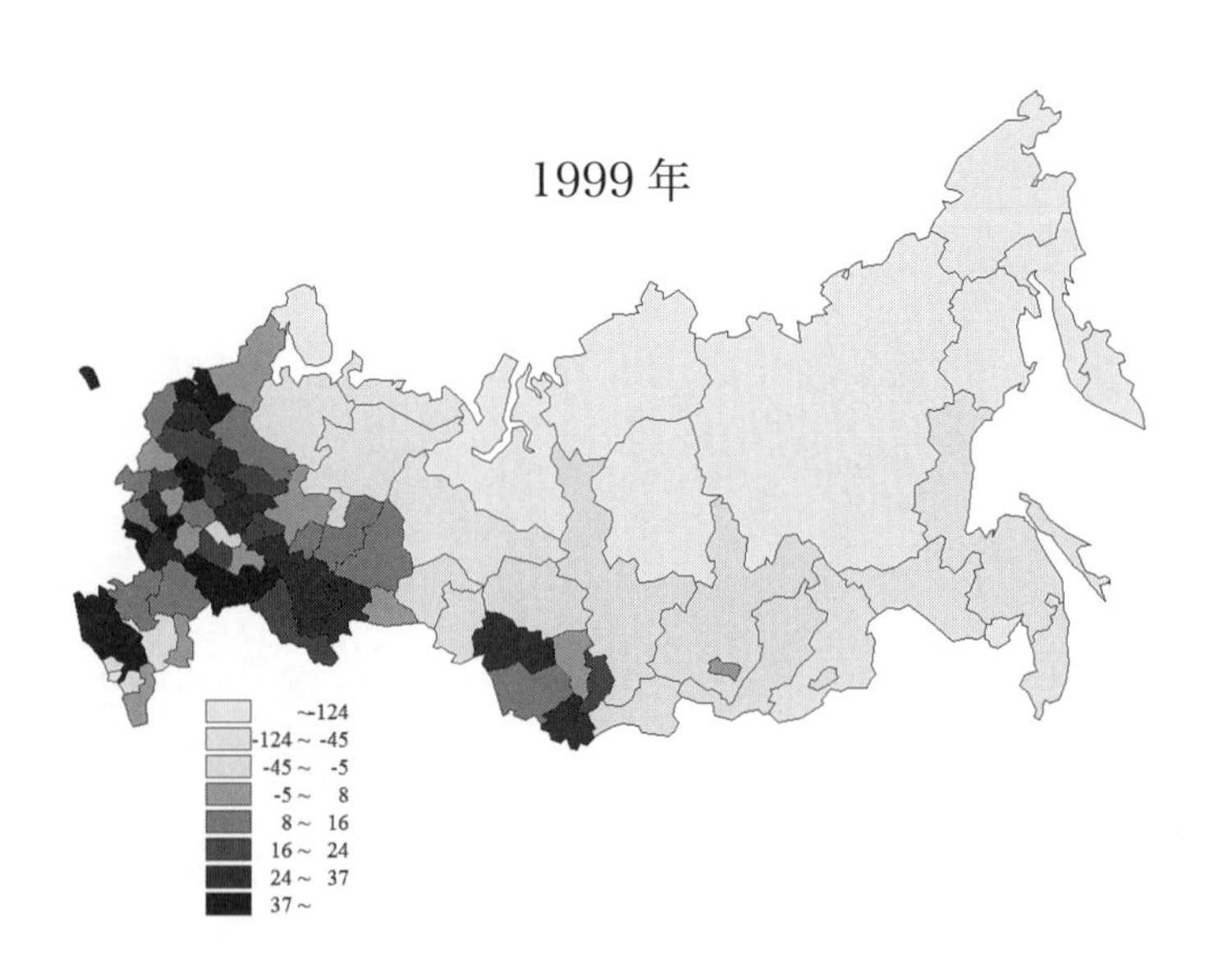

模な人口の流出を経験したのである。気候が穏やかでインフラも整ったヨーロッパ地域への転出が生じたことにより（図43―02）、シベリア・極東では自然減少を大きく上回る人口の縮小がみられた。東端にあるチュクチ自治管区やマガダン州では1990年代には年あたりで総人口の10％を超えるような流出も生じたほどである。1990年から2020年にかけてのロシア全体の総人口の縮小は最初に記したとおり3％程度に抑えられているが、シベリアでは1875万人から1706万人へと9％減となり、そして極東においては1042万人から815万人に、20％以上減少したのである。

ただし、シベリアについても極東についても、急激な人口の縮小はすでにみられなくなっている。たとえば極東の場合、1990年から2010年までの間に200万人以上の人口減が生じた一方、2011年から2020年の10年間では20万人の減少に留まった。シベリアも同様で、同じ二期間の人口減少はそれぞれ150万人超・12万人弱となっているのである。すなわち、極端に困難な時期はすでに終焉しており、ある程度安定した状況をみせていると言うことができよう。

しかしながら、それでは今後においてこれら地域がより多くの人々を再度、ソ連時代のように引きつけることができるであろうか。率直に言ってそれには強い疑問を覚えざるを得ない。かつてソ連時代には、大学新卒者に対して地域の職場を割り当てたり、あるいは開発対象地域の物価水準を低く抑えると同時にそれら地域の賃金率を高く設定したりすることにより労働者を引きつける、あるいは定着させることを試みてきた。だがそれは現代のロシアでは現実的な手段ではないであろう。人口規模が市場の規模に直結することは、昨今におけるBRICSの台頭が如実に示すとおりである。その点で鑑みると、シベリア・極東の人口規模が限定的であることはその将来を制約するものとなり得る。

とはいえ、インフラの整備が進んでいないこれら地域に対し、米国に対峙していたという軍事的観点から開発が推し進められたソ連時代こそが無理な状態の維持を試みていたのであって、元来人口の希薄な地域に労働力を分散立地させるよりも、ある程度特定の地域への集住を進めることのほうが合理的であるとも考えられるのである。

2021年に開催された「東方経済フォーラム」において、極東・北極開発省や沿海地方政府等はウラジオストク近郊に「スプートニク（衛星）」と称する新たな地区の建設を行い、そこに30万人の人口を見込みウラジオストクとあわせて極東地域初の100万大都市圏の創設を目論んでいることが報じられた。だが他方、ロシア連邦統計局は2020年時点でシベリア・極東の人口について、2021年から2036年の15年間において17万人（高位推計）から139万人（中位推計）の人口減少が生じることを想定している。これは15年間で0・7~5%強の減少であるが、同推計でロシア全土については2%の成長~2・5%の減少を見込んでおり、シベリア・極東はこれまでの30年間と同様、全国平均以上に人口の減少が生じることが予測されているのである。政府主導の地域開発が有効なものとなるか否か、見極めていくことが必要であろう。

（雲　和広）

44

ロシアの北極政策

★プーチン政権下の急展開★

ロシアの現在の北極政策は、ゴルバチョフソ連共産党書記長による１９８７年10月1日のムルマンスク演説に始まると考えられる。これは、ロシア極東の対外開放を宣言した１９８６年7月28日のウラジオストク演説の1年後に行われたものであった。彼はこの演説の中で、①北ヨーロッパの非核化、②北ヨーロッパの隣接海域における海洋軍事活動の制限、③北方圏資源開発における平和的協力、④北極圏の科学研究、⑤環境保全における北方圏諸国の協力、⑥北極航路の外国船舶への開放の6点の提案を行った。現在から振り返っても、これらの提案は、北極圏の利用のあるべき方向性を示したものとして評価できるのではないかと思われる。ロシアは、北極圏全体の経済活動や人口の約6割を占めており、ロシアの北極政策が世界各国の北極政策に与える影響は極めて大きい。

この提案のうち、①と②は、ゴルバチョフの主導した冷戦の終結により、一定の前進を見たと言えるのではないだろうか。④と⑤はロシアのほか、カナダ、デンマーク、フィンランド、アイスランド、ノルウェー、スウェーデン、米国の計8か国を加盟国として北極評議会が１９９６年に設立されたことなどにより、大きく進展した。ただし、この北極評議会は、軍事・安全保障関連事項は扱わないこととされている。一方、③と⑥が本格的に進んだのは、２０１０年代のことであった。それには、第1に、気候変動・地球温暖化の進行により、とくに２０００年代に北極圏において顕著な温度上昇がみられたことが寄与した。これは、夏季の海氷面積の著しい減少をもたらし、北極航路を利用した開発資材や石油・ガスの輸送が以前と比べて飛躍的に容易になった。第2に、急速な発展を遂げた新興国における需要の増加を背景に、原油を始めとする資源価格がやはり２０００年代に著しく高騰したことが挙げられる。これにより、コストが高い北極圏での経済開発にも着手できることになったのである。

このような状況の変化の中で、プーチン政権は、２００８年9月18日付大統領令で「２０２０年までとそれ以降の北極圏におけるロシア連邦の国家政策の基礎」、２０１３年2月8日付大統領令で「２０２０年までのロシア連邦北極域の発展および国家安全保障の戦略」、２０１４年4月21日付政府決定で国家プログラム「ロシア連邦北極域の社会・経済発展」を採択した。これらは、２０２０年までを対象期間としてロシアの北極政策を定めたものであった（このうち国家プログラムは、２０２５年までを視野に入れて２０１７年8月31日付政府決定で全面改訂された）。

これらの政策を定めるうえで北極圏地域（以下、北極域）をより明確に定義することが必要となり、２０１４年5月2日付大統領令によりそれが定義された。その後、何度か範囲の拡大が決定され、２０２４年3月時点では図44―01のようになっている。これら北極域は全体として面積ではロシア全体の30％を占め、人口では１・６％を占める（２０２３年初現在、２４１万人）。図から分かるように、北緯66度33分の北極線以北（北極圏）が基本となっており、ムルマンスク州、ネネツ自治管区、ヤマル・

図 44-01　ロシア北極圏

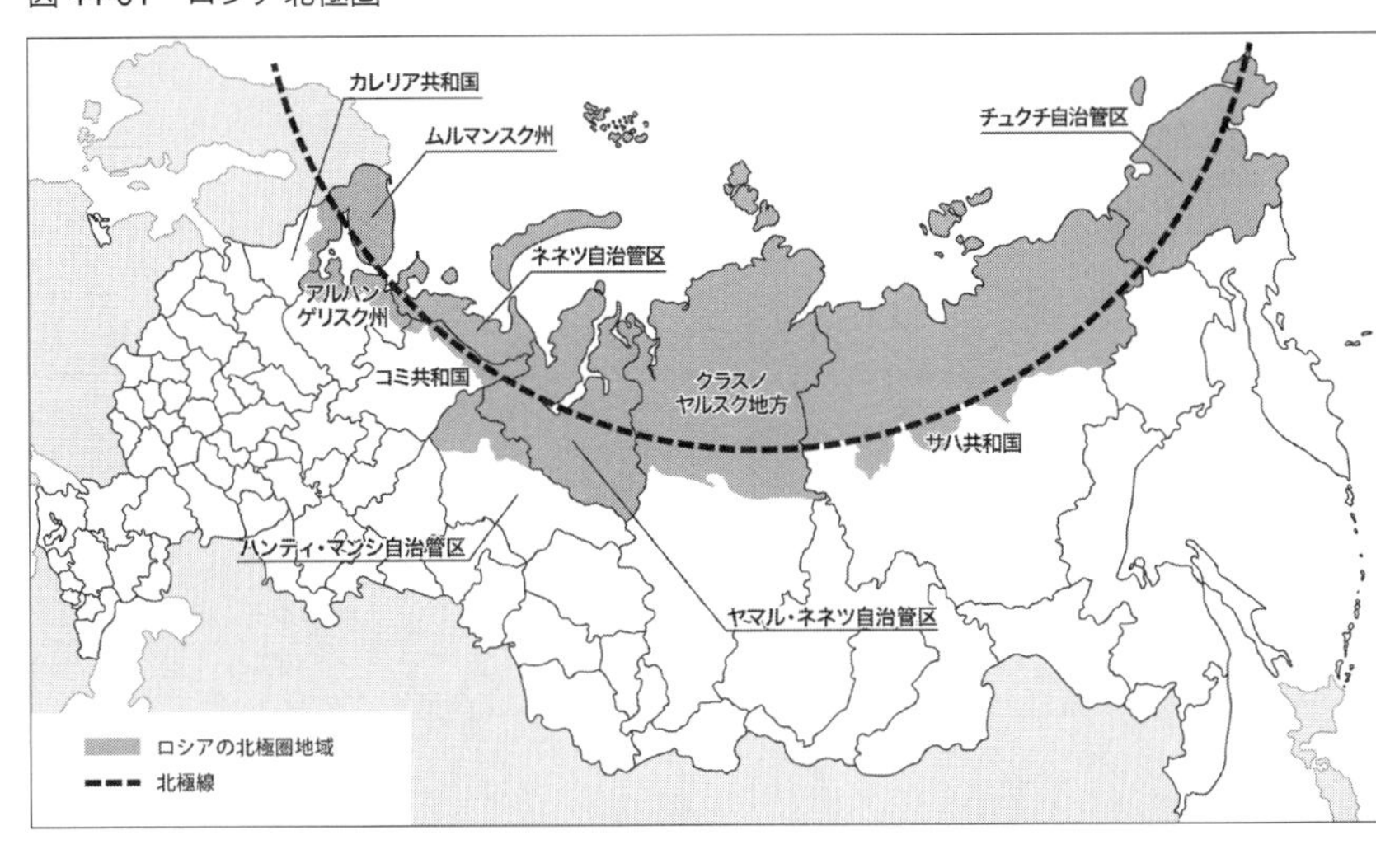

ネネツ自治管区、チュクチ自治管区の全域と、カレリア共和国、アルハンゲリスク州、コミ共和国、ハンティ・マンシ自治管区、クラスノヤルスク地方、サハ共和国の一部が含まれている。

２０１９年２月26日付大統領令では、極東発展省が極東・北極発展省に改組され、同省が北極域についても管轄する体制となった。

上述の２０２０年までを対象とした「基礎」、「戦略」、「国家プログラム」に代わる新たな「基礎」、「戦略」、「国家プログラム」が、２０２０年以降、順次採択された。同年３月５日付大統領令による「２０３５年までの北極圏におけるロシア連邦の国家政策の基礎」、同年10月26日付大統領令による「２０３５年までのロシア連邦北極域の発展および国家安全保障の戦略」、２０２１年３月30日付政府決定による国家プログラム「ロシア連邦北極域の社会・経済発展」がそれである。このうち、国家プログラムは２０２４年までが対象となっている。

上記「戦略」では、２０３５年までの目標数値が示されている。たとえば、ＧＲＰ（地域総生産）に占める北極域のシェアは２０１８年の６・２％が２０３５年には９・６％になるとされ、原油のシェアは同じく17・3%から26%に、天然ガスのシェアは82・7%から91%に拡大するとされている。急激な盛り上がりを見せている世界的な脱炭素化の動きはほとんど考慮されておらず、依然として資源開発を中心とする発展が見込まれていた。

以上のように、プーチン政権下で近年これだけ北極域開発に力を入れてきたのは、石油・ガスなどの資源開発を進めるためであった。北極域には石油・ガスの相当の埋蔵量が見込まれており、ロシア経済は石油・ガスに強く依存することから、北極域の資源開発は必須の課題となっていたのである。実際、ロシア北極域は、公共サービスのコストが高く、そのために多額の補助金を受けていたにもかかわらず、それをはるかに上回る石油・ガス税収を連邦財政に納めてきた。しかし、ロシアによるウクライナ侵攻は、こうした状況を根底から覆すものとなった。ロシアから大量の石油・ガスを輸入してきた欧州や日本は、これまでロシアの北極域開発に積極的に関わってきたが、そのような構図は完全に崩壊したと見なされる。北極評議会は休止状態が続いており、北極域における国際協調の可能性は大きく遠のいている。

一方、ロシアは、これまでのところ北極政策の見直しを行っていない。2022年8月1日付政府指令で「2035年までの北方航路発展計画」が採択されたが、そこに示された北方航路の貨物輸送量の目標値は、むしろこれまでの目標値を大幅に上回るものとなっており、それは、北極域における石油・ガス開発がこれまで以上に進展することを前提とするものであった。ロシアは、早晩、このような北極政策を見直さざるを得なくなると予測される。

（田畑伸一郎）

45

シベリア・極東観光案内

★大自然の宝庫、多様な民族文化と歴史★

シベリア・極東の大地は広大だ。西はウラル山脈から、東はチュクチ半島の太平洋まで広がる。永久凍土が分布し、タイガ（針葉樹林帯）やツンドラといった植生帯や地理的景観が展開する。都市に隣接し、ダーチャのある気軽に楽しめる自然から、人跡未踏の大自然までが存在し、多くの先住少数民族とさまざまな文化を育んできた。

近年注目されているのが、ウラジオストクだ。日本から一番近いヨーロッパで、東京と直行便で結べば約2時間半であり、長らくロシアの東側の玄関口となってきた。20世紀初頭には多くの日本人が住み、歴史的な関係も深い。与謝野晶子が列車でパリに向かう際に詠んだ歌碑も残っている。坂道の美しいこの都市は軍港でもあり、シベリア鉄道の起点として知られ、賑やかだ。

ハバロフスクは、静かで落ち着いた瀟洒な街並み。世界屈指の長さ・流域のアムール川も忘れてはいけない。タンカーの如く大きな船が行きかう様は、珍しい光景だ。遊覧船に乗れば広大さをより身近に感じられる。近郊には少数民族ナナイ人が住むシカチ・アリャン村がある。伝統衣装や舞踊に触れ、新石器

写真45-01　冬のトボリスク・クレムリン

時代の岩絵を見ることができる。

シベリア鉄道の象徴である「ロシア号」に乗車すれば、6泊7日で終点モスクワまで行ける。長い旅路だが、シャワー完備の車両に刷新され、より快適に過ごせるようになった。限られた時間なら、夜行寝台オケアン号が手軽だ。ウラジオストクからハバロフスクまで約12時間の列車旅を味わえる。その他、人々の暮らしを体感できる近郊列車、ラグジュアリーな特急列車、シベリア鉄道全線を走り抜けるもの、区間で運行するものなど幅広い選択肢が魅力だ。

西シベリアの中心はノヴォシビルスク。「シベリアの首都」と呼ばれるロシア第3の人口を誇る大都市で、ロシア第2の航空会社S7航空の本拠地だ。日本人ダンサーも長らく活躍してきた国立オペラ・バレエ劇場は街のシンボル。ニコライ礼拝堂はロシア帝国の地理的中心地だった。シベリア鉄道を横目にオビ川沿いの遊歩道を散策すると気持ち良い。開通当時の橋脚が一部保存されており、博物館には機関車が展示され、鉄道ファン垂涎の地である。東京ドーム13個分の広さの動物園も訪れて欲しい。マヌルネコやユキヒョウなどの希少種を保護・飼育している。

あまり知られていない街にも多くの魅力が眠っている。

ロシアによるシベリア進出の端緒をつくったイェルマークによって建設され、18世紀にはシベリアの首都として栄えたトボリスク。ロシア最大の油田地帯にある州都チュメニより車で約3時間半の所にある。街には白亜の装いが美しい、シベリアで唯一の石造りのクレムリンがある。赤の広場は、今では噴水のある広い公園として憩いの場になっている。２００年前の建設時さながらの、クレムリンへと続く石造りの擁壁（ようへき）で補強された木製の階段も見所だ。

サハ共和国の首都ヤクーツク。鉄道は未開通のため、飛行機を利用するのが一般的だ。博物館にはマンモスの骨格標本が展示されている。冬の市場では凍った魚が野ざらしで売られているのが目につく。余りの寒さで冷凍庫いらずだ。ヤクーツクより車で2日行くと、超極寒の地として知られるオイミャコン村がある。レナ川上流では、世界遺産の石柱群がみられる。大型船クルーズやチャーター船で訪れることができる。

ロシアには11か所の世界自然遺産がある。そのうち実に9か所（バイカル湖、カムチャッカの火山群、アルタイの黄金山地、中央シホテアリニ、ウヴス・ヌール盆地、ウランゲリ島保護区、プトラナ台地、レナ石柱自然公園、ダウリヤの景観群）がシベリア・極東にある。自然の豊かさを感じられる地域だ。大部分は辺鄙で簡単には人を寄せ付けない場所にあるが、行けない訳でもないので、いくつか紹介しよう。国境や辺境地域では入域許可が必要な場所も多い。事前申請に2か月以上かかる場合もあり、個人での手続きは難しい。積極的に旅行会社を利用しよう。

バイカル湖は、世界最高の透明度を誇り、唯一淡水に生息するバイカルアザラシや、マスに似たオームリが有名だ。シベリア鉄道沿線の都市イルクーツクより車で約1時間半。湖岸の村リストヴャンカには展望台がある。湖を一望でき、日がな一日眺めていたい絶景だ。夏にはボート遊びや、野生の草花を眺めるのも良い。湖に浮かぶオリホン島には、先住民族ブリヤート人が住み、パワースポットとして注目されている。また、湖東岸には温泉スポットもある。厳寒期、湖が完全に凍ると湖上を車で走ることができる。スケートをしたり氷堤を見たりと、冬ならではの楽しみ方も魅力だ。

写真 45-02　バイカル湖名産オームリの燻製

カムチャッカ火山群には火山の博物館と称されるほど多様な噴火様式の火山が存在する。開発があまり行われず、ヒグマなどのさまざまな動植物が多く生息する。州都ペトロパヴロフスクカムチャツキーはウラジオストク等と飛行機で結ばれている。市内から車で約2時間の所にあるアヴァチャ山。ベースキャンプから頂上までは往復約12時間の山登りだ。ここは高山植物の宝庫で、ハイキングでも十分に楽しめる。カルデラや間欠泉などの火山活動や、野生のヒグマを見たい場合は、ヘリコプター周遊がおすすめ。自然相手のため、ガイドの同行は必須だ。

「ロシアのスイス」と呼ばれるアルタイ。雪山や湖が絶景を織りなす地域には、ユキヒョウなどの絶滅危惧種も生息する。ノヴォシビルスクと飛行機で結ばれている、アルタイ共和国首都ゴルノアルタイスクから車で約3時間。黄金山地で最も魅力的なリゾート地、テレツコエ湖畔の村アルティバシュには、ハイキングやボート、釣り、スキー等、自然を満喫する術が揃っている。この場所以外の訪問は、事前に煩雑な手続きが必要だ。ウコク高原からは「ウコクの王女」と呼ばれる紀元前のミイラが見つかった。アナーヒン博物館に展示されているので、立ち寄ってみるのもよい。

中央シベリアに広がるプトラナ台地はアクセス困難な場所の1つで、車では到達できない。玄武岩質の溶岩台地には、15段あるタリニコヴィ滝や絵のように美しいラマ湖など、手つかずのタイガやツンドラに広がる想像もつかない景色がある。野生のトナカイの移動ルートはこの場所を通っている。9月にはオーロラを見られることもある。基点都市は、入域に事前許可が必要になるノリリスク。ノヴォシビルスクと飛行機で結ばれている。ボートでラマ湖を渡れば、キャンプをしながらハイキングを楽しめる。ヘリコプターからは、渓谷や滝の絶景も眺められる。はるか1600km南にあるクラスノヤルスクよりエニセイ川クルーズの一部として訪れることも可能だ。

ここで、現地の食文化にも触れておこう。極東地域では、日本でも馴染み深い食材が散見される。カニやサケ・マスとイクラを始め、沿岸部ではナマコやタコも採れるし、昆布などの海藻はスープにする。山菜のワラビやごぼうはサラダやマリネで食べる。

森の中に分け入れば、そこは食材の宝庫だ。松ぼっくりに松の実、タンポポはヴァレニエ（果物や木の実の糖類煮）に、ホロムイイチゴ、ラズベリーなどさまざまなベリーはヴァレニエやモルス（発酵ベリーで作る冷たい飲み物）にする。さまざまな薬草などとウォッカで薬用酒バルザムができる。また、キノコの種類も多彩だ。ポルチーニ、チチタケ、ナラタケなど数えたらきりがない。ベリーと同様に生活から切り離せない特別なものだ。また、ソバや菩提樹から採れるハチミツ、とくに最高品質と名高いアムールキハダのものはぜひ試したい。

各地の少数民族の食文化はさらに多様で、主菜が肉や魚と地域によって異なる。ジビエ（アカシカ、トナカイ、仔馬）を使い、茹で肉や臓物スープ、血のソーセージにして食べる。ムクスンやオームリといった魚は冷凍して薄切りにしたり、燻製やスープにしたりする。一般的なロシア料理もその地毎に食材が異なる。とくにオームリの燻製や塩漬けはバイカル湖の名産だ。アカシカのペリメニやチョウザメのボルシチなども興味深い。

少数民族の工芸品は土産に最適だ。動物の骨を加工したお守りやペンダント、毛皮でつくった靴やコートは伝統的な模様が施され、とても綺麗だ。とくにサハではマンモスの骨を加工しているのが特徴的だ。金やダイヤモンドの世界有数の産地でアクセサリーも手に入る。スーパーなどで、個性豊かなラベルのウォッカや缶詰を選ぶのも楽しい。イクラの缶詰は日本ではまず見かけないだろう。トナカイや馬、鹿肉の缶詰も売られている。貴金属や缶詰の日本への持ち込みは税関や検疫が関わるので、事前に調べておこう。

シベリア・極東での移動は飛行機と鉄道を上手に使い分けよう。広大な土地のため、移動には想像以上に時間を要することがある。交通手段は季節によっても異なる場合がある。夏は船で移動できた川や湖は、冬になれば完全に凍り、車やホバークラフトの出番になるのだ。

服装にも準備が必要だ。夏場は日本に比べると温度・湿度共に低く、Tシャツに長袖シャツを羽織れば過ごしやすいだろう。朝晩は冷え込むので、上着の用意を忘れないようにしたい。虫が多い時期なので虫よけも必携だ。冬場は一転して重装備になる。多くの地域では0℃以下が当たり前なので、防寒対策が必要だ。断熱性の高い衣服に手袋、厚手の靴下と耳を隠せる帽子が重要だ。酷寒の地に行くのであれば極地仕様が必要になるが、現地でも購入・レンタルできる。

コロナ禍に続き、2022年2月のロシアによるウクライナ侵攻開始で、日露間の直行便がなくなるなど、渡航の難易度は増してしまった。それでも、シベリア・極東の地は広大かつ多種多様で興趣は尽きない。本章が、読者がその魅力に目を向けるきっかけになることができれば、幸いである。

（内山暁央・豊田絵里子・福井　学）

46

ウクライナ侵攻とシベリア・極東

★「東方シフト」は加速するか★

プーチン体制のロシアは、２０１４年にウクライナからクリミアを奪い、またウクライナ東部のドンバス地方にも介入した。そして、２０２２年2月24日には「特別軍事作戦」と称しウクライナへの全面的な軍事侵攻を開始し、これによりロシアと欧米日の対立も決定的となった。

この戦争は、シベリア・極東の今後の命運をどのように左右するだろうか？　当然、戦争がどれだけ続き、どのような形で終わるかによって、違ってくるだろう。プーチン体制とて永遠ではないはずで、いつかより穏健な政権が成立して、ウクライナおよび欧米日との和解が進むと、期待はしたい。他方で、ロシアとウクライナの戦争は典型的な領土戦争と化しており、一方がこれだけ得れば他方がそれだけ失うというゼロサムゲームになってしまったので、妥協が難しく、特にクリミアは難問である。ロシアによる破壊・殺戮行為に対し、ウクライナおよび国際社会はロシアに賠償の支払いと戦争犯罪人の引き渡しを要求しており、この課題もロシアの体制が変わらない限りクリアされそうもない。こうしたことから、いずれ戦火が収まることはあるにしても、ロシアとウクライナおよび欧米日との厳しい

写真 46-01　2022 年 6 月にトゥバで開かれたロシア軍支持集会の様子（トゥバ共和国公式サイトより）

対立関係は長期化・常態化すると想定せざるをえない。

ウクライナ侵攻がシベリア・極東に及ぼす影響のうち、すでに顕在化しているのが、戦没者の多発である。プーチン政権は、首都モスクワなど大都市住民にはなるべく戦争の影を感じさせないような政策を採っており、ウクライナ戦線に投入する兵員は、辺境、貧困地帯、少数民族地域などを中心にリクルートする傾向がみられた。メディアゾーナという独立系の報道機関が、判明した訃報を独自に集計して「特別軍事作戦」の戦没者数を発表しており、完全に網羅的なものではないものの、大まかなパターンを掴むのには役立つ。表に見るとおり、これをもとに人口当たりの戦没者数を弾き出すと、シベリア・極東諸地域の犠牲の大きさが目立つ。人口当たりの戦没者が多い上位10地域のうち、実に7地域がシベリア・極東に属す。シベリア・極東合計では８５１４人の戦没者が確認されており、国全体の26％を占めている。モスクワやサンクトペテルブルグといった華やかな都で犠牲者がごく少ないのとは、対照的だ。もっとも、ハバロフスク地方に駐屯するロシア陸軍第64独立自動車化狙撃旅団がブチャの虐殺に関与したとされているように、ウクライナにとってみればシベリア・極東も凶悪な加害者であることに変わりはない。

その一方でウクライナ侵攻は、ロシアにとり百年に一度の転換点になり、国の重心が西から東にじわりと移って、結果的にシベリア・極東の重要性が高まるシナリオも考えられる。多くの論者が、今

表46-01 「特別軍事作戦」によるシベリア・極東各地域の戦没者数（2022年2月〜2023年9月）

連邦構成体	2020年国勢調査による人口	特別軍事作戦での戦没者数	人口100万人当たり戦没者数	
				85地域中の順位
ロシア全体	147,182,123	32,656	222	—
トゥバ共和国	336,651	426	1,265	1
ブリヤート共和国	978,588	940	961	2
チュクチ自治管区	47,490	36	758	4
ザバイカーリエ地方	1,004,125	728	725	5
マガダン州	136,085	96	705	6
アルタイ共和国	210,924	135	640	7
サハリン州	466,609	275	589	8
ハカス共和国	534,795	210	393	13
カムチャッカ地方	291,705	98	336	20
サハ共和国	995,686	305	306	25
沿海地方	1,845,165	547	296	29
ユダヤ自治州	150,453	43	286	33
イルクーツク州	2,370,102	616	260	41
クラスノヤルスク地方	2,856,971	703	246	44
オムスク州	1,858,798	454	244	45
アルタイ地方	2,163,693	525	243	47
ヤマル・ネネツ自治管区	510,490	116	227	49
チュメニ州	1,601,940	344	215	54
ノヴォシビルスク州	2,797,176	588	210	57
ケメロヴォ州	2,600,923	505	194	63
ハンティ・マンシ自治管区	1,711,480	325	190	64
トムスク州	1,062,666	194	183	66
アムール州	766,912	138	180	68
ハバロフスク地方	1,292,944	167	129	80
(参考) サンクトペテルブルグ市	5,601,911	341	61	84
(参考) モスクワ市	13,010,112	332	26	85

(注・出所) 戦没者数は、独立系報道機関「メディアゾーナ」が判明した訃報から独自に集計したものであり、完全に網羅的ではない。

般のウクライナ危機により、以前から唱えられていたロシアの「東方シフト」が、いよいよ待ったなしになるとの認識を示している。

実際、貿易をとってみても、開戦後にロシアは欧米との取引を急激に縮小させ、それ以外の地域との取引比率を拡大し、特に中国との関係を従来以上に深めている。欧州との物流ゲートウェイであるロシアのバルト海港湾が麻痺状態に陥ったのと対照的に、極東港湾の貨物量は、2022年には前年比1・5%、2023年には前年比4・4%拡大している。

この1・5%増、4・4%増という数字は、一見地味に思われる。だが、ロシアとしては、本来であればもっと多くの貨物をアジア方面に回したかったものの、シベリア鉄道および極東港湾のキャパシティが限界に達し、これ以上は増やせなかったのが実情だ。したがって、今の情勢が続けば、ロシアは中国を中心としたアジア・太平洋市場へのアクセスを改善するために、シベリア・極東へのインフラ投資を活発化させ、地元がその恩恵に与れる可能性が出てくる。

たとえば、シベリア鉄道およびBAM鉄道の年間輸送キャパシティは、2021年の時点で1億4400万tであった。しかし、ロシア鉄道では現実にはそれをはるかに上回る輸送需要があると想定しており、それを満たすための近代化投資を続けてきた。ウクライナ侵攻後の情勢変化を踏まえ、ロシア鉄道は2023年に、シベリア鉄道およびBAM鉄道の近代化を急ぐ方針を示し、2032年までにはそのキャパシティを2億5500万tにまで拡大したいと表明した。

だが、現実には、プーチン政権はウクライナ侵攻にのめり込むあまり、軍事支出を絶対的に優先しており（コムソモリスクナアムーレ、ウランウデなど軍需工場の城下町は潤うかもしれないが）、そのしわ寄せでシベリア・極東へのインフラ投資などは逆にしばらく停滞する可能性も否定できない。くだんのシベリア鉄道・BAM鉄道の近代化資金にしても、ロシア鉄道では国民福祉基金からの拠出を期待しているものの、優先順位がどうなるかだろう。しかも、シベリア・極東のインフラ投資や資源開発の新規プロジェクトに、先進諸国の資金や技術が入ることは、もはや絶望的になった。

石油・ガスをはじめ、ロシアの輸出にとり伝統的な販路は欧州であり、そこは高い価格で買ってもらえる有利な市場で、両者の間ではパイプライン・鉄道・港湾などの輸送インフラも充実していた。ロシアがその輸出先を中国等のアジア市場に転換することは不可能ではないが、輸送費やリードタイムが増大するし、買いたたかれる恐れもある。地政学的な動機による強行的な東方シフトは、シベリア・極東に多少の波及効果を及ぼすかもしれないが、その結果としてロシア経済の効率と収益性は低下していく。「シベリアの力2」構想などは、その最たるものだろう。ロシアの主力ガス産地のヤマル半島からは、従来は欧州向けにパイプラインが延びていたが、欧州に見切りをつけ中国向けに新たに長大なパイプラインを敷設しようとするのが、この構想だ。

本書で見てきたとおり、日本にとり極東およびシベリアはロシアの中でも身近なエリアで、常に日露の出会いと交流の場となってきた。だが、近い将来にそれが復活することは考えにくい。目と鼻の先にあるサハリンやウラジオストクに出かけるのさえ、簡単には行かなくなった。ロシアは文字どおり近くて遠い国になってしまった。

（服部倫卓）

コラム2

「シベリアの呪い」とは何か？

徳永昌弘

歴史家フィオナ・ヒルと経済学者クリフォード・ガディの共著『シベリアの呪い』（原著2003年）によると、シベリア・極東地域の経済は計画経済体制下の非効率な産業立地で肥大化し、「歪んだ」経済地理を体現している。そのため、ロシアは「収縮」すべきであると説く。ただし、「収縮」すべきは領土ではなく、経済である。具体的には、温暖な地域への移住や生産ネットワークの再編などを通じて生産要素の移動性を高めることで、高付加価値の生産構造に転換し、経済成長の質的向上を図ることが必要であるという。書名から連想されるように、本書は「資源の呪い」（資源開発への依存が長期的には経済発展を妨げるとする主張）に関する議論の延長上にあり、その地域版の議論と言える。また、ソ連経済の停滞を説明する仮説の1つである過剰投資論にも通じているとも考えられる。

ロシアの広大な領土が経済発展の桎梏（しっこく）になるとヒルとガディは主張しているわけでない。この点は、第4章の論題「地理は宿命にあらず」(geography is not destiny) からも明らかで、単なる土地の広さを問題にしているわけでも、まして北方領土を始めとする国境問題と結びつけているわけでもない。彼らの議論の焦点は、シベリア開発がもたらしたロシアの経済地理の「歪み」である。彼らによると、シベリア・極東地域は「未開発」(underdeveloped) ではなく「誤開発」(misdeveloped) の状態にあり、領土ではなく経済が大きすぎるという。ソ連時代の大規模なシベリア開発が当地に残した諸都市は、一国の経済成長の核となるような経済空間ではなく、極寒の地に人為的に作られた「孤島」で

写真コラム02-01 「ダイヤモンドの街」ミールヌィ（ロシア連邦サハ共和国の旅行者向け案内サイト https://travel-ykt.ru/geografiya/naselennye-punkty/mirnyj.html、2021年9月28日取得）

あり、相互の連携を欠く。そのため、巨額の埋没費用（回収不能な支出済みの費用）ゆえに存続させざるを得ないが、市場経済のロジックで見ると経済性を欠いた存在である。世界有数のダイヤモンド産地として知られるミールヌィ（サハ共和国ミールヌィ地区の中心地）は、本書では「失われた都市」(lost cities) の一例として紹介されている。世界有数のダイヤモンド鉱床は存在するが、交通の要衝から孤立・途絶した辺境の地に、本来築くべきでない都市を開発企業とともに築いてしまったためである（写真コラム02―01）。

適正規模を超えたシベリア・極東経済という視点はとくに目新しくないが、注目すべきは開発の過大さを示した実証分析の手法にある。経済発展の実現には適正な空間編成が必要であり、何がどこに集まり、どのように結びついているかを考えなければならない。経済活動の集中する都市こそが、その舞台であり、ロシアの諸都市の規模が妥当かどうかを検証するために、ヒルとガディは「都市の順位・規模法則」（書中ではZipf's lawと紹介されている）と「1人あたり気温」（temperature per capita）という2つの概念を導入している。前者は都市経済学の分野で用いられる概念で、人口数で測られた都市の規模と順位の積は一定であることを意味する。ヒルとガディは2002年の人口センサスの速報値を用いて、ロシアの都市配置が法則から大きく逸脱していることを確認した上で、その原因を市場経済の下ではあり得ない場所に多くの都市が過大に建設されたことに求めた。極寒の地シベリアこそが、その場所である。次に、シベリア開発が招いた非効率な経済地理の歪みを定量的に把握するために、前述の「1人あたり気温」という新しい概念を彼らは提起した。北の大国ロシアでは、等温線は南北よりもむしろ東西に伸びるため、東に向かうほど寒くなる。これがロシア経済にもたらす影響は、ロシアでベストセラーになったA・パルシェフ著『なぜロシアはアメリカではないのか』（2003年）が詳述しており、この議論に着想を得たヒルとガディは、地域人口のシェアで加重した冬季（毎年1月）の平均気温を国別に算出した。その国際比較と時系列変化に基づくと、カナダの「1人あたり気温」は20世紀に1度以上上昇したのに対し、シベリア開発で寒冷地の人口数が大幅に増えたロシアの「1人あたり気温」は逆に1度以上低下した。外気温の低下とともに労働と設備の生産性は低下することを考慮すると、ロシアは「寒さのコスト」（生産性低下に起因する機会費用と寒冷地対策用に支弁した費用の合計）を必要以上に負担したことになる。

本書への書評は多数出されたが、すべてが好意的に評しているわけではない。たとえば、『ロンドン・レビュー・オブ・ブックス』（2004年7月8日）に掲載されたジェームス・ミークの批評によると、寒さの問題に対するヒルとガディのアプローチは根本的に誤っており、問題の所在はどれだけ寒いかではなく、寒さへの対処に必要な費用を支弁するに値するような経済活動が行えるかどうかにある。換言すれば、本書はシベリア開発のバランスシートの債務にだけ注目し、資産については言及していない。また、寒さという1点だけで債務の大きさを測ろうとする発想も、やはり厳しい批判に直面する。シベリア最大の都市ノヴォシビルスクから寄せられた論評の中で指摘されているように、「地震リスクのコスト」、「暑さのコスト」、「環境汚染のコスト」など、経済活動に不利な気候・環境上の要因はいくらでも挙げられる（『エコ』2004年第6号）。とはいえ、現実のシベリア開発が理想像から大きくかけ離れていたことは紛れもない事実であり、開発効果を金銭的に測る指標が限られる中で、比較的容易に入手できる人口数と外気温のデータを頼りに開発の実像に迫ろうとした独創性は高く評価できるであろう。

コラム3

東京農業大学の実験的プロジェクトから見えた可能性

内田一彦

2019年、東京農業大学（農大）はロシアの提携校である極東連邦大学（ウラジオストク）との間で日本の高品質なイチゴを先端的ハウスで栽培する実験的プロジェクトを産学連携プロジェクトとして実施した。ウラジオストクのルースキー島に広大なキャンパスを有する極東連邦大学の一画に日本企業の協力を得て約200平米の炭素強化プラスチックを骨材とするトラス構造のハウスを建設した（写真）。

農大がなぜロシアとの協力を目指したのか、理由は3つある。第1に、建学の祖が初代駐ロシア全権公使の榎本武揚（えのもとたけあき）であるとの縁。第2に、農大は北海道網走に広大な北海道キャンパスを有している。寒冷地に位置しオホーツク海を挟んだロシアとの経済文化交流に大きな関心がある。第3に、ロシアの極東開発プログラムにおいて農業分野の発展・イノベーションは優先的重要分野の1つであるが、これまでロシアの施

写真コラム 03-01　協働での建設作業

設園芸農業を席巻してきた大規模投資による大量生産を目指すオランダ型農業とは対極にある日本型農業（小さなコストで、少人数かつ高品質な農産物を生産する）の有効性をロシア極東農民に提示したいとの意気込みからであった。日本に隣接する極東というフィールドで農大で培ってきた経験とノウハウを十分活かすことが可能と考えたからだ。

栽培する品種は北海道のHOB社から大粒で糖度が高く香りの強い「ペチカホノカ」（夏イチゴ）の提供を受けた。苗の搬入に際して最大のハードルはロシア検疫当局（「ロスセリホスナドゾール」）の許可を得ることであった。これまで多くの日本企業がこの壁に跳ね返されてきたが、ロシア地元企業の協力によって検疫官の訪日検査を含めこの複雑な手続きを極めて短期間にクリアすることができた。また、イチゴ栽培には繊細な作業と経験が不可欠なため苗の定植から収穫に至る約5か月の間、HOB社および農大の専門家と学生が交代で常駐し栽培を指導した。このプロセスには極東連邦大学、地元企業、学生も参加し栽培技術を移転することができた（写真）。ロシア側からは現地で調達が可

写真コラム 03-02　ロシアの学生も参加して定植

能な肥料、農薬などについて貴重なアドバイスをいただいた。プロジェクトの成果は2019年9月の東方経済フォーラムにおいて収穫されたイチゴとともに披露され、ロシアの要人にもハウスを視察していただいた。

農業分野における日本とロシアの大学間交流は既に先行事例があったが、農大が目指した協力はその成果が目に見えるものであって地元の農家、潜在的農業従事者に新たな可能性とインセンティブを提示するもので、何よりもロシア極東の農業発展政策の課題の解決につながるものとしたかった。折しも極東地域では農業振興のため「極東ヘクタール」という国家プログラムが進行中であり、希望するロシア市民には無償で1ヘクタールの土地が提供され農業経営を含めたさまざまな用途に使用することができるというものであった。ただ、これが農業の発展に結びつくかどうかは提供された土地をいかに有効利用できるかにかかっている。農大の実験プロジェクトは、日本型農業というオプションを提示し、財務基盤が弱い個人農であっても低コストで高付加価値かつ安全な農産物を生産し、市場競争力を有する農業ビジネスを展開する新たな方向性を提示できたのではないかと思っている。

また、これは極東のみならずロシア全土の問題であるが、大学と地場産業との結びつきが脆弱で、大学に蓄積された高い技術力や知識が地域経済の発展のために十分活かされていない。今回のプロジェクトでは日本で広く行われている産学連携プロジェクトにロシア民間企業を巻き込んで実施したが、この企業が実験プロジェクトに参加した経験をベースに日本型施設農業の事業化に向けて動き出したことは思いがけない成果であった。私たちの協力が地域における農業の事業化の機運を促進し、そこに日本企業の高い技術力が有機的に絡み合うことは理想的な姿である。幸いにも農大は２０２０年度のフードバリューチェーン構築推進事業（農水省補助金プログラム）の認定を受けることができたので、専門家の交流（感染症の拡大により実現はできなかったが）、品種登録手続きや栽培方法をはじめとするマニュアル化などに取り組み、日ロの農業交流の橋渡しの一助となることができた。

　最後に、日ロ間の農業交流が発展するための重要なファクターとして、農業分野に従事する若い世代間の交流の重要性を指摘したい。２０１９年には日ロ青年交流プログラムの支援を得て極東連邦大学の学生グループを招聘し北海道キャンパスを中心に交流を実施したが、学生たちが両国の農業分野の協力に大きな潜在力と必要性を見出したことは重要であった。極東には実学で中心的役割を果たしてきた沿海地方農業アカデミー（２０２０年に協力協定を締結）もある。日ロの大学間でフィールドワークを含む農業分野での交流を一層深めていくことが求められる。

北海道・極東ロシア間交流
――北方領土の旧居住者の語りから

大西秀之 コラム4

日本列島の北に位置する北海道は、地政学的な位置から、帝政ロシア期からソ連時代を経て現在のロシア連邦に至るまで、近代以降その政治的・軍事的動向に対置させられてきた。日露関係は、たびたび戦火を交えたこともあり、緊張を伴うものであったことから、「北方領土問題」を始め両国関係に影を落とす政治課題が少なからず残されている。

こうした過去の惨禍に基づく不幸な歴史は、ある意味で皮肉なことではあるが、シベリア抑留犠牲者の遺骨収集に代表されるように、東西冷戦期から極東ロシアとの交流の契機ともなってきた。他方で、1970年代に始まる「道民の船」のように、地域間交流も行われてきた。さらには、民間レベルになると、さまざまな交流が経済や観光などを中心に推進されてきた。とはいえ、第2次世界大戦までの歴史を無視して、現在のひいては未来の日露関係を語ることは難しいだろう。このため、本コラムでは、一般に北方領土と総称される島嶼域の旧居住者をめぐる日露の交流に焦点を当てる。

北方領土は、日本政府の公式見解では固有の領土であるが、第2次世界大戦後ソビエト連邦よって不法占拠され、政権がロシア連邦になってからも実効支配を受けている。第2次大戦の終戦までは、日本国籍を有する住民約1万7300人が居住していたが、ソ連軍の占領後、半数が自力で離島し、残りの半数が1947〜1949年に強制退去を迫られ、サハリン（樺太）の真岡での抑留生活を経て、旧樺太庁の日本人居住者と共に函館港に送還された。

その後、北方四島の旧居住者は、北海道を中心に各地に移り住むことになったが、現在3割程が北方領土に隣接する根室振興局管内の5市町で暮らしている。そうした旧居住者たちも、当時を記憶されている世代が高齢となっているため、今後当事者としての語りが難しくなっている。またその語りは、通常では窺い知ることが難しい、実体験に基づく日露の関係史として、極めて貴重な情報となる。とりわけ、戦前戦中の生活史、1945年以降の強制退去から抑留期間の記憶、引き揚げ後の暮らしは、公文書や統計資料などにはほとんど記録されない、まさに個人の記憶でしか得られないものである。

写真コラム 04-01　北方四島の旧居住者への聞き取り

本コラムでは、根室振興局管内の標津町(しべつちょう)と羅臼町(らうすちょう)で行った筆者の調査経験も交え、旧居住者が実体験したロシア人との交流を提示する。旧ソ連は、当該北方四島に進駐した後、翌1946年に一方的に自国領として宣言し、領内から民間人を移住させた。こうした経緯の中では、一部ソ連兵による、島民に対する略奪行為を含む粗暴な振る舞いがあったことが知られている。さらには、函館に送還されるまでの期間、劣悪な環境に置かれたことにより、高齢者や子どもなどの弱者を中心に旧居住者の命が少なからず失われたことが、体験者の語りなどから知られている。標津や羅臼の旧居住者の聞き取りでも、犠牲者の話までは聞かれなかったものの、ロシア軍が進駐してきた際の恐怖や、強制送還までの心身の苦痛を、まるで昨日のことのように語っていた。

しかし、旧居住者の語りの中には、短期間で

はあったものの、ロシアの民間人移住者と交流していたことを垣間見ることができた。またその交流は、旧居住者の置かれた状況を考えると、友好的とまでは言えないまでも、必ずしも敵対的なものではなく、同じ場に暮らす生活者としての交流があったようである。これを裏づけるように、標津や羅臼の聞き取りでも、同じくらいの年頃のロシア人の子どもと、言葉が通じないながらも一緒に遊んだり、時には喧嘩までした、との証言が複数得られている。その他、ロシア人家庭に頼まれ子守をしたり、衣類の修繕をした、といった交流が行われていたことが窺われた。

もっとも、これらの経験談をもって、日露の民間人が取り結んだ「普通の隣人」としての交流関係などと、決して浅薄な美談で片づけるべきではないだろう。極東の片隅に浮かぶ島々での、日露の民間人の出会いは、戦争という惨禍によって引き起こされたことを忘れるべきではない。ただ南千島での日露両国民の交流は、国家間の紛争に翻弄されつつも、懸命に生きた人々の姿を伝えてくれる貴重な記憶といえる。

北方領土の旧居住者は、ビザなし渡航で故郷であるこれらの地域に赴く機会が設けられてきた。ただこうした機会も、2020年以降コロナ禍により中断され、また2022年度からのウクライナ侵攻を契機とする日露の関係悪化によって再開のめどが立っていない。もっとも、領土問題が解決しない限りは、ビザなし渡航が、日露の新旧島民にとって、真の交流を促す契機となりえない。とはいえ、未来に向けた日露の交流を構築するためにも、北方領土の旧居住者の語りを継承することは必須となるだろう。

V

シベリア・極東の諸地域

表　シベリア・極東各地域の主要指標

連邦管区	地図番号		面積（1,000 ㎢）	全国シェア（%）	人口（2020 国勢調査、1,000 人）	全国シェア（%）	GRP（2021、10 億 RUB）	全国シェア（%）	一人当たり GRP（2021、1,000 RUB）	全国平均 = 100
ロシア連邦全体			17,125.2	100.0	147,182	100.0	121,183	100.0	831	100.0
（参考）モスクワ市			2.6	0.0	13,010	8.8	24,471	20.2	1,935	232.9
ウラル	ー	チュメニ州	1,464.2	8.5	3,824	2.6	11,349	9.4	2,993	360.2
	1	チュメニ州本体	160.1	0.9	1,602	1.1	1,536	1.3	992	119.5
	2	ハンティ・マンシ AO	534.8	3.1	1,711	1.2	5,652	4.7	3,335	401.4
	3	ヤマル・ネネツ AO	769.3	4.5	510	0.3	4,162	3.4	7,572	911.5
シベリア	4	アルタイ共和国	92.9	0.5	211	0.1	71	0.1	322	38.8
	5	トゥバ共和国	168.6	1.0	337	0.2	89	0.1	268	32.2
	6	ハカス共和国	61.6	0.4	535	0.4	308	0.3	580	69.8
	7	アルタイ地方	168.0	1.0	2,164	1.5	845	0.7	370	44.6
	8	クラスノヤルスク地方	2,366.8	13.8	2,857	1.9	3,065	2.5	1,074	129.3
	9	イルクーツク州	774.8	4.5	2,370	1.6	1,924	1.6	813	97.9
	10	ケメロヴォ州	95.7	0.6	2,601	1.8	1,807	1.5	690	83.1
	11	ノヴォシビルスク州	177.8	1.0	2,797	1.9	1,617	1.3	581	78.0
	12	オムスク州	141.1	0.8	1,859	1.3	854	0.7	452	54.4
	13	トムスク州	314.4	1.8	1,063	0.7	706	0.6	661	79.5
	ー	シベリア連邦管区合計	4,361.7	25.5	16,793	11.4	11,287	9.3	666	80.2
極東	14	ブリヤート共和国	351.3	2.1	979	0.7	342	0.3	348	41.9
	15	サハ共和国	3,083.5	18.0	996	0.7	1,616	1.3	1,637	197.0
	16	ザバイカーリエ地方	431.9	2.5	1,004	0.7	487	0.4	465	56.0
	17	カムチャッカ地方	464.3	2.7	292	0.2	338	0.3	1,081	130.1
	18	沿海地方	164.7	1.0	1,845	1.3	1,309	1.1	700	84.2
	19	ハバロフスク地方	787.6	4.6	1,293	0.9	987	0.8	759	91.4
	20	アムール州	361.9	2.1	767	0.5	531	0.4	683	82.2
	21	マガダン州	462.5	2.7	136	0.1	315	0.3	2,274	273.7
	22	サハリン州	87.1	0.5	467	0.3	1,234	1.0	2,546	306.4
	23	ユダヤ自治州	36.3	0.2	150	0.1	79	0.1	507	61.1
	24	チュクチ AO	721.5	4.2	47	0.0	136	0.1	2,735	329.2
	ー	極東連邦管区合計	6,952.6	40.6	7,976	5.4	7,374	6.1	909	109.5
シベリア・極東合計（チュメニ州を含む）			12,778.5	74.6	28,592	19.4	30,010	24.8	1,050	126.3

（注）AO は自治管区の略。GRP は地域総生産の略。RUB はルーブルの略。2021 年の年平均為替レートは 1 米ドル＝ 73.62 ルーブル。
（出所）ロシア統計局のデータに基づき筆者作成。

地図　シベリア・極東諸地域

第Ⅴ部では、今日のロシアの地域区分に基づき、シベリアおよび極東の全地域（連邦構成主体）を個別に論じる。基本的にシベリア連邦管区および極東連邦管区の諸地域を取り上げるが、ウラル連邦管区のチュメニ州も伝統的にシベリアの一部と考えられているので、本書では対象に加えている。

地域ごとの各論に入る前に、ここではシベリア・極東諸地域の基礎データを一覧にまとめ、地域地図とともにお目にかける。

表に見るように、シベリア・極東は、面積ではロシア連邦全体の約4分の3を占めるが、人口では2割弱に過ぎない。

経済規模を示す地域総生産の指標では、シベリア・極東がロシア全体に占める比率は4分の1ほどに留まる。もっとも、そこから産出される石油・ガスがロシア全体の輸出収入や財政歳入に果たしている貢献度は巨大である。

1人当たり地域総生産では、チュメニ州や極東の一連の地域が全国平均を超えている。ただ、ロシアでは資源を産出し人口が希薄な辺境地域ほどこの指標が高くなる傾向があり、これをそのまま「豊かさ指標」と見なすことができるかどうかは微妙である。

（服部倫卓）

47

チュメニ州はシベリアの門

★石油・ガス産地の２つの自治管区は実質独立★

現在の西シベリアの地には、15世紀から16世紀までシビル・ハーン国が存在した。16世紀後半にロシア皇帝の支援を受けたイェルマークのコサック軍が進攻する。イェルマーク自身は１５８５年に戦死するものの、ロシア皇帝の命により１５８６年に砦が築かれ、これがチュメニの街の始まりとなった。なお、チュメニの語源は不明だが、テュルク系の言葉が元になっているとの説が有力。チュメニはロシア人が初めてシベリアに築いた街であった。

ただ、チュメニ誕生翌年の１５８７年には、もう１つの古都であるトボリスクが誕生している。その後長らく、チュメニよりもトボリスクの方が重要である時代が続いた。ロシアはここを足掛かりに資源豊かな東方へと進出していき、トボリスクは「シベリアの門」、「シベリア諸都市の父」と称されるようになる。

写真 47-01　チュメニ市内にある最初の拠点油井の記念碑。団地の中庭のようなところに小振りな模型が設置されているだけであり、ここが西シベリア石油・ガス大開発の出発点になったとはとても信じがたい。

トボリスクは、1708年からはシベリア県の、1796年からはトボリスク県の県都となった。なお、元素周期表を作成したD・メンデレーエフは、1834年トボリスクの生まれである。

1917年の2月革命を受け、皇帝ニコライ2世は退位を迫られた。同年8月、臨時政府により皇帝一家はエカテリンブルグからトボリスクへの移動を命じられる。一行は、まず鉄道でチュメニに向かい、そこから汽船でトボリスクに赴いた。1918年5月、ロマノフ一家はトボリスクから再びチュメニ経由でエカテリンブルグに戻り、その地で7月に全員が銃殺される。チュメニのイリイン女子修道院の敷地内にある十字架は、かつての船着場の場所に、鎮魂のために据えられたものだ。

ロシア革命後、ボリシェヴィキは県都をトボリスクからチュメニに移したが、これはボリシェヴィキの権力が確立されたのがチュメニの方が早かったのと、チュメニには鉄道が通っていたという要因もあったようだ。その後、多少の曲折はあったものの、1944年にチュメニ州が設置されたことで、チュメニ市の州都としての地位が最終的に確定した。

さて、チュメニと言えば誰もが連想するのがチュメニ油田であり、当地は「ロシアの石油の首都」として知られている。帝政ロシア～ソ連時代には、最初はアゼルバイジャンのバクーが主力の石油産地で、1930年代からそれが「第2

表 47-01　ロシアの石油・ガス生産におけるチュメニ州のシェア（2022 年）

	石油・ガスコンデンセート（100 万 t）	シェア（%）	天然ガス（10 億㎥）	シェア（%）
ロシア全体	534.0	100.0	672.0	100.0
チュメニ州	267.8	50.1	560.7	83.4
チュメニ州本体	9.5	1.8	0.3	0.0
ハンティ・マンシ自治管区	221.0	41.4	31.0	4.6
ヤマル・ネネツ自治管区	37.3	7.0	529.0	78.8

バクー」と呼ばれたヴォルガ・ウラル地域にシフトした。チュメニを中心とする西シベリアは、それに続く「第３バクー」という位置付けになる。西シベリアに石油・ガス資源が埋蔵されていることは、地質学者のＩ・グプキンによって第２次世界大戦前から唱えられていたものの、当初ソ連当局は真剣に取り合おうとしなかったようだ。ようやく戦後にソ連地質省は西シベリアでの石油探査を組織し、１９４８年にチュメニ市内に最初の拠点油井が掘削された。その後、チュメニ州で最初の石油の商業生産が実現したのが１９６０年。この頃になるとヴォルガ・ウラル産地の枯渇が進み、ソ連当局も西シベリアの開発を重視するようになった。１９６５年には、サモトロール巨大油田を発見。チュメニ州を中心とする西シベリアの石油生産は、１９７０年代には完全にソ連の主力となった。

　ところで、チュメニ州内にはソ連時代から今日に至るまで、ハンティ・マンシ自治管区、ヤマル・ネネツ自治管区という２つの民族自治単位が設けられている。両自治管区を除いたチュメニ州本体は、ロシアでは「チュメニ州南部」と呼ばれることが多い。そして、表47―01に見るように、確かにチュメニ州は２０２２年の時点でロシアの石油生産の50・１％、ガス生産の83・４％を担っているが、前者はハンティ・マンシに、後者はヤマル・ネネツに集中している。

　実は、ロシアではプーチン体制の下、自治管区を廃止し、それを上位の連邦構成体が吸収する方向の改革が進められ、自治管区は基本的に姿を消した。ところが、チュメニ州の2つの自治管区は、莫大なオイル・ガスマネーを背景にしているだけに、チュメニ州に吸収されることには抵抗を示した。その結果、チュメニ州、ハンティ・マンシ自治管区、ヤマル・ネネツ自治管区の3者間で、2004年7月に、権限分割協定が結ばれた。これにより両自治管区は、環境・交通・移住といった州共通の事柄を除いて、自地域内で独自に権限を行使できることになった。また、両自治管区は自地域で徴収された税収を基本的に自らの財政歳入に繰り入れることも取り決められた。つまり、両自治管区は名目的に州に属しているに過ぎず、実態は限りなくチュメニ州から独立した存在に近い。

もっとも、ハンティ・マンシ自治管区の石油生産はすでにピークを過ぎており、長期的な減産傾向をたどっている。そうした中で、今後の発展が期待されている新たな石油産地の1つが、まさにチュメニ州南部であり、ウヴァト石油鉱床の開発が続けられている。また、トボリスクには、古都にはやや似つかわしくないが、石油化学コンビナートが形成されている。

州都チュメニには、観光都市というイメージはあまりないだろう。それでも、ピョートル1世がシベリア府主教に任命したF・レシチンスキーが開いた聖三位一体男子修道院や、シベリアで唯一という円形の形状をした全聖人聖堂などは、一見の価値がある。より見応えがあるのはやはりトボリスクで、この古都にはシベリアではここだけという石造りの白亜クレムリンが残っている。また、ヤルトロフスクという小都市はロシア版クレープのブリヌィの聖地として知られており、春のお祭り「マスレニツァ」の際には巨大なブリヌィが振る舞われる。ちなみに、チュメニ州では温泉が湧くため、近年では温泉保養施設も続々と誕生している。

（服部倫卓）

48

ハンティ・マンシ自治管区はロシア随一の産油地域

★先住民の社会にも変化★

西のウラル山脈から、東のエニセイ川にかけての範囲に、世界最大級の堆積盆地である西シベリア平原が広がっている。石油・ガス資源は堆積盆地で育まれるものであり、西シベリア平原もその例に漏れない。とりわけ、ハンティ・マンシ自治管区は、ソ連～ロシアの経済発展を支える一大油田地帯となった。

この一帯にロシア人が本格的に進出するようになったのは16世紀終盤であり、コサックや軍人が砦を築き、それが都市へと発展していった。ベリョーゾヴォは1593年に、スルグトは1594年に誕生している。もっとも、ロシアの人々にとって当地はむしろ流刑の地であり、18世紀前半には、中央政界で権勢を誇ったA・メンシコフ、最高枢密院議員を務めたA・ドルゴルコフが、ともに失脚後にベリョーゾヴォに追放されている。

1917年の社会主義革命後、当地でもソビエト化が進められたが、それは先住民の追放や抑圧を伴うものだった。1930年に、ウラル州の枠内でオスチャク・ヴォグル民族管区を設置（中心都市はオスチャコヴォグリスク）。ソ連政府が北方少数民族の呼称を見直した結果、1940年にはハンティ・マンシ民族管区へと改名された（中心都市はハンティマンシースク）。1944年にチュメニ州が創設されると、以降は同州に属すことに。ソ連で「自治管区」という新たな単位が導入されたことを受け、1978年にハンティ・マンシ自治管区へと改名された。

さて、1960年代半ばからハンティ・マンシは激変を遂げることになる。莫大な石油の埋蔵が確認され、ソ連最大の、世界でも有数の油田地帯として台頭したのだ。とくに1965年に発見されたサモトロール油田は、世界第6位とも7位とも言われる巨大油田であった。石油開発に伴い、スルグト、ニジネヴァルトフスク、ネフチェユガンスクなどの都市も成長した。

1992年に新生ロシアの時代となると、ハンティ・マンシ自治管区はチュメニ州の下位ながら、ロシア連邦を構成する構成主体のひとつになった。2003年にはハンティ・マンシ自治管区—ユグラが正式名称になり、以降この地域は単に「ユグラ」と呼ばれることも増えていく（ユグラは、かつてハンティ人、マンシ人が住んだこの一帯を指す歴史的な呼称から来ている）。さらに、2004年にはチュメニ州との権限分割協定が結ばれ、自治管区は実質的に州から独立した存在になった。

今日でも、ハンティ・マンシ自治管区はロシア最大の産油地域であり、ロシアの石油生産の4割ほどを担っている。しかし、その生産量はすでに減産フェーズに入っている。図47—01に見るように、2000年代前半こそ生産が目覚ましく回復したものの、これは当時の石油会社が短期的な利益を志

図48-01　ロシアの石油（ガスコンデンセートを含む）生産量（単位：100万t）

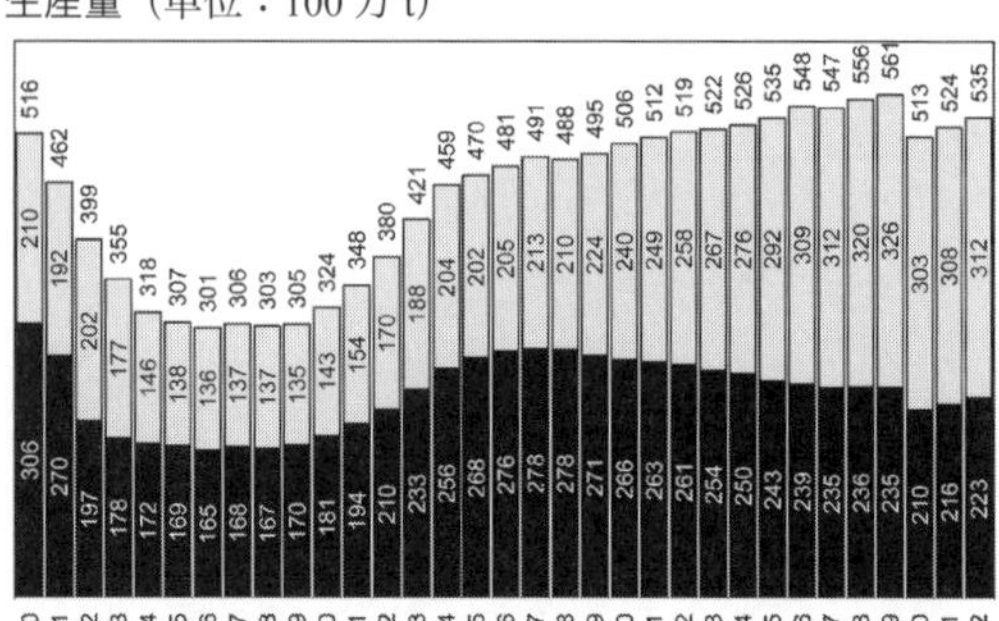

＊2020年の減産はOPECプラス合意を受けた意図的なもの。

向し無理な増産を図った結果であった。その反動もあって、2007年をピークに生産量は再び減少に転じている。今日では、石油の開発条件は悪化し、生産コストも上昇している。ロシア政府はハンティ・マンシ自治管区を中心とした西シベリアの石油生産が2018年から2035年にかけて5〜10％縮小するという見通しを示している。

こうした石油生産は、ロシア人の進出以前からこの地域に暮らしてきたハンティやマンシ等の生活にも影響を与えている。2020年ロシア国勢調査によれば、彼らの人口はハンティ・マンシ自治管区を中心に、ハンティは約3万1500人、マンシは約1万2200人である。ハンティの言語はウラル語族フィン・ウゴル語派ウゴル語、マンシの言語は同語派のヴォグル語の言語に属す。彼らの祖先となる人々は、紀元前5世紀から紀元前3世紀にかけて西シベリアで狩猟や漁撈を行い竪穴式住居に暮らしていた。紀元前1世紀頃から南方のステップ地帯で家畜を飼養しウラル諸語を話していた諸集団とそれぞれ混ざり合いながら北へ移動し、現在の民族集団を形成したとされる。

彼らはオビ川の支流域の都市から遠く離れた集落や森の奥深くで散住し、狩猟採集、漁撈、トナカイ等の家畜飼育といった生業を複合的に営み、日々の食糧を得てきた。帝政ロシア時代には、商人らと毛皮や淡水魚の交易を行い、ソ連時代には国営農場で毛皮動物の狩猟や漁撈、トナカイ飼育に従事した。ソ連崩壊後は、国営農場が民営化・公営化した農業企業で引き続き働く者もいる一方で、森の中で世帯経営や自給自足に近い生活を営む者もいる。

２０２０年国勢調査によると、ハンティ・マンシ自治管区の人口１７１万人のうち、最大はロシア人で５１・９％であり、地域名になっているハンティは１・１％。マンシは０・６％にすぎない。現在ではハンティ、マンシは、都市で学業を修めたり就業したりする者も増えている。２００８年の自治管区行政の統計資料によれば、村や森に暮らすハンティとマンシの人口は全体の約３分の2、都市部に暮らす人口は3分の1程度である。とりわけ若者は比較的報酬が少なく重労働なトナカイ牧夫や漁師になることを選択しない傾向があり、それらに従事する者が高齢化している。

そうした社会変化の中で、石油生産も彼らの暮らしの変化を加速させている。石油企業は、採掘地域の先住民に対し、スノーモービルや燃料等の物質的援助をするだけでなく、彼らを積極的に雇用してもいる。採掘地域の住民はしばしば土木作業員や輸送車の運転手、エンジニア、従業員用宿舎の調理師等として採掘企業で働く。しかし、その一方で、１９７０年代から居住地からの強制的な移住や採掘等による土壌・水質汚染、道路・パイプラインによるトナカイ放牧地の分断、彼らが聖地とする場所での開発等が問題となっている。シベリアの他の地域と比べていち早く、90年代前半には、自治管区により彼らの土地用益権が規定されたものの、実際には不本意なまま開発が進むことがあり、十分な法的整備が課題となっている。

（大石侑香・服部倫卓）

49

世界屈指の天然ガス産地 ヤマル・ネネツ自治管区

★資源開発と先住民の生存★

ヤマル・ネネツ自治管区はウラル山脈の東側に沿って位置する。「自治管区」はソ連期より存続している連邦構成単位としての行政区であるが、現在は残存する4つ（他にネネツ自治管区、ハンティ・マンシ自治管区、チュクチ自治管区）の1つである。

その名称にある「ヤマル」は、東隣のギダン半島と共に北極海に突き出す形状を成すヤマル（ネネツ語で「地の果て」の意）半島に由来する。半島部はツンドラ、大陸部は森林ツンドラからタイガへと遷移する植生帯である。もう1つの「ネネツ」はこの地の先住民であるネネツ人を意味する。

総面積は日本の国土の倍の77万㎢を有するが人口は51万人で、人口密度は0・7人／㎢と極めて低い。管区都はサレハルド市（人口4万8千人）で、北極線（北緯66度33分）の通る都市として知られている。人口は石油・天然ガス開発の前線基地ノーヴイウレンゴイ市（11万8千人）やノヤブリスク（10万8千人）の方が多い。当管区はロシア連邦の地域経済活動の指数（地域総生産：VRP）でロシア全体の5番目（1～4位はモスクワ市、ハンティ・マンシ自治管区、モスクワ州、サンクトペテルブルグ市）に位置し、南隣のハンティ・マンシ自治管区と共に高い地域生産指数を示す。これは石油・天然ガス資源開発によるといえる。

管区人口の民族構成は、ロシア人が50％を占める。先住民人口（ネネツ人、ハンティ人、セリクープ人、マンシ人の合計）は9％程度の4万8129人、うちネネツ人が3万5900人。ネネツ人は先住民人口の78％を占める。また、ロシア連邦全体のネネツ人人口（4万9646人）の72％が当管区に居住する。管区内の先住民族の4割はトナカイ牧畜をはじめとする伝統的生活様式を送っている。

西シベリア北方のこの地は、北部の北極海からの探検と内陸河川と連水陸路（河川の水系間の分水界を利用する移動方法）を利用したロシア人の進出方法により開拓が行われると同時に、地理的情報の蓄積が進んだ。15世紀終わりにはカラ海経由でヤマル半島への進出が図られ、西ヨーロッパにおいてはオビ川が1542年の地図に初めて記載された。現在の管区都サレハルド（当時「オブドールスク」）は1595年に創基された。その後の進出の中で、管区東方のターズ川の中流域にマンガゼヤ要塞も創られた（1600年）が、17世紀中に放棄された。シベリア地図製作者として著名なレメゾフによる地図にも、管区内の様子が描かれている（1701年他）。そこには先住民ネネツ人とみなされる民族名（ユラク）がトナカイと共に描写されている。オビ川からエニセイ川にかけてのこの地域は、東西シベリ

図49-01　ヤマル・ネネツ自治管区内の主要ガス田と積出港（星印：LNG積出港〔一部建設中〕）

アの狭間に位置することもあり、帝政ロシア期からソ連期初期にかけて所属行政区域が複雑に変更された。ソ連期の民族自治政策の下で、1930年12月10日にヤマル・ネネツ民族管区が創設され今日に至っている（1977年に「自治管区」に改称）。ソ連崩壊後、ヤマル・ネネツ自治管区はハンティ・マンシ自治管区と共にチュメニ州（広域）に属する形をとりつつ、他の州・地方と同等の連邦構成主体として今日に至っている（本件については本書47章〔チュメニ州〕を参照のこと）。

当自治管区は世界的な炭化水素燃料の産出地として知られている。とくに天然ガス生産に関して、連邦レベルというより世界的中心地である。西シベリアの石油ガス開発は1960年代より順次本格化してきたが、南方のハンティ・マンシ自治管区より石油採掘地が北上する形で開発が進展した。当自治管区内には、ヤンブルグ、ウレンゴイ、ボヴァネンコヴォ、ハラサヴェイ、ザポリャルノエ、といった世界的規模の産出量を誇るガス田が開発されていった。ヤマル・ネネツ自治管区はロシア連邦全体の天然ガスの生産の8割程度（図49—02参照）を、石油生産の7%程度を占める。ロシアの天然ガ

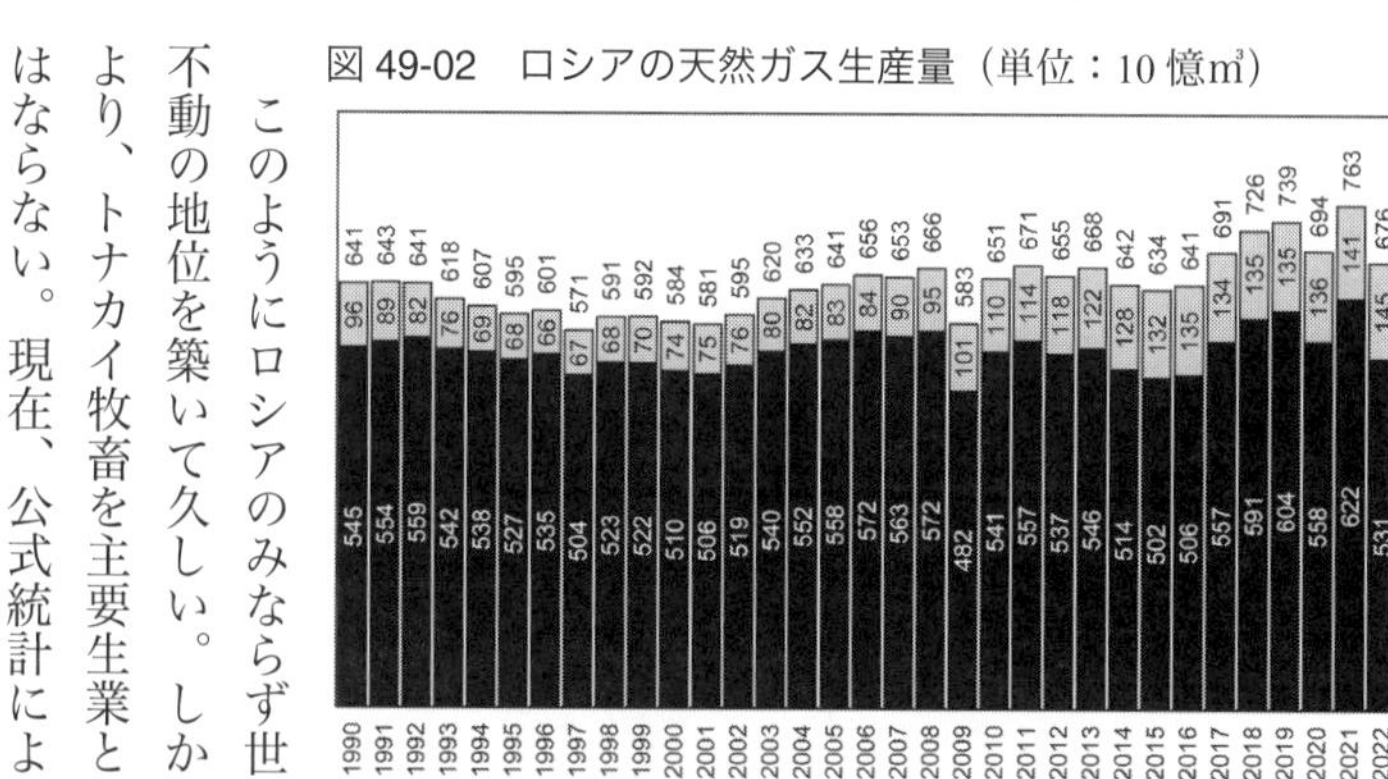

図49-02　ロシアの天然ガス生産量（単位：10億㎥）

ス開発、生産から輸送全般にわたり世界的巨大国営企業「ガスプロム」の独壇場となっており、主要ガス田はガスプロム管轄下にある。これらは主としてヨーロッパ・ロシアや欧州諸国へのパイプラインによる輸送を主体として稼働してきたが、2022年2月のウクライナ侵攻開始以降、欧州向け輸出は激減することとなった。他方地域の独立系企業である「ノヴァテック」も天然ガス開発や加工・輸送分野で一定のシェアを有し、とくにLNG（液化天然ガス）の生産と輸出分野において重要な地位を築いている。オビ湾を挟んだ形で、ヤマル半島側のサベッタではヤマルLNGのプラントが稼働しており、ギダン半島側でもアルクチク2のLNGプラントが稼働開始を控えている。この事業には複数の日本企業も参画し、2019年夏には当地産出のLNGが初めて北極海航路により日本に輸送されるに至っている。

このようにロシアのみならず世界のエネルギー供給という点から見て、ヤマル・ネネツ自治管区は不動の地位を築いて久しい。しかし、自治管区の名称にもあるように、この地はロシア人の進出以前より、トナカイ牧畜を主要生業としてきた先住民ネネツ人の居住・遊牧地であったという点も忘れてはならない。現在、公式統計によるヤマル・ネネツ自治管区の家畜トナカイ頭数は90万頭を超えてお

写真 49-01　ギダン半島のツンドラをキャンプ移動中のトナカイ遊牧民ネネツ人（2016 年 8 月）

り、これはロシア全体（180万頭）の半数を占める（数値は2018年）。当自治管区は、トナカイ牧畜という北方型牧畜の世界的中心地といえる。これらの管区内頭数の8割以上は管区の北部を占めるツンドラ地帯で放牧されている（写真49－01）。

とくに1960年代以降進展した地下資源開発により、先住民のトナカイ牧畜や淡水魚（サケ科コレゴヌス属等）を漁獲対象とする内水面漁撈活動を中心とする生存環境が荒廃してきた事実がある。これまで開発の及ばなかった北部ツンドラ地帯にもガス開発が進出してきている。また地球温暖化により急速に注目されるようになった北極海航路の利用、それを前提とする関連施設の建設や港湾へのアクセスのためのインフラ整備の進展という現状がある。このように当該管区には、連邦レベルで重要性を有する石油・天然ガス開発と先住民の生存・生活・文化の維持という両立困難な課題に直面している。

（吉田　睦）

50

山と湖の景勝地 アルタイ共和国

★ロシアらしからぬ山岳地域★

「アルタイ」という言葉は極めて多義的である。真っ先に思い浮かべるのは、言語にかかわる名称としてだろう。言語学上の一分類であるアルタイ諸語とは、膠着語で、母音調和などの共通性を持つ諸言語のことである（諸説あり）。その下位区分にテュルク語族があり、その中の1つがアルタイ語である。このアルタイ語は主に、本章で扱うアルタイ共和国で使用されている言語だ。次に、「アルタイ山脈」というように、地理的名称が挙げられる。この大山脈は、ロシア・カザフスタン・モンゴル・中国をまたぐかのようにそびえ立つ（阿爾泰山脈とも書く）。第3に、「アルタイ」は民族名称でもある。本章で触れる「アルタイ人」とは、主にアルタイ共和国に住む先住民族である。第4に、行政名称として使用されている。ロシア連邦の枠内で言えば、本章の「アルタイ共和国」と後に掲載される「アルタイ地方」にその名を

写真50-01　ベルーハ山が描かれた切手（ウェキメディアより）

与えている。同じアルタイという名を冠しながらも、共和国と地方との間には共通点よりも相違点の方が目立つ。今後、両者を合わせた大まかな地域を指すとき、広義のアルタイと言うことにする。

広義のアルタイを、その広大で美しい風土にちなんで「シベリアのスイス」と呼んだのは、19世紀後半の民族学者・社会運動家のニコライ・ヤードリンツェフ（１８４２〜９４）だった。だが、高峰の地スイスの一般的イメージで言えば、この呼び名は共和国の方にはるかに当てはまる。ロシアの大半は基本的に平原と河川の地だが、アルタイ地方の東南部および「背後」のアルタイ共和国は、その名の通りアルタイ山脈を有する土地である。その先はさらに西サヤン山脈が連なる。共和国の南部、カザフスタン国境にあるベルーハ山（アルタイ語では「ウチ・スメル」、３つの頂の意）は標高４５０６ｍで、その山頂はシベリアで最も高い地点となっている。

山岳地帯という地理的特徴は、別に言えば、遊牧や狩猟採集には適しても、大規模農業には不向きな地ということだ。この点でアルタイ共和国は、隣接のアルタイ地方と産業上の条件が大きく異なり、さまざまな点で「小粒」の行政単位である。２０２０年時点で人口は約21万人。そのうちロシア民族が50％占め、アルタイ人は約7万3千人で、35％を占める。なお、ロシア全体でアルタイ人の数は約７万８千人である。共和国首都は、地方と共和国とをあたかも蝶番のように結ぶゴルノアルタイスクで、そこから先が山岳地帯となる。農村人口が多いのもこの共和国の特色だ。産業は果樹・飼料栽培、畜産が主で、食品加工を中心とした第二次産業なども盛んである。近年、農業生産高は低下している。

どの民族にもある程度言えることだが、民族としてのアルタイ人の形成はとりわけ複雑であった。まず行政単位で言えば、ロシア革命後の1922年、オイロート（南アルタイの視点に立った言い方）自治州が誕生。1948年にはゴルノ・アルタイ自治州に名称が変更され、ソ連解体後、ロシア連邦の一構成主体たるアルタイ共和国となった。民族形成で言えば、大きく南北に分かれる。まずアルタイ人の多数派として、南部の「アルタイ・キジ（アルタイ人の意）」がいる。その他の南集団としては「テレンギト（自称でテレヌト、約2600人）」らがいる。同じ南の「テレウト（自称タダル・キジ）」は主に隣りのケメロヴォ州に住み、共和国にはほとんどいない。北集団としては、「トゥバラル（かつての自称としてイシ・キジ、約3400人）」のほか、「チェルカン（自称ショルガヌなど）」と「クマンディン（自称クマンディなど）」が居住する。こうした小集団はソ連時代に「アルタイ人」と一括されていたが、現在は「先住少数民族」のカテゴリーを得ている。日本語に訳出されているアルタイ人の英雄叙事詩「アルプ・マナシュ」（坂井弘紀訳）は、もともとテレウト人に伝わり、クマンディン人にもたらされたと言う。

一定の集団的まとまりの意識を促した注目すべき出来事として、20世紀初頭のブルハン運動と民族運動を挙げることができる。ロシア人移民の急激な流入などさまざまな社会的・文化的変容のなか、1904年、チベット仏教の影響のもと、シャーマニズムの自己刷新による千年王国運動が起こった。ブルハン（仏像）の統治世界を希求した、「アク・ヤン（白い信仰）」とも言われるこの宗教運動は、帝政への抵抗的側面も有していたゆえすぐさま鎮圧された。「首謀者」は逮捕されたが、1909年、最終的には無罪となった。この出来事が「アルタイ・キジ」としてのまとまりを促したと言えるが、他の諸集団にとっての意味合いについては詳細な検討が必要である。また、のちに「アク・ヤン」は、色々な形で存続・復興し、時には政争の象徴にもなったゆえ（近年では、発掘されたミイラの取り扱いをめぐって「ウコクの皇女」事件が起こり、政治問題化した）、複眼的に捉えるべきである。

民族運動の中では、アルタイ人画家グールキンの思想と行動が独特だ。グリゴーリー・グールキン（通称チョロス＝グールキン。1870〜1937）はトムスク県ウララ村（現在のゴルノアルタイスク）で生まれ、ペテルブルグにあるロシア風景画の大家イヴァン・シーシキン（1832〜98）のアトリエで絵画を学んだ。アルタイの地域や人々に発想を得た数々の絵画を作成しつつ、アルタイ山岳会議（ドゥーマ）（ちなみにその名誉会員は、シベリア地方主義者のグリゴーリー・ポターニン（1835〜1920））代表として民族運動にも積極的に身を投じた。革命時には、モンゴルやトゥバに身を隠していたが帰国。スターリン・テロルのなか、「反革命的民族主義者」として粛清されるという人生を送った。名誉回復がなされたのは1956年である。主に風景画を描いたが、その筆致は部分的には抽象性を志向するところもあり、見る者を画面の奥へと深く誘う。興味深いのは、広義のアルタイの千年王国の希求がロシア人（とくに古儀式派）においても存在し、同地が農民ユートピアの「白水境（ベロヴォージエ）」（中村喜和訳）でもあったことである。このユートピア民間伝承にインスピレーションを喚起された画家にして神秘思想家のニコライ・リョーリヒ（レーリヒとも。1874〜1947）となかば呼応する形で、グールキンは、アルタイ人にとってのアルタイの現実かつ想像上の情景をキャンバスに写したのだった。

この百年ばかりアルタイ共和国が力を入れてきたのが自然保護である。主な自然保護区が2つある。

1つは1920年代末に計画が始まり、1932年に設立、その後紆余曲折を経ながらも存続してきた「アルタイ自然保護区」である。東のトゥバ共和国と接する領域を持つ。もう1つは「カトゥーニ自然保護区」で、30年近くの議論のすえ、1991年に設立された。同保護区はベルーハ山の管理も担当している。現在、観光業を発展させようとしながら自然環境の保全を図るという普遍的な課題に、アルタイ共和国も直面している。

（渡邊日日）

51

かつては独立国だったトゥバ

——★トゥバ人がロシア人よりも多数を占める共和国★——

２０２１年８月14日、トゥバ共和国は「トゥバ人民共和国」建国から１００周年を迎えた。トゥバ人民共和国とは、ソ連とモンゴルだけが承認したとはいえ、20世紀前半に23年間存在した国家。トゥバは独立国だったのだ。20世紀初めまで清の支配下にあったトゥバは、清滅亡後の混乱のなか、１９１４年にロシア帝国の保護領となり、１９１７年のロシア革命とそれに続く内戦のさなか、１９２１年８月、ソビエト・ロシアの支援を得て、封建領主や牧民、ロシア人が集まって全トゥバ憲法制定会議を開催、独立を宣言したのである（１９２６年まで国名は「タンヌ・トゥバ人民共和国」）。１９２９年、社会主義路線（「牧民の集団化」「封建領主の私有財産没収」など）へ政策転換をし、ソ連の影響が一層強くなった。独ソ戦時、トゥバからソ連へ軍用馬や家畜などが送られ、約２００人のトゥバ人義勇兵が出征した。そして、１９４４年

8月トゥバ人民共和国はソ連への編入要請を決定、10月ソ連最高会議幹部会会議で承認されて、トゥバは自治州としてソ連に編入された（1961年自治共和国になる）。このように、トゥバはロシア（ソ連）の構成下に入った新しい地域なのだ。

トゥバはバイカル湖の西南、モンゴル北部と国境を接した場所にある。20世紀初め、あるイギリス人がここをアジア大陸の中心と測定した。現在、首都クィズィルには「アジアの中心」を示すオベリスクが立つ。南北をサヤン山脈、タンヌ・オーラ山脈に囲まれた国土は山地が80％を占め、その谷間の中央部にステップが広がり、北極海に注ぐ大河エニセイ川の源流が共和国を貫き、多くの支流がトゥバ中を巡る。

面積は17万5００㎢、北海道の2倍ほどで、約33・6万人が住んでいる。その中でテュルク系言語トゥバ語を話すトゥバ人が約28万人、83％（２０２０年国勢調査）を占め、共和国名となっている民族の人口がロシア人よりも多い共和国の1つである。しかも、トゥバ人の94・7％が共和国内に住み、母語率が99・5％と高く（２０２０年国勢調査）、トゥバ人の民族意識は強い。以前、空港案内所で筆者がロシア語で質問していると、「なぜトゥバ語を話さないのか」と不満げに言われたことがある。

近年トゥバ人の出生率は全国平均より高い水準を保ち（２０２０年第2位）、自然増加率はプラスを維持、過去60年間で人口は2・8倍に増えた。

トゥバ人は古来より遊牧生活を送ってきた。ウマやヒツジ、ヤギ、ウシ、ラクダ、ヤク、トナカイを飼育し、天幕に暮らす牧民の姿を今も見ることができる。トゥバ人は天界に神、大地や山や火に主（あるじ）を認め、彼らに幸福を祈るシャーマニズムの世界観に生き、同時に13世紀モンゴル帝国支配から始まるモンゴルとの密接な関係の中でモンゴル文化の強い影響を受け、なかでもモンゴルから伝来したチベット仏教は人々の生活に根付いている。

一方、ロシア人は約3・2万人、9％を占める（2020年国勢調査）。ソ連崩壊後に多くのロシア人がトゥバを去り、ソ連時代の1989年と比べて約6・7万人も減少した。

ロシア人のトゥバ入植は19世紀後半のことで、古儀式派（第32章参照）、農民、モンゴルや中国と交易する商人たちだった。トゥバ人民共和国時代の1924年には約1万2千人を数えた。独ソ戦が始まると、義勇兵として参加、陥落したベルリン市内の壁に、「我々はトゥバから来た」と残したという。現在、ロシア人が多く住む地域は首都クィズィルと入植時に開拓したトゥラン市などいくつかの地域に集中している。古儀式派の伝統を守って生活する集落もある。

ペレストロイカ期に全国で民族運動が活発になると、トゥバ自治共和国は1990年主権宣言をし、1991年には「トゥバ共和国」となった。1993年制定の共和国憲法に「連邦離脱権」を明記して、中央政府に対し強硬的な姿勢を示した。当時エリツィン大統領は連邦構成主体の分離主義運動を食い止めようと必死で、大統領のトゥバ訪問（1994年）となった。大統領がトゥバの乳酒で歓待を受けてフラフラに酔っぱらったと冗談交じりに話す人は今でも多い。「連邦離脱権」を憲法から削除したのは、プーチンが大統領になって強いロシアと中央集権化を進め始めた2001年のこと。トゥバは「統一ロシア」創設者の一人、非常事態相を長く勤め、2012年に国防相に就任したセルゲイ・ショイグの出身地（父はトゥバ人）で、「統一ロシア」の支持率が非常に高い地域である（2021年9月下院選全国第2位）。

トゥバ政府は近年、観光立国を目指している。トゥバの魅力はタイガやステップ、エニセイ川に象徴される自然の美しさ。プーチン大統領が休暇で何度も訪れ、タイガで狩猟や釣りをする姿がたびたび紹介される。

加えて、トゥバは考古学の宝庫だ。世界的に有名なスキタイ時代のアルジャーン古墳、突厥やウイグル碑文が刻まれた石碑や石人を含めさまざまな時代の古墳や遺跡が全国に点在する。動物意匠を施したスキタイの黄金製装飾品の展示はすばらしい。

共和国立博物館の新築リニューアル（2008年）、エニセイ川岸に立つオベリスク「アジアの中心」の一新とその周辺の公園の整備（2014年）、観光基地建設などインフラ整備が着実に進められている。トゥバ人の民族音楽ホーメイ（喉歌）は聴く人を魅了し、それを聴きに海外から来る人々も絶えなかった。コロナウイルスの世界的流行とウクライナ侵攻前まで国内外の観光客数は増加していた。

写真51-01　新しくなった「アジアの中心」のオベリスク

トゥバ南部のウヴス・ヌール盆地がモンゴル国北部と国境をまたいでユネスコの世界自然遺産に登録されていることも挙げておこう。

その一方で、埋蔵量豊富なウルグ・ヘム炭田が最近注目されている。2007年、ロシア政府はクラスノヤルスク地方のクラギノから首都クィズィルまで南北を結ぶ鉄道の建設計画を承認した。国内需要だけでなく、アジア・太平洋諸国へ輸出する石炭の採炭地の新しい中心地の1つにしたい考えだ。これまで鉄道がなく物資を大量輸送できなかった共和国の問題を鉄道建設によって解決、将来的にはモンゴルまで延長して中国と結ぶ構想である。しかも、トゥバは失業率が全国と比べても高く（2020年11月～2021年1月第3位）、鉄道建設によって多くの雇用を創出できると期待されている。しかし、コロナウイルス感染拡大を理由に建設は中断、2021年4月ロシア政府は5年間の建設延期を決定、先行きは不透明となっている。

写真51-02　首都に完成したロシア最大のチベット仏教僧院の落慶式（トゥバ共和国公式ポータル）

鉄道建設によって人の流入増加と自然破壊を危惧する人もいる。「トゥバには鉄道がないから、人が入って来ず、私たちトゥバ人が多数でいられ、民族文化が守られるのだ」と言ったトゥバ人の知り合いの一言が思い出される。

2023年4月、首都クィズィルでロシア最大の仏教僧院の落慶式が行われた。1992年のダライ・ラマ14世のトゥバ訪問時に彼は建設予定地を清めていたが、30年の時を経てようやく完成したのである。折しも、2022年に始まったウクライナ侵攻において出征者数はチェチェン共和国やブリヤート共和国などと並びトゥバ共和国、トゥバ人の数が多いといわれている。この僧院は出征者の無事を祈る家族だけでなく、トゥバに住む人々の心の拠り所となることだろう。

トゥバは、人々が神や山、火の主へ捧げる祈りの声やシャーマンの太鼓の音、寺院から読経が聞こえてくる、遊牧風景が広がる、そんな場所である。

（高島尚生）

52

遊牧民国家興亡の地 ハカス共和国

★現代の主産業は水力発電とアルミ精錬★

ハカス共和国は、シベリアのほぼ中央部に位置する共和国で、シベリア連邦管区に属する。東にクラスノヤルスク地方、西にケメロヴォ州、南にアルタイ共和国とトゥバ共和国と境界を接している。東の境界線に沿って、北極海へ注ぐ最大の河川であるエニセイ川が南から北へと流れている。四方を自然の障壁に囲まれ、西はクズネツキー・アラタウ山脈に、南や東は東西サヤン山脈に囲まれている。ハカス共和国の領域は、南北に４６０㎞、東西２００㎞の南北に長い形状を示し、面積は６万㎢である。地形的に南のサヤン山脈は、標高２千ｍの山々が連なり地域の面積の３分の２を占める。山々に囲まれた中央部には、丘陵が所々に散在するミヌシンスク盆地が広がっている。植生の特徴として、南側の山岳地帯はタイガで覆われており、ミヌシンスク盆地にはステップ景観が広がっている。気候は全体的に大陸性で、夏は乾燥した暑

写真 52-01、02　民族衣装をきたハカス人と伝統的住居「ユルタ」

さを特徴とし、冬は寒く雪が少ない。7月の平均気温はプラス15～プラス22℃、1月の平均気温はマイナス14～マイナス19度となり、日照率は高い。

ハカス共和国の首都はアバカン市で、2021年の統計資料によれば人口は18万人。ハカス共和国全体の人口は53万人を数える。住民の多くは、ミヌシンスク盆地に集中しており、人口密度は1㎢あたり8・64人である。民族構成は、ロシア人が81・8%、ハカス人12・1%、ヴォルガ・ドイツ人1・1%、ウクライナ人1%、タタール人0・6%、その他0・5%である。主要産業は、農業、畜産業、鉱業である。農業では小麦ととうもろこしの栽培が盛んであり、鉱物資源として石炭、鉄鉱、銅を産出する。また、ロシア最大のサヤン・シュシェンスク水力発電所を擁し、豊富な電力を利用したアルミニウム製錬が主産業となっている。

ハカス共和国（以下、ハカシアと呼ぶ）の歴史は古く旧石器時代に遡る。ドゥヴグラスカ洞窟では、5～4万年前のネアンデルタール人の遺跡が見つかっている。また3万年前の集落遺跡であるマーラヤ・スィヤ遺跡からは、骨製の装飾品が発見されている。新石器時代から鉄器時代にかけては、オクネフ文化、アファナシエヴァ文化、アンドロノヴォ文化、タガール文化などの文化が栄え、数多くの遺跡が残されている。

遊牧に適したハカシアには、早くから遊牧民の国家が成立した。古代中国の史書には、紀元前4～3世紀にこの地にテュルク語系遊牧民族の丁零国（Dingling）が成立していたことを記している。6世紀から12世紀にかけてミヌシンスク盆地を含めた地域のテュルク語系遊牧民は高車（Gaoche または Gaoju）と呼ばれ、さらにのちには鉄勒（Tiele）とも呼ばれた。8世紀にはテュルク系遊牧民による回鶻可汗国（Uyghur Khaganate）が覇権を唱えた。古くから、ハカシアにはモンゴル、中国、チベット、インドを結ぶ交易ルートがあり、人々の往来は活発であった。エニセイ川上流と中流域のウイグル族による遊牧国家は、13世紀にモンゴル帝国がこの地域に進出すると、テュルク語系遊牧民族であるエニセイ・キルギスとともにモンゴル帝国に帰属する。ミヌシンスク盆地は14世紀までモンゴル帝国の支配下におかれた。しかし1368年に元が滅びると、モンゴル族の影響は弱まり、14世紀末にキルギス人国家であるホンゴライ（古代キルギス語で「山・草原の民」）が成立する。

17世紀にミスシンスク盆地へロシア人が到達した時には、ホンゴライは、アルティル、アルティサル、イサル、トゥバの4つのウルスで構成される部族連合となっており、ショルツエフ人、テレウト人、アルタイ人、トゥバ人が居住していた。ハカシア官区

写真 52-03　ミヌシンスク盆地のクルガン

がロシア帝国に正式に組み込まれたのは、ロシアと中国の間に国境条約が締結された1727年である。これによりサヤン山脈の北側はすべてロシアに、南側は清国に帰属することになった。ハカシア管区が設置されたのは、1923年であり、1930年にはハカス自治州となった。ソ連の崩壊後は1991年7月3日に自治区は共和国に改称され、1992年には独自の共和国旗、2006年には紋章が制定されている。

農業と畜産業に加えて、石炭採掘と水力発電を利用したアルミニウム精錬であるが、人口比から見ると、農村部の人口比が高く、農村居住者は約16万人でハカシアの人口の30%を占めている。主要な農作物は、小麦、大麦、オーツ麦、キビなどであり、ヒマワリやテンサイの栽培も盛んである。ステップ景観を活用した広大な牧草地を背景に多様な家畜飼育が行われており、頭数の多い順に牛、豚、羊・山羊となっている。

ハカス共和国では、伝統文化振興に力を入れており、教育研究機関としては、首都のアバカンにハカシア言語・文学・歴史研究所、カタノフ名称ハカス国立大学、ハカス工科大学、シベリア連邦大学ハカス技術研究所（KTI）、現代人文アカデミーのアバカン支部などがある。また文化施設も充実しており、アバカンにあるハカシア文化センターには、キズラーソフ名称国立郷土博物館、ドモジャコフ名称国立図書館、チャプティコフ名称ハカス共和国立フィルハーモニーホール、カディシェフ名称文化・民俗芸術センター、アバカン絵画美術館、アバカン青年宮殿などがある。劇場も多く、レールモントフ名称ロシア国立劇場とトパノフ名称ハカス国立劇場の2つの劇場、ハカス国立人形劇場、ハカス国立小劇場「チチゲン」などがある。

（クセーニャ・シモーヒナ、加藤博文）

53

自然が人を呼び寄せるアルタイ地方

★背後に山脈が控える豊かな大地★

アルタイ地方は西シベリアの南部の開けた平原に位置する。シベリア最大の都市、ノヴォシビルスクから列車に揺られることおよそ5時間で、地方の中心地バルナウル市に到着する。地方の全人口は約216万人（2020年時点）。ロシア民族が86％を占め、行政単位と名を同じくする「アルタイ人」は0・05％に過ぎない。鉄道車両、コークス、タイヤなどの工場がある。有力な穀倉地帯でもあり、とくにソバの産地として名高い。

ロシアのほとんどの都市がそうであるように、バルナウルも河川沿いにあり、オビ川と接している。人口約63万人のこの都市の歴史は比較的古く（トムスクよりはだいぶ遅いがオムスクよりは早い）、市制開始は1771年である（諸説あり）。バルナウルという名称は、ロシア語に慣れた者には少々奇異に響くだろう

が、それも無理ないことで、起源は「狼の川」の意のケート語だという（諸説あり）。この場合の川とは、オビ川に流れ込むバルナウルカのことだ。なお、第2の都市としてビースク（人口約18万人）があり、ここまで鉄道が通じている。アルタイ共和国首都ゴルノアルタイスクに行くには、ここから、ノヴォシビルスクからモンゴル国境まで走っているチューヤ国道を使うことになろう。

アルタイ地方の東南部および「背後」のアルタイ共和国は、その名の通りアルタイ山脈がそびえる土地である。それゆえ、アルタイの地は「逃亡先」としても好立地であった。とりわけアルタイの地がひきつけたのは、いわゆる「古儀式派」である。17世紀中葉、ロシア正教会のモスクワ総主教にニーコンが任命され、典礼改革が行われた。ロシア固有の儀礼細則などを重んじて改革に反対した一派はのちに破門され、古儀式派（旧教徒とも訳される。また、蔑称として「分離派」とも）となりさまざまな弾圧を受けた。その弾圧の熾烈さは、ムソルグスキーの未完の歌劇「ホヴァーンシチナ」に詳しい。古儀式派たちは当初、当時のポーランド領に逃亡し、頃合いを見計らってモスクワに戻るがシベリアに流刑されたり、あるいは自らシベリアに逃亡したりした。19世紀中葉のビースク郡の住民のうち80％以上が古儀式派であったほどだ。アルタイの人目につきにくい峡谷などに身を潜め、隠遁生活を送って固有の信仰と生活習慣を保持したのである。

アルタイ地方が近年、観光業（アルタイ共和国の章を参照）以外に力を入れている分野に、養鹿業、特に鹿（正確にはアカシカ）の袋角（ふくろづの）を目的とした飼育業がある。実のところ、その起源は古儀式派だ。雄の鹿の角は、毎年春になると生え替わるが、その骨となる前の「若芽」とも言える段階の袋角（日本で「鹿茸（ろくじょう）」とも言及される）は、中国などで古くから滋養強壮の薬として重んじられてきた。1760年代、清の警備兵が袋角を買い付けたのをきっかけに、古儀式派たちはその商品価値を知ったという。現在、ロシアにおける袋角採取用の鹿の90%が、アルタイ共和国・地方に集中している。循環器系の病気の治療や疲労回復、免疫の強化に役立つとされ（昨今ではさらに、入浴剤や化粧品にも使用）、生産性向上のため「アルタイ＝サヤン」という鹿の新種も研究所で作り出された。いま、グローバルな商品としての期待が高まっている。

アルタイ地方はまた、その蜂蜜の美味なることが知られている。20万ものミツバチのコロニーが設けられており、蜂蜜の年間生産量は8千t以上と言われる。そもそもシベリアでの蜂蜜製造の歴史は古い。税の取り締まりに関する17世紀末の法律には、許可や納税なしの養蜂を禁じる件がある。しかしアルタイで養蜂が盛んになったのは、18世紀に現在のバシコルトスタンの地から養蜂用の蜂を持ち込んだことに由来する。それも何度かの失敗を経て、ようやく軌道に乗ったのだった。アルタイの植生の多様性（とくに、シシウドやオトギリソウ、ムシャリンドウなど薬効成分が多い植物の存在）が、栄養価の高い蜜をもたらす。安全や成分に関する保証の制度が確固たるものとなれば国際市場でも有望だろうと期待されており、検査機関の充実などインフラの整備がここでも望まれている。

写真 53-01　アルタイの蜂蜜

アルタイ生まれの著名人、今で言うマルチ・タレント的存在として、ヴァシーリー・シュクシーン（1927〜74）を忘れてはならないだろう。チューヤ国道沿いの小村スローストキで、農民の家庭に生まれた。彼は、スターリングラードの戦いでの小隊の活躍を扱ったヒューマン映画『祖国のために』（1975年）で主演する俳優であった（ちなみに、この映画の撮影中に、急性心筋梗塞で亡くなったという）。また、映画監督であった。自らの短編小説をもとに監督した『こんな若者が生きている』（1964年）は、素朴で快活なトラック運転手が主人公の映画だが、冒頭で、当時のチューヤ国道の様子が見て取れる。そして、何よりも作家であり、短編小説を得意とした。『日曜日に老いたる母は』（染谷茂訳）などで、ユーモラスに描かれたさまざまな庶民の姿にふれることができる。筋書きは必ずしもシベリアを感じさせるものでもないが、登場人物が見せる無頼派ぶりはまさしくシベリア的である。

（渡邊日日）

54

貴金属・非鉄金属で栄えるクラスノヤルスク地方

★大河エニセイ流域に広がる広大な地域★

クラスノヤルスク地方は、ロシアで2番目に面積が大きい地域である。その領域は237万km²にも及び、日本の6倍強。もしもクラスノヤルスク地方が独立国なら、世界で11番目に広い国になるというから、広大さが窺い知れる。その版図の特徴は南北に長いことであり、北極海に突き出たチェリュスキン岬はユーラシア大陸の最北端である。また、セーヴェルナヤ・ゼムリャ諸島を始め、北極海に浮かぶ一連の島々が行政上クラスノヤルスク地方に属している。クラスノヤルスク地方の面積の57％は、北極海に注ぐ大河エニセイ川の流域に当たる。

興味深いことに、ロシアの地理的中心は、クラスノヤルスク地方にあるとされる。具体的には、中央シベリア高原のプトラナ台地にあるヴィヴィ湖がそれに当たる。これはロシア地理当局が正式に認定したもので、現地にはそれを記した記念碑が設置されている。なお、プトラナ台地は手つかずの自然が残る玄武岩台地で、ユネスコの世界自然遺産に登録されているが、アクセスがきわめて困難であり、わずかなツアー客が訪れる程度である。

さて、現在のクラスノヤルスク地方の領域で、最初に誕生し栄えた街はエニセイスクであった。1619年にコサックによりエニセイ川沿岸に築かれた砦が街となり、18世紀にかけてロシアのシベリア進出の拠点となった。一時期のロシアでは金の大部分がエニセイスク近辺で採れ、またこの街は先住民から集められた毛皮がモスクワに向かう集積点でもあった。なお、今日のエニセイスクは人口2万足らずの小都市ながら、その歴史地区はユネスコ世界文化遺産の暫定リストに加えられている。

一方、クラスノヤルスクは1628年に、やはり砦として築かれたのが始まりであった。砦は、テュルク系の人々による呼称「フズル・チャル」（「赤い岸」の意味）をロシア語訳し、「クラスヌィ・ヤル」と名付けられた。1690年に市に昇格した際に、それを合成して現在のクラスノヤルスクという名前になった。1822年にエニセイ県が設置されると、クラスノヤルスクはその県都に。街は流刑の地でもあり、1825年には8名のデカブリストがこの地に送られている。19世紀の末になると、街は金鉱の発見とシベリア鉄道の開通でさらに発展を遂げる。ソ連時代となり、1934年にはかつてのエニセイ県とほぼ同じ領域でクラスノヤルスク地方が創設された。

かつてクラスノヤルスク地方の枠内には、先住民のための2つの広大な自治単位が設けられていた。

北極海に面したタイムィル（ドルガン・ネネツ）民族管区と、内陸のエヴェンキ民族管区である。ソ連で「自治管区」という新たな単位が導入されたことを受け、１９７７年にタイムィル自治管区（行政の中心はドゥジンカ市）、エヴェンキ自治管区（行政の中心はトゥラ町）へと改名された。１９９２年に新生ロシアの時代となると、両自治管区はクラスノヤルスク地方の下位ながら、ロシア連邦を構成する構成主体となった。しかし、ロシア政府が基本的に自治管区を廃止する方針を打ち出したことから、２００５年に住民投票が実施され、その結果に基づき、２００７年1月1日をもって両自治管区はクラスノヤルスク地方に吸収された。現在はクラスノヤルスク地方内のタイムィル・ドルガン・ネネツ地区、エヴェンキ地区という行政単位としてのみ残っている。なお、その両地区でもロシア人が人口の過半数を占めており、先住民は少数派である。２０１０年の国勢調査によれば、タイムィル・ドルガン・ネネツ地区ではドルガン人が13・8％、ネネツ人が7・6％、エヴェンキ地区ではエヴェンキ人が21・5％であった。タイムィル・ドルガン・ネネツ地区に所在し、北極海（カラ海）に面したジクソン町（北緯73度30分）は、ロシア最北の集落の1つと言われている。

今日のクラスノヤルスク地方の経済で、とりわけ強力なのが、貴金属および非鉄金属の産業である。なかでも、北極圏に位置するノリリスクニッケル（略称ノルニッケル）社は、ニッケルだけでなく白金、パラジウム、銅、コバルトなども産出し、精錬ニッケルおよびパラジウムの生産で世界1位、白金では3位という世界的企業となっている。ノリリスク市はその企業城下町で、人口が10万人を越える都市では世界で最も北に位置するという。ただ、鉱山操業に伴う環境破壊の問題も深刻で、２０２０年には郊外の火力発電所から燃料が流出し環境を汚染する事故も起きた。他方、エニセイ川に建設されたクラスノヤルスク水力発電所は、ロシアの水力発電所として2位の発電能力を誇り、豊富な電力を利用しクラスノヤルスク・アルミ工場（ルサール社傘下）でアルミニウム精錬が行われている。さらに、クラスノヤルスク地方はロシア最大の金産出地域で、主にポリュスゾロト社が金鉱経営を担っている。これらの貴金属および非鉄金属は、ロシアにとって重要な外貨獲得源となっている。

エネルギー資源に関して言えば、褐炭のカンスク・アチンスク炭田（クラスノヤルスク地方を中心に一部ケメロヴォ州とイルクーツク州にも広がる）が、ロシアの炭田としては最大の埋蔵量を誇る。クラスノヤルスク地方の石炭生産量は、ケメロヴォ州に次いで全国2位である。石油では、地方の北西部のヴァンコール鉱床群が、ロシアにおける次代の主力産地の1つとして期待されている。

写真54-01　ノリリスクニッケルの生産現場（同社 HPより）

一般的に「シベリアの首都」と呼ばれることが多いのはノヴォシビルスクだが、クラスノヤルスクにもしばしばその名が冠せられる。「首都」がどこかはさて置き、シベリア連邦大学がこの街に置かれていることから考えても、クラスノヤルスクもまたシベリアの中心的都市であることは間違いないだろう。ちなみに、ロシアの10ルーブル紙幣に描かれているのは、表面がクラスノヤルスクの丘に立

画像54-01　クラスノヤルスクを描いた10ルーブル紙幣

つパラスケヴァ・ピャートニッツィ礼拝堂とエニセイ川にかかる鉄道鉄橋（画像54―01参照）、裏面がクラスノヤルスク水力発電所である。

この街では１９９７年に日露首脳会談が開催され、両国関係史にもその名を刻んだ。橋本龍太郎首相とＢ・エリツィン大統領が会談し、２０００年までに領土問題を解決して平和条約を締結することを目指す旨のクラスノヤルスク合意に至ったものである。

実はクラスノヤルスクはロシアきってのラグビーどころとなっており、エニセイＳＴＭ、クラスヌィ・ヤルという2大クラブがしのぎを削っている。２０１９年のラグビー・ワールドカップで日本代表と戦ったロシア代表の面々も、多くがこの2大クラブに所属していた。スポーツ面ではもう1つ、クラスノヤルスクが２０１９年の冬季ユニバーシアードの開催都市となったことも特筆される。

（服部倫卓）

55

日本と歴史的関係の深いイルクーツク州

★漂流民から木材企業まで★

イルクーツク州は、バイカル湖の北西岸に位置し、「プリバイカリエ（沿バイカル地方）」と呼ばれることもある地域だ。州都イルクーツク市は、バイカル湖観光の拠点となっていて、日本からも含め毎年多くの観光客が訪れる。

モスクワから東へ約5千km、極東のウラジオストクから西へ約4千kmとロシアの中央部に広がるイルクーツク市は、バイカル湖の貯水量を一手に受けるアンガラ川と町の名前の由来となったイルクト川の合流地点に位置する。東シベリアの中核都市イルクーツクはシベリアで最も古くから名前の知られる町の1つで、文豪チェーホフは「シベリアのパリ」と呼んだ。その

名の通り、イルクーツクの市内は、欧州の影響を受けた教会や公園、街並みで訪れる人々を魅了している。

イルクーツクの地は、10世紀以降ブリヤート人やツングース系民族の定住地域であったが、1652年にコサックが毛皮を売買するために交易所を設置し、そこに1686年市制が施行された。以来、イルクーツクは主に中国やモンゴルに向かう商人の町や交易の中心として発展した。

1825年12月、当時の貴族将校の一部がサンクトペテルブルグで帝政に反対する運動を起こした。ロシア語の12月（デカブリ）にちなんでデカブリストの乱と呼ばれた運動はのちの革命運動に大きな影響を及ぼしたといわれている。参加した「デカブリスト」の多くが流刑されたのがイルクーツクであった。イルクーツク市には当時の建築スタイルを反映し、イルクーツクに流刑されたデカブリスト、ヴォルコンスキーやトルベツコイの邸宅がデカブリスト記念館として公開されており、当時の流刑者の生活を紹介している。

イルクーツク州の面積は77万4800㎢であり、これは連邦第5位で（国土の4・5％）、トルコ一国に匹敵する。そして、その広大な領域は、天然資源に恵まれている。州の面積の80％以上を森林が占めており、松、白樺、杉、モミなど多種多様な木材が伐採されている。木材伐採・加工産業が製造業全体の27・5％（2018年）を占めており、州経済を支える基幹産業となっている。先駆的な合弁企業だったイギルマ大陸では、2008年に日本の大陸貿易が出資を引き上げ、現在はロシア資本の会社となっている。イルクーツク州で生産される木材、合板、パルプ、段ボールといった木材加工品は良質で、ロシア国内はもちろん、海外での需要も高く、日本を含めて約40か国に輸出されている。

ただし、2022年のウクライナ侵攻後、ロシアは欧米による対ロ制裁への対抗措置として、木材の一部の国への輸出を禁止している（2023年11月時点）。

広大な土地には石油や天然ガスなどエネルギー資源も豊富に眠っている。生産量はそれぞれロシア全体の約3・3%と約5・9%となっており（いずれも2018年）、ヴェルフネチョンスコエ油田やコヴィクタ・ガス田といった大規模鉱区が有名である。他にも石炭、鉄鉱石、金、レアメタルなどさまざまな鉱物資源が採掘されている。

今日のイルクーツクの発展に大きな影響を及ぼしてきたのが水資源だ。1950年代にアンガラ川でダム建設が始まり、1956年に「イルクーツク水力発電所」が建設された。この発電所は東シベリアに最初に設置された大規模水力発電所であった。そして、今や州内第2の都市にまで発展したブラーツク市だが、1961年に「ブラーツク水力発電所」が稼働するまでは労働者たちの村落として細々と発展していたに過ぎなかった。しかし、水力発電所のおかげで人口が増大し、安い電力を生かしたアルミニウム精錬業が発展したため、州内第2の都市まで成長した。発電所は現在、ロシアの水力発電所として第3位の出力（4500MW）を誇る。1974年に稼働を開始したウスチイリム水力発電所も同第4位（3840MW）となっている。イルクーツク州の水力発電量はロシア全体の約20%を占め、連邦第3位となっている。

イルクーツク州は交通の要衝でもあり、それを象徴する町がタイシェトだ。タイシェトは人口約3万人程度と小規模な町であるが、シベリア鉄道の分岐点として重要である。モスクワを出発したシベリア鉄道がタイシェトで南北に分かれ、バイカル湖の南を走るのがシベリア鉄道、北を通るのが「第

写真55-01　イルクーツク市内にある「金沢通り」の標識（撮影：服部倫卓）

2のシベリア鉄道」と呼ばれるバイカル・アムール鉄道（通称バム鉄道）となる。

ロシアのほぼ中央部にあるイルクーツクはモスクワほどではないとはいえ、極東と比べればかなり日本からは遠い位置にある。しかし、最も古くから日本との交流がある地域の1つである。ロシアの地に最初に足を踏み入れた日本人とされる伝兵衛や大黒屋光太夫など、日本人の漂流者たちが滞在したのがイルクーツクであった。1705年にサンクトペテルブルグに設立されたロシア最古の日本語学校は1753年にイルクーツクに移設され、ロシアに帰化した日本人が教鞭を執ったと伝えられている。そしてイルクーツクは第2次世界大戦後に日本人捕虜の抑留地の1つでもあった。一方で、イルクーツク州は石川県と、イルクーツク市は金沢市と、ブラーツク市は七尾市と、シェレホフ市は能美市と、ジェレズノゴルスクイリムスキー市は山形県の酒田市と、それぞれ姉妹都市を結んでいる。さらに、イルクーツク市内には日本情報センターが設置されており、日本の文化や伝統を紹介している。さらに、市内の通りの1つは「カナザワ通り」と名付けられている。さらに驚くべきことに、一見すると遠く離れている日本とイルクーツクだが、その時差はわずか1時間に過ぎない。遠いようで近い、近いようで遠いイルクーツク州なのである。

（中馬瑞貴）

56

石炭産業の中心地 ケメロヴォ州

★300年の歴史を誇るクズバス炭田★

ロシア最大、世界でも最大規模の石炭埋蔵量を誇るクズネツク炭田が広がるケメロヴォ州。炭田に由来して通称「クズバス」と呼ばれていたケメロヴォ州だが、2019年3月に州の名前を「ケメロヴォ州―クズバス」に改名し、今ではクズバスが正式名称の一部になっている。また、2021年には鉱床発見から300年を迎え、連邦レベルの祝賀行事として「クズバス開発300周年」が盛大に祝われた。ロシアでは都市の誕生を祝うことはよくあるが、産業開発の始まりを大統領までもが出席して大規模に祝うことはなかなか珍しい。クズネツク炭田の発見が、ケメロヴォの石炭産業のみならず、ロシアの石炭産業、さらにはシベリアやロシア全体の発展に大きく貢献したことを物語っている。

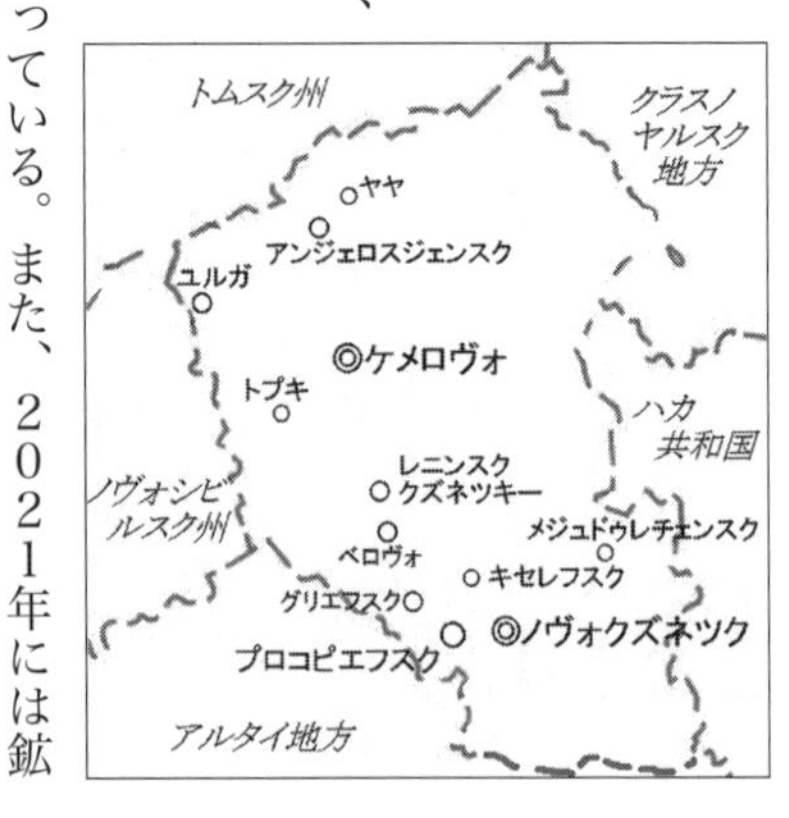

現在のケメロヴォ州一帯には、元々、クズネツク・タタール

図56-01　ロシア全体とケメロヴォ州の石炭生産量（単位：100万t）

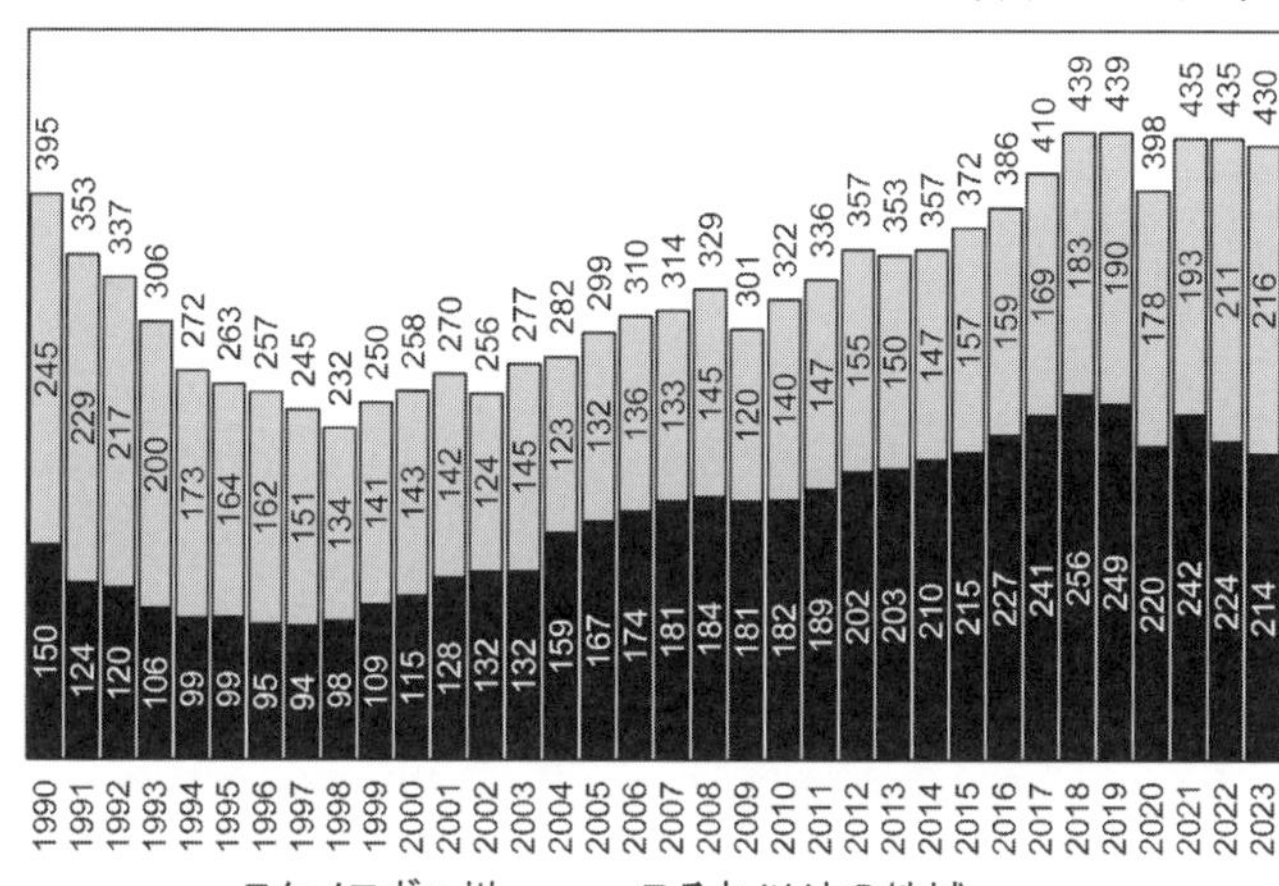

（別名ショル）、テレウト、シベリア・タタールなどテュルク系民族が定住していた。ケメロヴォという地名はテュルク系言語で山や崖の斜面を意味する kemer に由来すると考えられている。

当地に進出したロシアは、オイラトやジュンガルなどモンゴル系民族の攻撃から領土を守るために、１６１８年にクズネツク要塞を築き、１６８９年には要塞を中心とするクズネツク市が誕生した。１９３２年、かのスターリンにちなんでスターリンスクへと改められたこの都市は、１９６１年にノヴォクズネツクとなり、現在ではケメロヴォ州最大の都市となっている。

帝政ロシア時代、欧州に匹敵する産業発展を目指したピョートル１世は、当時、諸外国に依存していた資源を国内で調達するため、１７００年には、金、銀、銅、鉄の鉱床を探すための調査隊を各地に派遣する決定を出した。なかでも未開発のシベリア地域に注目すると、１７２１年７月に鉱山労働者のミハイル・ヴォルコフがヴェルホトムスク要塞近郊の「燃える山」と呼ばれ

写真 56-01　ケメロヴォ市内にある石炭開発史博物館「クラスナヤ・ゴルカ」の展示（撮影：服部倫卓）

る山を調査中に鉱床を発見した。当初ヴォルコフはその鉱床を鉄鉱山と考えていたが、のちに鉱山専門家とともにやってきた調査隊の分析によって石炭鉱床であることが発覚した。現在、この場所で採掘などは行われておらず「クラスナヤ・ゴルカ」と呼ばれる石炭博物館になっている。

その後、いくつもの鉱床が発見されたクズバスでの石炭開発は1770年頃から本格化したが、当時は年間約2000tの石炭が採掘される程度で、突出した生産量ではなかった。ところが、19世紀末にクズバス北部を通過するシベリア鉄道の建設が始まると石炭の需要が急増し、20世紀に入った頃にはクズバスがソ連のエネルギー基盤の中核地域へと変貌を遂げた。1920年代に石炭産業の機械化が進むとクズバスの石炭採掘量はさらに倍増した。また、開発が進むにつれてクズバスの石炭がソ連で最も良質な石炭であると評価されるようになり、クズバスの石炭燃料がシベリア地域だけでなく、極東やカザフスタンなど周辺地域にまで供給されるようになった。さらに、第2次世界大戦によって、ロシアの欧州部にある多くの企業がケメロヴォに疎開したことと、ドンバスやモスクワ周辺の炭鉱が壊滅的な打撃を受けたことを受けて、ケメロヴォが重工業の中心として発展し、燃料供給源としてクズバス炭田の重要性が高まった。その結果、ますますクズバスの開発が積極的に進められるようになり、1960年にソ連が米国、英国に次ぐ世界第3位の石炭生産国（世界シェアが約15％）になると、クズバス炭田の生産量も最大で約1億6000万tに達した。

しかし、国の経済の停滞や世界的な石炭需要の落ち込みによって、徐々にクズバスの石炭生産量が落ち込み始め、ペレストロイカ末期の1989年7月にはメジドゥレチェンスク（クズバス）の炭鉱で大規模なストライキが起きると、ますます石炭生産量が低下した。

ソ連崩壊後も、クズバス炭田は生産が著しく低迷し続け、1997年には年産9400万tまで落ち込んだ。しかし、1998年から再び増産に向かい、2005年にソ連時代の生産量まで回復。2012年には2億t、2018年には過去最高の2億2600万tを達成した。近年、ケメロヴォ州の石炭生産高はロシア全体の5～6割ほどを占めている。

そんなケメロヴォ州を語る上で忘れてはならないのが、20年以上州知事を務め、「石炭業界のドン」と呼ばれたアマン・トゥレエフの存在である。トゥレエフは中央アジアのトルクメニスタン生まれ（1944年）で民族的にはカザフ人という異色の知事だ。幼少期にケメロヴォに移ってきたトゥレエフは、大学卒業後にノヴォクズネツクで鉄道関係の仕事に就いた後、1985年に共産党に入党し、1990年5月にケメロヴォ州共産党のトップに就任した。ソ連崩壊後、ケメロヴォ州議会の議長を務めていたトゥレエフだが、1997年10月に行われた州知事選挙に勝利して、2018年4月の辞任まで約20年間、知事を務めてきた。そんなトゥレエフの名は州だけでなく、国全体でも知られる。というのも、1991年4月、1996年6月、2000年3月と、3度も連邦大統領選挙に出馬した経験を持つからだ。1990年代は共産党員として左派の象徴だったトゥレエフだが、2000年以降は連邦政府や与党に従順な態度をとるようになり、2005年には与党「統一ロシア」に入党した。プーチン大統領と親しい関係を築き、盤石な基盤を維持していたトゥレエフだが、2018年4月、ケメロヴォ市の大型ショッピングセンターで発生した大規模火災の責任を取って辞任した。無論、長期政権と高齢（辞任当時74歳）ということを考えれば、火事は単なる理由づけに過ぎず、辞任はそれ以前から決まっていたのではないかと考えられている。

ところで、ケメロヴォ州には観光地の顔もある。ここはロシアで数少ない、ウィンタースポーツを満喫できる地域なのだ。ケメロヴォ州を訪れる国内外の観光客のお目当てはスキーとスノーボードだという。観光・レクレーションインフラの整備が進んでいることに加えて、11月から5月という長期間、質のいい雪が山に積もるという気候的な特徴が観光客を魅了している。2014年にソチで行われた冬季オリンピックのロシア・スノーボード代表にはケメロヴォ州出身者が3人も名を連ねていたそうだ。

（中馬瑞貴）

57

ソ連とともに生まれたノヴォシビルスク州

★学術都市建設とその後★

ノヴォシビルスク州は、モスクワ、サンクトペテルブルグに次ぐ、ロシアの「市」として第3位の人口を誇るノヴォシビルスク市を中心とした地域である。同市にはシベリア連邦管区の本部が設けられ、「シベリアの首都」とも称される。1990年にノヴォシビルスクは札幌市の姉妹都市となった。なお、ノヴォシビルスク市の人口は約164万人（2023年時点）と大きいが、州全体では約279万人（同上）にとどまる。

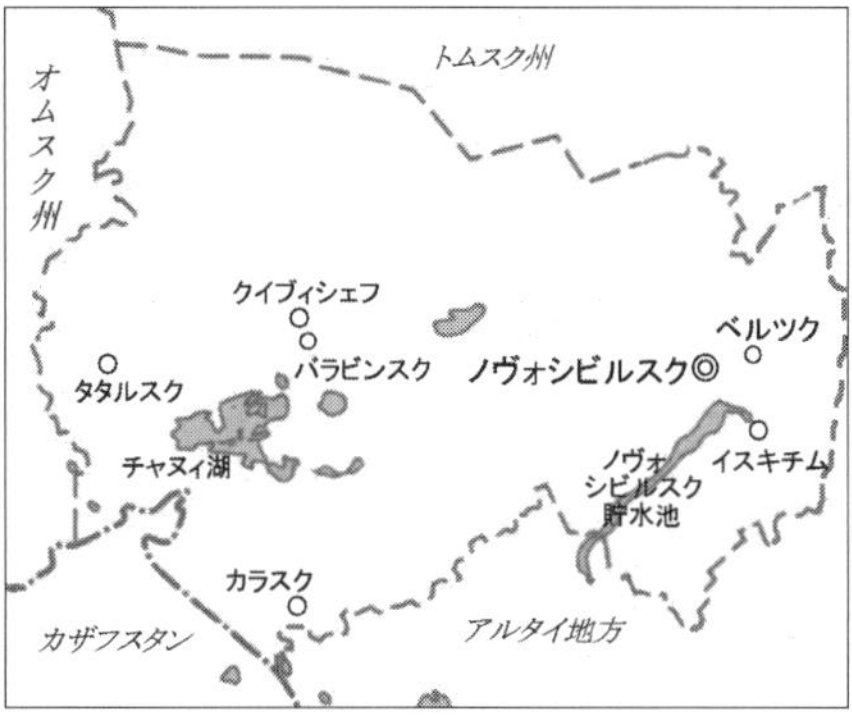

新しいを意味する「ノヴォ」を冠することから分かるように、シベリアの主要都市の中でも新興と言える地域であり、実際に現地を訪問して、帝政期の趣を残すオムスクやトムスクの街並みと比べれば、ノヴォシビルスクの街並みが実に「ソ連」的であることに気づくことになるだろう。ノヴォシビルスク州（お

写真 57-01　ノヴォシビルスク駅外観

よびノヴォシビルスク市）の前身であるノヴォニコラエフスクが、シベリア鉄道敷設に伴い建設されたのが帝政末期の１８９３年のことであり、その創設からまだ１３０年未満といったところである。それ以前は近隣州であるオムスクやトムスクが管轄していた地域であった。ソ連政府によるシベリア支配の確立後、その名称は、１９２５年に現在の呼称であるノヴォシビルスクへと改められた。これは直訳すると、「新しいシベリア」という意味である。白軍の拠点となったオムスクや、反ボリシェヴィキ蜂起のあったトムスクなど他のシベリア諸都市と対比させるかのように、ソ連政府は重要な物流拠点でもあるノヴォシビルスクを「新しいプロレタリアの行政・政治の中心地」へと発展させる方針を明示し、積極的に現地でのインフラ開発に乗り出すようになった。

　これに合わせて１９２０年代半ばに10万にも満たなかった人口は増加の一途をたどり、１９４０年代には40万を超え、１９６２年には１００万人に達した。都市建設も進展し、たとえば、ノヴォシビルスク市中心部に位置し、現在も同市の「顔」となっているノヴォシビルスク駅は、帝政期の旧駅舎を更新し規模面でも拡大することを目的に、公募案から決定されたデザインを基として１９３９年に建造された。その外観はソ連崩壊以降に修繕されているが、構造部分は現在も建造当初のものが概ねそのまま利用されている。また、同じく市中央にあるオペラ・バレエ劇場は全幅60m、高さ35mの巨大建造物であるが、これは１９４４年に建設されて以降、現在に至るまでロシア最大級の劇場として運営されている。そして、１９３０〜50年代にかけては、軍需製品を含む各種機械を製造するプラントや化学製品開発工場が多数域内に建設され、工業都市としての側面も強まっていった。現在でも工業の9割以上が製造業であり、食品加工、石油ガス化学、電子部品製造、金属加工及び鋳造、工作機械製造などが盛んである。

こうしたさまざまな製造業の発展を支え、またノヴォシビルスクの都市としての特色を決定づけたのは、「知の集積」である。ノヴォシビルスクは、いわゆる学術都市の「アカデムゴロドク」があることで知られる都市であり、そこでは現在、38のロシア科学アカデミー支部や研究機関、設計研究所が日夜開発・研究に従事し、また大学など30を超える教育機関が集積、州全体の4割弱、約4万人の学生がさまざまな教育プログラムを享受している。このアカデムゴロドクは、ノヴォシビルスク市中心部から南東約20㎞の距離に位置し、市内ではあるものの、まるで独立した自治体のように独自の街区を形成している。なぜならば、アカデムゴロドクはロシア科学アカデミー・シベリア支部を設けるべく、ロシア科学界のイニシアチブの下で構想が練られた街であり、この構想を1957年にフルシチョフが承認したことにより、建設されることとなった経緯があるからである。アカデムゴロドクの建設は1958年から開始され、まず敷地内にノヴォシビルスク国立大学が建設されることが決定され、1959年末には一部研究所を含め稼働を開始した。大学や研究施設だけでなく、住居の建設も急ピッチで進められ、プレハブなどの仮住まいを用意する必要も無いほどのスピードで温水・暖房・電力供給を備えた建物がそろえられたという。そして、開設後10年も経たずにアカデムゴロドクにて勤務する研究者の数は1500人を超え、その後も順調に規模を拡大していった。なお、アカデムゴロドクが筑波学園研究都市のモデルになったとの説もある。

しかし、ソ連と一緒に成長してきた学術都市はその崩壊とともに危機を迎えた。政府からの財政支援は見込めず、研究者の給与も大幅に削減されることとなった。こうした危機の中、アカデムゴロドクの研究者は起業することで新たな道を模索するようになる。１９９０年代のロシア混乱期においては、アカデムゴロドク発の多数のソフトウェア企業が生まれ、なかには海外進出を果たす企業も現れるようになった。この時代の経験が教訓となり、アカデムゴロドクは産学連携にて継続的に成果を出す仕組み作りに着手、アカデムゴロドク内にテクノパーク「アカデムパーク」を創設する構想を打ち出し、産業の多角化を目指すノヴォシビルスク州政府もこれに呼応、２００７年からその建設が開始された。２０１０年には管理棟を兼ねる中央棟が建造され、２０１３年には最先端技術をビジネスに活かすための教育、また、新規事業育成や起業に関わるさまざまな支援サービスの提供を開始した。こうしたテクノパークを核とした産学連携の試みは、モスクワを始め、ロシア各所に影響を及ぼしたと言われている。現在、ノヴォシビルスク州はその都市経済インフラおよび学術都市としての強みを活かし、積極的に産業多角化や先端技術開発の促進に取り組んでいる。「ソ連」の色彩を残しつつも、随所で先端技術動向を垣間見ることができる都市がノヴォシビルスクである。

（長谷直哉）

写真 57-02　アカデムパーク中央棟外観（出所：アカデムパーク公式サイト）

58

かつてのシベリア「首都」オムスク州

★その歴史的変遷★

オムスク州は、人口約111万人（2023年時点）のオムスク市を核とした、西シベリアの地方である。オムスク市はロシアの都市人口ランキングで10位前後を維持している大都市であり、娯楽や産業面でも見どころが多い街でもある。しかしながら、日本ではその地理的位置を含め、ほとんど知られてはいない。おそらく、ロシアに関わる多くの日本人にとってもあまり馴染みのない土地であると言えるであろう。

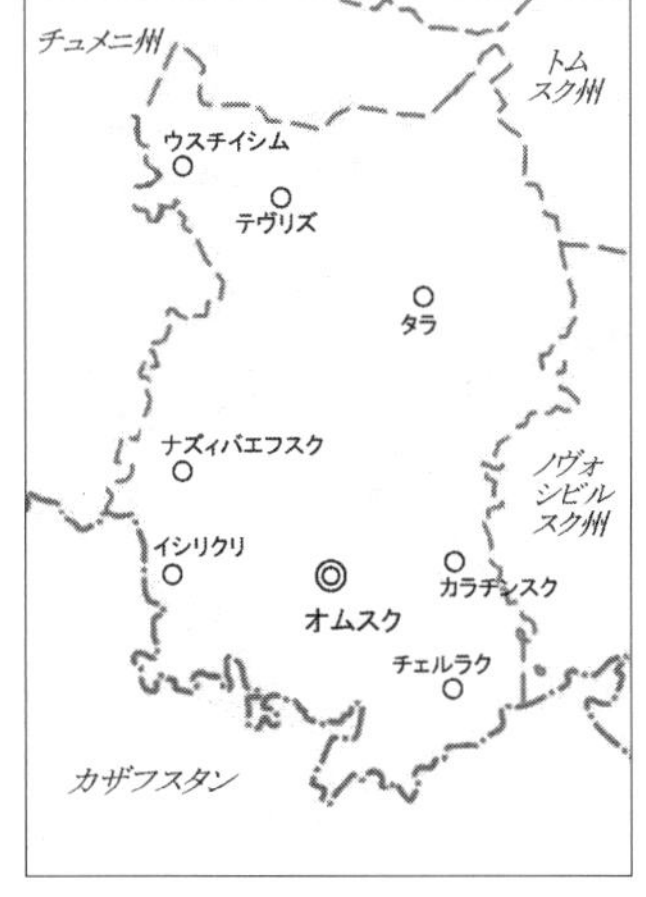

オムスク州はシベリア連邦管区に属し、いわゆる西シベリア地域に位置している。産油地域として有名なチュメニ州の東隣にあり、カザフスタン北部と国境を接する。オムスク市からカザフスタン国境までは約150㎞、その首都アスタナまでの車道での移動距離は約800㎞（直線距離は約450㎞）と近く、

写真 58-01　十字架を抱くドストエフスキーのモニュメント

オムスク州にはカザフスタン市場での取引が多い企業が多数存在し、オムスク州政府もアスタナ市やカラガンダ市を含むカザフスタン北部を一体的な市場として認識している。街中にはシベリア各都市を示す道路標識のほか、カザフスタン諸都市を示す標識を多く見つけることができる。アスタナとの航空直行便も週複数便が運航、シベリア鉄道からカザフスタン方面へと続く鉄道上のハブでもある。

　歴史を紐解いてみると、オムスクはオミ川河畔に形成された要塞および商人街を起源としている。オムスク要塞が建設された１７１６年から始まったとされる。その歴史はロシアのシベリア進出の過程とともにあった。現在、この場所には建設当時のトボリスク門と、修復されたタラ門が残されている他、武器庫、軍の刑務所、司令官の家などの建築遺産を目にすることができる。帝政期の19世紀から20世紀初頭にかけ、オムスクには西シベリア総督府が置かれ、西シベリア地区およびステップ地域（現在のカザフスタン）の行政的中心として発展していった。当時はアジア方面で唯一、ロシア帝国の国旗を掲揚する権利を持つ都市であったことからもその扱いが窺える。しかし、シベリアからカザフスタンにかけての地域情勢が安定するにつれ、オムスクの軍事的重要性は薄れてゆき、19世紀後半にはどちらかと言えば流刑地としての様相が強くなっていく。なお、かの文豪ドストエフスキーは政治犯としてオムスク刑務所に1850年から1854年にかけての4年間、収監されていた。現在、彼が収容されていた刑務所建屋は保存されており、市内には多数のモニュメントが設けられている他、関連する記録や物品を収めた資料館も運営されている。その後、シベリア鉄道の敷設に伴い、再びオムスクは商業的にも活気を取り戻していくが、ロシア革命後の内戦においてオムスクには、反ボリシェヴィキ政権の臨時全ロシア政府が置かれ、また著名な提督A・コルチャークの指揮下で白軍拠点として機能した。

写真58-02 再整備されたオムスク中心市街

さて、西シベリアでは一般にノヴォシビルスク市の方が有名である。これはソ連期に行政の中心地がノヴォシビルスクに移されたためである。シベリアでは1920年にソ連政府による支配権が確立し、その後の1921年、現在のノヴォシビルスク州の前身地域が新設され、シベリア鉄道を活用した新たな物流拠点、そして行政拠点として整備されていくこととなる。これ以降、オムスクはシベリアの中心都市としての地位を失うことになるのであった。なお、オムスクの人々はかつて自分たちこそがシベリアの中心にいたことを今でも誇りとして考えている。このため、現地を訪問した際には安易に「隣の州」と比較するような発言は慎むべきであるかもしれない。

では最後に、現在のオムスクの姿へ視点を移してみよう。オムスク州は大小さまざまな石油化学工場が操業するシベリアの一大石化基地であり、ガスプロムネフチやシブールなどのロシア大手企業工場の他、地場の石油化学企業の生産施設が多数操業している。また、機械産業、国防産業などその他製造業も盛んであり、すでに高度技術を導入している石化産業に引っ張られる形で、その他製造業においても生産施設の近代化が急ピッチで進められている。なお、オムスク市は２０１６年の市創設３００周年に合わせて、旧市街（旧リュビンスキー大通り）の再整備を実施、「シベリアの文化首都」と呼ばれても遜色のない美しい通りが維持されており、劇場や美術館、多数の飲食店がきらびやかに軒を連ねている。シベリアの都市イメージを書き換えるような光景を楽しむことができるだろう。

（長谷直哉）

59

教育と科学の街 トムスク州

★最古であり、最先端★

　トムスク州は、人口約55万人（２０２３年時点）のトムスク市を核とした、西シベリアの地方である。シベリアには人口１００万人を超える都市として、ノヴォシビルスク、クラスノヤルスク、オムスクの３つが存在する。これらに比べるとトムスクは小粒な地方であり、州全体の人口を足し合わせてようやく１００万人に届くという規模に過ぎない。しかしながら、トムスクはシベリアで最も古い歴史を有する都市であると同時に、現在では非常に先進的な地域としても認識されている点は知っておくべきだろう。

　トムスク州、とくにトムスク市の歴史は４００年以上前まで遡ることができ、現代のシベリア中心都市であるノヴォシビル

スクとは比べ物にならないほど長く、またかつてのシベリア「首都」であるオムスクの300年をも超えるものである。トムスクは、ロシア・ツァーリ国の時代、1604年に当時のツァーリであるボリス・ゴドゥノフがトミ川河畔に要塞建設を命じたことをその起源とする。多くのシベリアの諸都市と同様に軍事拠点として発展し、主要都市として花開いていくこととなる。しかし、19世紀前半に一時は金採掘業の発展を背景にシベリア最大都市にまで成長するが、シベリア鉄道沿線から外れたことを契機に、その後は他地方と比べても発展に後れを取るようになった。その上、20世紀に入ると周辺の大都市との発展格差はさらに大きくなり、ノヴォシビルスクへの人口流出が社会問題となるほどであった。

写真59-01　トムスク国立大学本館外観

　この苦境を変えた要因の1つは、第2次世界大戦後のロシア欧州部からの産業移管である。核開発施設も1950年代に建設され、当時は閉鎖都市（現在のセヴェルスク）も設けられていた。また、もう1つの要因として、1960年代以降のトムスク州内を含む西シベリア地域における、石油産出とその発展がある。トムスクでは1888年に、元素周期表で有名なメンデレーエフも設立に関与した、シベリア最古の大学であるトムスク帝国大学（現在のトムスク国立大学）が創設されたが、それ以降も教育・科学面で重要な拠点であり続けた。トムスクには鉱山技師育成のための専門学校（1896年創設。現在のトムスク工科大学）も設けられ、多数の優秀なエンジニアを排出したほか、炭鉱開発技術の発展にもさまざまな形で貢献してきた。こうした教育・科学面での基盤が石油産出の本格化とともに花開き、ソ連時代には石油開発案件への積極的な関わりを求められるようになる。その中で、トムスクはロシアのエネルギー資源開発に携わる人材育成、そしてその先端技術開発拠点としての役割を強めていくことになった。結果としてソ連政府は、トムスクでのインフラ整備の推進に積極的となり、空港などの交通インフラ、国防やその他製造業に関わる産業基盤が一斉に強化されることとなった。

写真 59-02　トムスク工科大学内の研究展示

最後に現在のトムスクについて概観しておきたい。トムスクはその長所である教育と科学を徹底的に伸ばすことでノヴォシビルスクなど周辺の大都市と比肩し得る都市の魅力を引き出すことに成功している。トムスクの魅力は何と言っても「頭脳」がコンパクトに集積されている点にある。ノヴォシビルスクにも学術都市「アカデムゴロドク」があるが、市中心部からは20㎞程度離れており、アクセス面での不便さは拭えない。その一方で、トムスクは「カレッジタウン」と形容されるように、重要な学術研究機関が市内中心部、具体的には市のメインストリートであるレーニン通り沿いの1㎞程の距離に集中して立地している。トムスク国立大学、トムスク工科大学、TUSUR（トムスク国立制御システム・無線通信大学）等が各研究機関間で風通しの良い専門家・エンジニアコミュニティを形成している。なお、市内人口のうち、約4分の1が学生・大学関係者であり、それを反映してか、市内には学生寮や若年層向けのリーズナブルな飲食店が多く立ち並ぶ。

こうした大学機関の中でもトムスク国立大学がコミュニティの中心となっており、同大の卒業生が市内の大学や研究機関だけでなく、州政府や市政府、現地IT企業で活躍している。大学講師が州政府で勤務する、その逆に州政府職員が大学で働く、という人材のサイクルが機能しており、行政と研究機関の交流が密接かつ恒常的に行われている点にも特徴がある。つまり、行政府内に多くの研究者がおり、産官学連携において足並みを揃えやすい環境が自然とできている。このトムスク内での産学連携のサイクルとその研究開発能力はロシア国内のみならず、国際的にも高く評価されている。

（長谷直哉）

60

民族文化を維持しようとするブリヤート共和国

★ロシアとアジアが交差する地★

シベリア鉄道に乗っていて、アジア系の顔立ちが目立ち、どことなく土埃の匂いが強くなってきたら、ウランウデ駅に近づいた証拠だ。ブリヤート共和国の首都である。共和国の人口は約97万9千人（2020年現在）。そのうちロシア民族が約58万人、共和国にその名を与えるモンゴル系のブリヤート民族は約29万5千人となっている。ウランウデから国道で南下すれば、すぐにモンゴルへと通じるステップ地帯に入る。ブリヤート共和国はいわば、ロシアとアジアが重なる地域である。基本産業としては、自動車生産・電気エネルギー・燃料産業・穀物生産・畜産などが挙げられる。

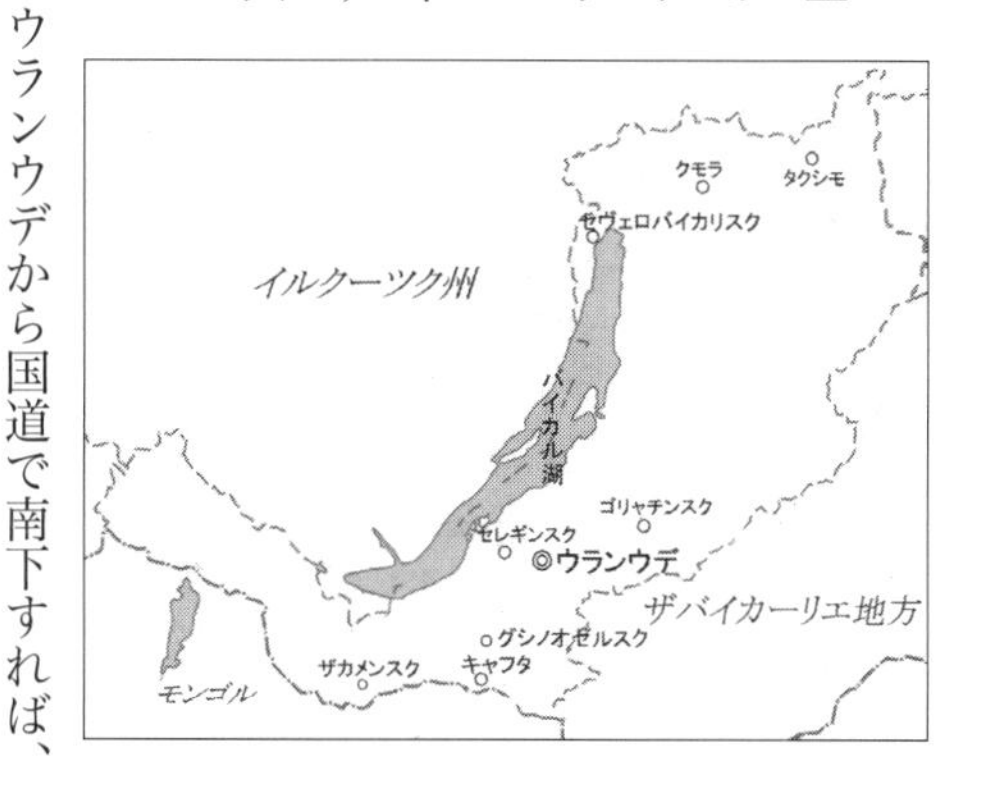

現在ブリヤート人（ブリヤート語ではブリャード）と呼ばれる人々の多くは、内陸アジアの歴史的変動ゆえに、17世紀以降、ロシ

写真 60-01　新しく開基された仏塔（ブリヤート共和国セレンガ郡）

ア帝国内に住むようになった。とくにバイカル湖から東南の領域のブリヤート人はチベット仏教の影響下にあり、また西欧的近代教育を受けた者も出て、19世紀後半には数々の知識人を輩出した。ちなみにブリヤート共和国はいまでも、ロシアにおけるチベット仏教世界の中心である。

一連の民族知識人は多彩な顔ぶれで、南シベリアおよびモンゴルのその後を形作った。「ブリヤート人最初の学者」と言われ、ロシアにおけるシャーマニズム研究の礎を築いたドルジ・バンザロフ（1822〜55）。自分の民族について可能な限り著述を進め、自民族民族学（ネイティブ）とでも言うべき分野をロシアで確立したマトヴェイ・ハンガロフ（1858〜1918）。また、チベット仏教圏の勢力拡大を考え、チベットをロシアが「保護」すべく進出を、と帝室に提言した医師のピョートル・バドマエフ（1851?〜1920）。ブリヤート語の独自のアルファベットを考案し、外交を含む宗教政策上でも活躍したチベット仏教僧アグヴァン・ドルジエフ（1853〜1938）。

ブリヤート民族運動の担い手かつ民族学者で、ハカス人の土地問題にも取り組んだミハイル・ボグダノフ（1878〜1919）。モンゴル革命に多大な影響をもたらしたツィベン・ジャムツァラノ（1880〜1942）やエルベク＝ドルジ・リンチノ（1888〜1938）らである。20世紀初頭、ブリヤート知識層は内陸アジアにおいて「モンゴル系諸民族の前衛」としての歴史的役割を担った。ただし、この「前衛」は「ソビエト化」とほぼ同じであったため、その功罪が今後問われていくことになろう。

ソビエト時代、自治共和国という政治的単位を得ていた（共和国領土変更については第62章を参照）。ソ連解体後、ロシア連邦ブリヤート共和国という地位を維持している。ブリヤート共和国の特徴は、多民族国家ロシアの中の共和国という枠組で、自らが多民族主義・多文化主義を維持しなければならない難しさを、ロシア領アジアにおいて示しているところにある。「大きな少数民族としての悩み」を抱えているわけだが、ブリヤート共和国のこの悩みは2010年代以降さらに深まった。その背景については2つ考えられる。

第一に、シベリア先住民族の中で最大の人口を持つという地位を失った点である。歴史的にブリヤート人はロシアの中で、チベット仏教に裏打ちされた「高度な」文化を持つアジア系民族とされてきた。人口の面でも多数を占め、知識人や政治家を輩出してきたゆえ、シベリアの「主導的」な先住民族という自負もあっただろう。しかし、2020年時点でロシア領内のブリヤート人は約46万人、それに対してサハ（ヤクート）人は約47万8千人となった。ロシア国外のブリヤート人を含めての世界における総数としてはサハ人を凌駕するという声もあるが、このことは逆に「ブリヤート人ディアスポラ」を意識させることになった。また、逆説的なことにディアスポラ意識は、「ブリヤート人」という民族の構成を疑問に付す動きと同時だった。というのも近年では、少数先住民族の選択が国勢調査で認められ、かつてであれば「ブリヤート人」と民族帰属を表現していた集団が、たとえばソヨート人――もともとトナカイ飼育をしていたテュルク系集団、2020年時点で約4400人――と主張し始めたからである。

第二に、ブリヤート共和国内の少数先住民族としてエヴェンキ人（2020年時点で約3千人）がいる。エヴェンキ人の伝統や言語は近年、危機的と称してよい。その要因の1つとして環境問題との関連が指摘されている。バイカル湖の名産品として、オームリ（サケ科の魚）の燻製があった（黒パンやウォッカとの組みあわせは絶妙だった）。だが、乱獲のため絶滅が危惧され、2017年より商業目的のオームリ漁は禁止となった。学術目的で年17tまで、エヴェンキ人など少数民族の伝統維持のため55tまでは漁獲可能とされている。にもかかわらず密漁が後を絶たず、またエヴェンキ人への割当も個人漁か集団漁かで基準がぶれることもあり、全面禁漁にすべきだという見解も出たのだった（最新の情報としては、密漁対策が功を奏してか、個体数の回復がみられ、漁獲制限の緩和の可能性も示唆されている）。しかしながら、すでに研究者が指摘しているように、ブリヤート共和国が、理由の如何を問わず、その領土内の少数先住民族の保護に背くような行動をとった場合、政治的ブーメランとなって自らに跳ね返ってくる。その背く論理と同じ構図でもって、ロシア連邦はその領土内のブリヤート人のような少数民族の文化保護に反することができるからだ。

こうした「大きな先住民族としての悩み」が、最近、机上の論理ゲームではなく、実際の政治過程となって表出した。2019年のいわゆる「黒い九月」事件である。ブリヤート共和国は、ロシアの中で元来「静かな共和国」と言われ、民族関係が政治化することはまれであり、政治志向も比較的に保守であった。その静かな保守性が「東洋的」と形容されることもある。アメリカでの展覧会のため貸与されることに起因した「チベット絵図事件」（1998年）のような出来事、つまり治安部隊との衝突が生々しく放映されることは例外的とされてきた。

2019年の夏、ウランウデでは9月に予定されていた市長選・市議会議員選が市民の関心を集めていた。市長選は2007年以来のことで、選挙キャンペーンも当初は盛り上がりを見せた。だが結果的に、政治不信で投票率も芳しくなく、この9月8日の選挙でロシア系立候補者が53％の得票率で市長選を制した。同日、このことを不満に（ちなみに、対抗馬のブリヤート系立候補者は35％の得票率）、ソビエト広場で無認可の集会が開かれ、2百名ほど参加して選挙の無効を訴えた。「首謀者」と共産党系の議員が拘留され、その際に車の窓ガラスを治安部隊が割るなどしたゆえ暴力的な光景となり、その後も集会が続くこととなったのである。

事件の背景に民族的不和を深く読み込むこと自体、事件を民族主義化することになりかねない。現地の識者が指摘するように、高い失業率に代表される不安定な社会経済的状況が、民族の問題として解釈されるのだろう。社会経済・民族文化・自然環境といった現代世界が抱える論点を、ブリヤート共和国もまた同じように抱えているのである。

（渡邊日日）

61

サハ共和国は世界最大面積の地方行政単位

★凍土とダイヤと民族文化の地★

サハ共和国（ヤクーチヤ）は、ロシア連邦を構成する諸地域の中でも、きわめてユニークな存在である。308万㎢に上る面積は、ロシア全体の18・0%を占め、日本の約8倍である。この面積は、ロシアの地域としてトップであるだけでなく、世界の地方行政単位の中で最大となっている。

帝政ロシアがこの領域を支配下に組み込んだのは、1620〜30年代のことだった。ロシア革命後、1922年4月27日に、ロシア共和国の一地域として創設されたヤクート自治ソビエト社会主義共和国が、今日のサハ共和国の前身である。ソ連末期の1990年9月27日、ヤクート自治共和国は国家主権宣言を採択した。1991年12月に正式名称が現在のサハ共和国（ヤクーチヤ）に変更になり、ソ連解体を経て、ロシア連邦を構成する主体となり今日に至る。

サハ共和国の首都は、人口29万人のヤクーツク市。1632年にコサック中尉のP・ベケトフが率いる部隊がレナ川流域を探検し、砦を築いたのが、この街の始まりとされている。ただし、当初の砦は、現在のヤクーツクからレナ川を70㎞ほど下流に下ったところにあった。1642〜43年にかけて、砦は今日の場所に移転。1643年には「ヤクートの街」を意味するヤクーツクに改名し、市に昇格した。今日、ヤクーツクはロシア極東連邦管区の中では5番目の人口を誇り、極東北部では最大の都市となっている。また、永久凍土地帯に位置する都市としては、世界最大である。

首都ヤクーツク以外には小規模な集落しかない。炭坑の街であるネリュングリ市（人口5・9万）、ダイヤモンド鉱山で名高いミールヌィ市（3・5万）、レナ川のほとりのレンスク市（2・3万）、金採掘を生業とするアルダン市（2・0万）などが代表的である。

サハ共和国は3つの時間帯に分かれており、これだけでもいかに広大な地域かがうかがえる。サハ共和国はロシアで最も多くの河川を擁するとされ、なかでも大河レナ川は革命家レーニンの名前の元にもなった。共和国のほぼ全域が永久凍土地帯となっているが、近年では地球温暖化との関連でその融解への懸念が強まっている。

サハ共和国は長く厳しい冬を特徴とし、10月から4月までが冬と見なされているほどである。とりわけ、オイミャコン村では1933年2月6日に気温マイナス67・7℃が観測されており、これは人間の定住地および北半球で記録された最も低い気温であるとされている（南半球では南極においてさらに低い記録がある）。北極圏に近い高緯度にあり、海洋から離れ、標高が高く、冷気が集まりやすい盆地といった条件が重なって、当地が北半球で最も気温が下がる場所と

図61-01　ヤクーツクの月ごとの平均気温（℃）

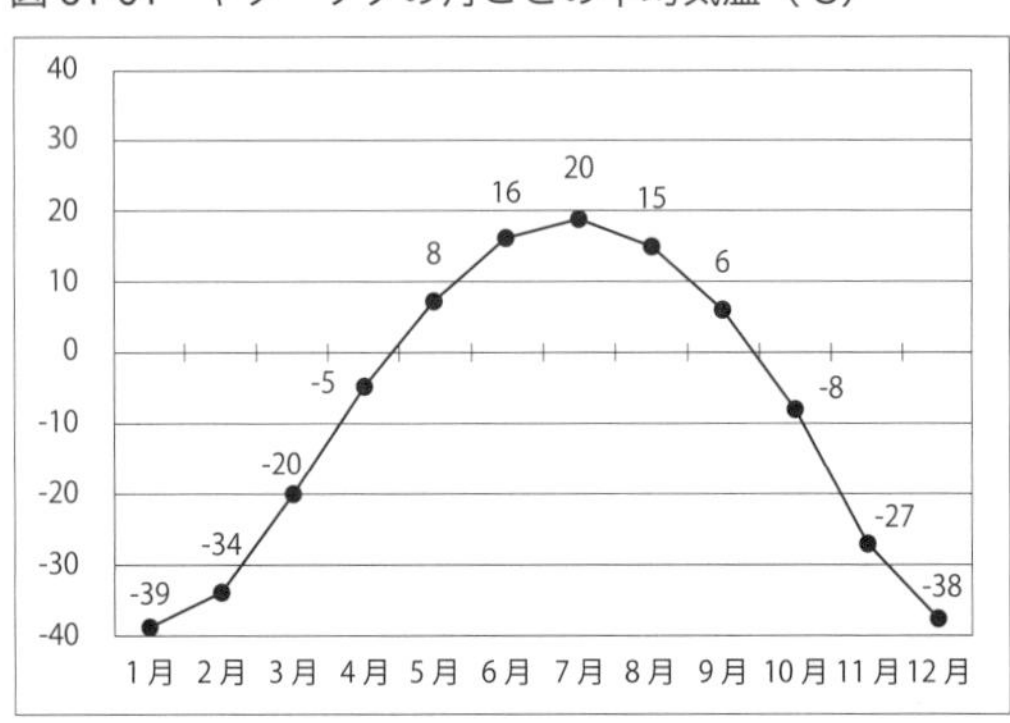

写真61-01　最寒の地、オイミャコンの風景（サハ共和国観光ポータルサイトより）

なっているわけだ。他方でサハ共和国では夏に気温が30℃を超えることもあり、1年間の寒暖差がきわめて大きい。

今日のサハ共和国の経済に着目すると、2021年の地域総生産の実に59・0%が鉱業（地下資源の採掘）によって占められており、製造業は未発達である。2021年の時点で、サハ共和国の鉱業出荷額はロシア全体の5・7%を占め、これは全地域の中で第5位であった。しかも、エネルギー資源と、エネルギー以外の鉱物とをバランス良く産出するのが、同共和国の特徴である。エネルギー資源では、石油のタラカン鉱床、天然ガスのチャヤンダ鉱床などが、ロシアの今後の主力産地となることが期待されている。ネリュングリ、カンガラスコエ、エリガといった炭田もきわめて重要である。エネルギー以外の鉱物では、ミールヌィ市のミール鉱山を中心にダイヤモンドの世界最大の産地となっており、ロシアで採掘されるダイヤモンドの9割以上が当地産であると言われる。共和国を代表する企業となっているのも、ダイヤモンド採掘・販売のアルロサ社である。また、当地はロシアを代表する金（ゴールド）の産地でもある。

2020年の国勢調査によれば、サハ共和国の民族構成は、サハ人が47・1%、ロシア人が27・8%、エヴェンキ人が2・4%、エヴェン人が1・3%などとなっている（所属民族を示さなかった回答者も14・8%いた）。

共和国の名前の元となっているサハは、彼ら自身の民族自称で、ロシア語ではヤクート人と呼ばれる。サハ語はテュルク諸語に属し、北上してきた歴史を持つ。その過程において、長期にわたってツングース語、モンゴル語との接触の結果、独自の言語学的特色を備えるようになった。その一方で、牛馬飼育の牧畜文化やオロンホと呼ばれる英雄叙事詩など衣食住や芸能に係わる伝統文化において中央アジア的文化伝統を保持しており、サハ人が移住する前から暮らしてきた東シベリアの先住民の文化伝統（たとえばトナカイ飼育）とは異なる特徴を持つ。

元来バイカル湖周辺に暮らしていたサハ人の祖先が10世紀から15世紀にかけて北上し、現在のレナ川中流域・ヴィリュイ川に暮らし始めたが、17世紀のロシアの植民地化によって一部がさらに北上し現在の居住域を形成したと言われている。当時のサハ人の社会は、35から40の地域的な部族的組織から構成されていた。貴族・平民・奴隷が存在する階層社会だった。17世紀初頭には族長ティギンが率いた部族連合が形成されつつあったが、ロシア軍に破れ、独自の国家を作ることはなかった。

帝政ロシアの植民地行政の中で、その社会構造は取り込まれ、トヨンと呼ばれる部族リーダーは村

写真61-02　サハの伝統的な生活を再現したヤクート博物館の展示（撮影：服部倫卓）

落部にあって税の取り立てや治安活動を担った。19世紀初頭の一時期には帝政ロシアの行政単位として存在した「ステップ会議」がサハ人に適用され、部分的にせよ自治が行われた。こうした歴史のなかで20世紀初頭までにサハ人の政治家や知識人が出現し、ナショナリズム形成に繋がった。実際、ロシア革命時には「ヤクート同盟」「サハ・アイマフ」等の政治組織も出現し、反ボリシェヴィキとボリシェヴィキ双方に分かれ、前述のとおり1922年「ヤクート自治ソビエト社会主義共和国」が設立された。

サハ人の伝統的宗教は、多神教的世界と精霊信仰、シャーマニズムによって特徴づけられる。その世界観は、至高神を含む神々が暮らす上界と人間が暮らす中界、悪霊の下界から構成されている。豊穣儀礼でもある馬乳酒祭は、その世界観と牧畜生産活動が密接に結びついていることを示している。とはいえ、19世紀以後、多くがロシア正教へ改宗し、名前は洗礼名が普及している。

社会主義時代は他の民族共和国の歴史や先住民の近代化と同じ過程をたどっている。自治共和国設立に努力した民族知識人・政治エリートが粛清された。宗教は禁止され、伝統的生業である牛馬飼育は集団化・国営企業化された。革命以前、夏と冬の牧草地を交替して暮らす移牧を行っていたサハ人の暮らしは、ソビエト型の農村集落に定住化された。またこの間、鉱物・エネルギー資源等の発見によってロシア人やスラヴ系民族が移入し、現在の民族構成になった。なお、社会主義化政策は、ロシア語とサハ語双方で実施されたため、サハ語はソ連時代を通して用いられた。そのため、サハ人の母語保持率は94%（2011年度国勢調査）であるが、ロシア語も母語同様に用いる人がほとんどである。

ソ連崩壊前後に出現したサハ民族主義は、サハ共和国の設立を後押し、民族史の探求や革命以前の伝統文化や宗教がナショナリズムと強く結びつき、現在の民族アイデンティティを形作っている。ただ2000年のプーチン大統領の出現以来、中央集権化が進められ、民族主義は下火となった。

サハ人以外のシベリア先住民の多くは、20世紀初頭から現在に至るまで数千から数万人規模の人口で、サハ人のような国家に準ずるような政治組織を形成した歴史はない。伝統的には狩猟採集・トナカイ飼育の生業で移動的・分散的な社会構造であった。社会主義時代に村落レベルの民族自治の経験を経て、現在のサハ共和国の中では、たとえばオレニョク・エヴェンキ民族地区など自治体レベルでの民族自治が行われている他、シベリア先住民出身のサハ共和国国会議員もいる。近年、気候変動によって北極圏の経済開発が国際的な関心を集める中で、シベリア先住民やサハ人も共和国や連邦の北極政策にも係わるようになっている。

（高倉浩樹・服部倫卓）

62

地方政治を色濃く映す ザバイカーリエ地方

★宗教や歴史が凝縮する空間★

人口は約１００万４千人（２０２０年）で、約79万人のロシア人や約６万６千人のブリヤート人が暮らしている。中心都市はチタ（人口約33万人）で、かつてチタ州と呼ばれていた。この地方の基本産業は、非鉄金属工業・製鉄工業・自動車生産・電力工業などである。農業も盛んで、小麦・大麦・エン麦・ライ麦やソバ、野菜類など幅広く栽培されている。比較的「地味な」行政単位ではあるが、言うまでもなくここも歴史が折り重なっ

たところである。

もともとエヴェンキ人やブリヤート人が居住していたが、1654年、前年にコサックによって近くに作られた砦がネルチンスクに移った。これ以降、徐々にロシア人開拓民が住むようになった。ロシアが太平洋沿海地域にも進出し始めた結果、清との間に緊張が生まれ、軍事衝突を経て、1689年、この地にて条約が結ばれた。両国間の極東での国境線が決まることとなったネルチンスク条約である。さらに1727年のキャフタ条約により、バイカル湖より南部一帯での国境が定まり、帝政ロシアはシベリア・極東の統治を本格化していく。

反乱の裁きを受けたデカブリストが、1827年、ザバイカーリエに到着し始めた。彼らの多くはまずチタ監獄に収容され、そこからペトロフスクザバイカリスキーやネルチンスキーザヴォードなど、各地へと流刑されていったのである。その中で最も有名なのはニキータ・ムラヴィヨフ（1795〜1843）であろう。デカブリストの思想的リーダーの1人で、立憲君主制の思想に基づくいわゆる「ムラヴィヨフ憲法」を作成した人物だ。蜂起そのものには参加しなかったゆえ、死刑を免れた。デカブリストの中でとくに若かったドミトリー・ザヴァ

写真62-01　1925年に撮影されたペトロフスクザバイカリスキーの様子。当時はペトロフスキーザヴォードと呼ばれた。（Харчевников（編）*Декабристы в Забайкалье*（1925）より）

リーシン（1804～1892）は、恩赦後にもチタに残り、同市の発展に寄与した。ロシア植民地主義の一支柱であったのは間違いないとはいえ、デカブリストたちが、農業開発・博物学的研究・学校教育・医療の普及などの面で、数々の足跡を東シベリアの各地に残した事実は正当に評価されるべきだろう。1984年に制定されたペトロフスクザバイカリスキーの紋章の中央には、デカブリスト記念碑が象られている。

シベリア鉄道の開通後、移民の流入で人口が急増した。1905年、「血の日曜日」事件の影響を受け、ロシア社会民主労働党のメンバーの活動のもと、兵士・コサック代表者ソビエトが組織され、未承認ではあるが「チタ共和国」が成立した。彼らは政治犯の解放や1日8時間労働の制度化など掲げ、地方権力を奪取したのだった。しかしこの共和国は、成立の宣言から政府軍に鎮圧される1906年にかけてわずか2か月ほど存続したのみで、約4百名が逮捕、77名が死刑を宣告され、革命運動は一時、下火になった。だがこのことは、20世紀初頭、ザバイカーリエもまた激動の時代に関わっていたことの証左だ。社会民主労働党の1人にヤクーチヤに流刑されていたイヴァン・バーブシキン（1873～1906）という革命家がいたが、ブリヤート共和国内にあるシベリア鉄道の駅「バーブシキン」は、そこで彼が銃殺されたことを偲んでの名称である。

ロシア革命後、ザバイカーリエもまた、赤軍と反革命軍（なお、その統領グリゴーリー・セミョーノフ（1890～1946）の母親はブリヤート人であった）との戦闘、および日本軍を主力としたシベリア干渉戦の舞台となった。日本との直接対峙を回避すべく、レーニンはヴェルフネウディンスク（現在のウランウデ）の東から沿海地域に至る緩衝地帯を設けようとした。結果、革命家にして、亡命先アメリカで弁護士としても活躍、幅広い教養と経営的センスを持ち合わせたアレクサンドル・クラスノシチョーコフ（1880〜1937）を首班とした極東共和国が1920年に誕生した。当初、首都はヴェルフネウジンスクに置かれていたが、セミョーノフの勢力を押し戻したのちチタに移された。翌年には憲法も制定され、完全普通選挙や法の下の平等が謳われていた。だが1922年、日本軍の撤退後にその役割を終え、ソビエト・ロシアに吸収されて命脈が尽きた。クラスノシチョーコフもまた、のちにスターリンの大粛清の犠牲となった。1937年11月25日に死罪を宣告され、翌日には銃殺されたという。筆者は、ブリヤート共和国セレンガ郡で民族誌的調査をしていたころ、村の歴史を古文書館で調べたことがある。そのとき閲覧した、徴税に関する指令書には極東共和国（DVR）のスタンプが押されてあった。短命ではあれ、希有な国家が確かに存立していたことに思いを寄せ、一時、筆写の手を止めたものである。

ザバイカーリエでの政治体制の問題は、とりわけブリヤート人にとっては、以上で終わらなかった。1937年、ブリヤート・モンゴル自治共和国の領土の一部が分離する形で、旧チタ州の中にアガ・ブリヤート・モンゴル民族管区（中心地はアギンスコエ（人口は約1万7千人））が成立した。言わば、主要なブリヤート・ランドから、部分的に領土が、たとえわずかとはいえ縮小され、さらに飛び地のように位置する形になったのである。1958年、アガ・ブリヤート民族管区に、77年には「民族」が「自治」となった。ソビエト連邦解体後は新生憲法の下、比較的高度な自治を有していた。だが、プーチン政権下のいわゆる政治権力の中央集権化、および、予算縮小と官僚制的効率性を狙っての行政体系の「リストラ」のなか、2008年3月、自治管区と州は「統合」され、ザバイカーリエ地方が誕生

した。かつての自治管区は「アガ・ブリヤート管区」となり、「行政・領土特別単位」という地位を得ることになった。なお、この種の統合、少数民族の自治管区の「廃止」や「吸収合併」（見方によって表現は異なってこよう）は、クラスノヤルスク地方のエヴェンキ自治管区など、他の北方・シベリア地域でも生じた政治過程である。

ザバイカーリエ地方のブリヤート人は政治的領土の「リストラ」を味わう一方、宗教の面では大きな基礎を新たにした。アガ寺の復興である。革命前、バイカル湖東南地帯のブリヤート人は集団ごとに個々のチベット仏教寺院に参拝していたが、そのうちの大きな一つがアガ寺であった。建立は1811年とされる。1860年代には学舎や印刷所が作られ、この地における仏教文化の重要な担い手となっていったが、革命後の1930年代末に閉鎖され、ラマは銃殺された。だが住民の要望でアガ寺は復興され、1991年にはダライ・ラマ一四世も訪れて法要を行った。今後、ブリヤート人たちがどのように自らの位置を想像していくのかが注目されよう。

（渡邊日日）

63

火山・漁業・原潜基地のカムチャッカ

★人口希薄な戦略的要衝★

カムチャッカはユーラシア大陸のほぼ東端に位置し、オホーツク海とベーリング海に挟まれた半島の名前である。カムチャトカまたはカムチャツカと表記されることもある。カムチャッカという地名の語源には諸説あるが、歴史的には1667年発行の地図に半島を流れる川の名前として登場したのが初出だったようだ。

この半島と地理的にほぼ重なり合うのが、今日のカムチャッカ地方である。地方の面積46万㎢は、ロシア全体の2・7%を占め、日本の1・2倍に相当する。その一方で2020年現在の人口密度は1㎢当たり0・67人と希薄で、ソ連崩壊後の人口減も著しい。

カムチャッカ地方の州都は、ペトロパヴロフスクカムチャツキー市。旧ソ連圏には他にもペトロパヴロフスクという地名がいくつかあるため、「カムチャッカの」を意味するカムチャツキーを付けて区別しているわけである。ただ、日常的にはそれを省略して単にペトロパヴロフスクと呼ばれることも多いので、本章でも以下ではそうすることにする。

人口18万の州都ペトロパヴロフスクの他には、約4万人のエリゾヴォ、約2万人のヴィリュチンスクと、都市が2つしかない。2つともペトロパヴロフスクの近郊都市であり、カムチャッカ地方の人口の8割近くが州都ペトロパヴロフスク周辺に集中していることになる。その他の集落は人口1万人を下回る小規模なところばかりである。

歴史を振り返れば、帝政ロシアは今日のペトロパヴロフスクの地に1697年に探検隊を差し向け、1740年に街を築いた。ソ連時代に、ペトロパヴロフスクは漁業および軍事の拠点として成長した。1932年10月、ペトロパヴロフスクを州都とするカムチャッカ州が創設されている。当初、ハバロフスク地方の下位の州という位置付けであったが、1956年1月に自立した地域となった。

カムチャッカは、第2次世界大戦後の東西冷戦下で軍事的役割を高めた。アヴァチャ湾にはソ連海軍太平洋艦隊の潜水艦基地が建設され（現ヴィリュチンスク市はその軍港都市）、空軍基地やレーダー基地も置かれた。規模は縮小したとはいえ、今日に至るまで重要な軍事拠点であり続けている。経済面では、漁業と、水産資源を利用した食品加工が主要産業となっている。ちなみに、ロシア語ではタラバガニのことをカムチャッカガニと表現する。

ペトロパヴロフスク周辺では、冬は長いが、海流の影響で、緯度の割にはそれほど極寒というわけではない。ペトロパヴロフスク港は、冬場でもあまり凍結せず、ほぼ年間を通じての船舶の運航が可能になっている。近年ロシア政府は北極海航路の開発に力を入れており、ペトロパヴロフスク港にはその太平洋側の拠点としての役割が期待されている。

カムチャッカ半島には300にも上る多様な火山が連なっており、「火山の博物館」とも呼ばれる。なかでもクリュチェフスカヤ火山は4750〜4850mほどの標高を有し（噴火によって変動）、カムチャッカ半島およびロシア極東の最高峰であり、ユーラシア大陸で最も高い火山ともなっている。6㎞にわたって多数の間欠泉と鉱泉が続く有名なゲイゼル渓谷は、クロノツキー国立生物圏・自然保護区にある。

かつてカムチャッカ州内には、先住民コリャーク人の自治単位であるコリャーク自治管区が設けられていた（その行政的な中心はパラナ町）。しかし、2005年10月の住民投票で、カムチャッカ州とコリャーク自治管区の合併が決まり、2007年7月に新たなカムチャッカ地方が誕生した。住民の意思による対等合併という形が取られたが、実態としてはクレムリン主導でカムチャッカがコリャークを吸収合併した格好であった。なお、2020年の国勢調査によれば、カムチャッカ地方の民族構成は、ロシア人79・9％、コリャーク人2・2％、ウクライナ人1・3％、イテリメン人0・7％、エヴェン人0・6％などとなっている。カムチャッカの先住民については第28章を参照されたい。

さて、歴史を振り返ると、江戸時代には、カムチャッカやアリューシャン列島付近で漂流した日本人がロシア人に保護された。伝兵衛、サニマ、ゴンザとソウザ、大黒屋光太夫（だいこくやこうだゆう）らの日本人漂流民はカムチャッカを経てペテルブルグに送られた。また、司馬遼太郎の小説『菜の花の沖』の題材となった江戸時代の商人高田屋嘉兵衛（たかたやかへえ）は、ロシアに拿捕された後にカムチャッカで拘留生活を送った。

写真63-01　日本の水産加工場跡に残るコンクリート外壁の一部。上部の小屋はロシア人が後から建てたもの（撮影：永山ゆかり、2017年、パラナ町リューリ）

ロシア側の記録によれば、日露戦争中の1904年から1905年にかけて日本人漁業者および軍人がペトロパヴロフスク港をはじめとするカムチャッカ南部およびコマンドル諸島等を襲撃し、ロシアとの戦闘により数百名の犠牲者を出した。また日本の漁船が攻撃され、民間人が殺害される事件も起きた。

19世紀末に始まった露領漁業は20世紀になるとますます盛んになり、最盛期にはカムチャッカに2万人の日本人漁業者がいたという。ペトロパヴロフスク市には1945年まで日本領事館があった。小林多喜二の小説『蟹工船』の舞台はカムチャッカ沖である。日本人漁業者の一部は戦後もカムチャッカに残り、現地女性と結婚して家庭を築いた。日本人漁業者が残していった設備や木造船はソ連時代にもそのまま活用され、その残骸が現在もいくつかの村に残っている。また、第二次世界大戦終戦後に占守島の戦いで捕虜となった日本軍兵士の一部およそ千名がカムチャッカに抑留され、少なくとも5名の日本人が抑留中に亡くなった。ソ連崩壊以降、観光やビジネスでカムチャッカを訪れる日本人が増えてきたが、日本とは古くから深い繋がりのある地域である。

（永山ゆかり・服部倫卓）

64

変化を見せる沿海地方

★プーチンのアジア戦略の最前線★

　ウラジオストクは、日本海に突出するムラヴィヨフ・アムールスキー半島に位置する人口60万人あまりの極東地域最大の都市だ。街は深く入り込んだ天然の良港・金角湾（ザラトイログ湾）を中心に広がる。新潟からは直線距離で約８００㎞のロシアの「東の玄関口」だ。

　町ができてからまだ１６０年あまりと比較的若い。歴史を遡ると、１８５８年、帝政ロシアは清国との間でアイグン条約を締結し、アムール川をロシアと清国の国境とすることで合意した。さらに１８６０年には北京条約を結び、ウスリー川東岸を清国から獲得、現在の沿海地方がロシア領となり、ウラジオストクの歩みが始まる。

ウラジオストクは、海軍基地の街である。太平洋艦隊の司令部がある。米ソ冷戦時代には軍事上の理由から閉鎖都市となった。その実状は長い間ベールに包まれてきたが、冷戦が終結した1989年にソ連市民、1992年に外国人に開放された。

「ウラジオストク」という地名に日本とのヒストリーを思い起こす人も多いだろう。日本との関係は、1876年に貿易事務官事務所が開設されたことに始まる。日本人の移住も始まり、1920年代初めには6千人近くに達した。日本人の間では、ウラジオ（「浦塩」または「浦潮」）と呼ばれ親しまれた。シベリア出兵後、日本人居留民の多くは引き揚げた。1945年8月のソ連対日参戦で、この街での両国交流は終息することになった。

写真 64-01　金角湾にかかる橋は街のシンボル

第2次世界大戦後、閉鎖都市となったウラジオストクに代わってナホトカが極東における日ソ交流の窓口となった。1961年に開設された横浜とナホトカを結ぶ定期客船航路は、日本から船に乗って極東・シベリア経由でソ連旅行をする人たちに利用された。

2012年のアジア太平洋経済協力（APEC）サミットを機に、巨大な橋や新空港ターミナル、新たな幹線道路などのインフラ整備が進んだ。世界で最も活気のある都市の1つになり、ソ連時代からロシア極東の中心地であった

第64章

変化を見せる沿海地方

ハバロフスクとの立場が逆転した。2018年、極東連邦管区本部のハバロフスクからウラジオストクへの移転が決まり、名実とともに、ロシア極東の首都となった。

人やモノの往来は極東地域の他の都市よりはるかに多く、海外の企業が事務所や現地法人を開設する場所も、もっぱらウラジオストクである。日本企業の数は一時70社以上にのぼった。

郷土博物館、マリインスキー劇場分館、サーカス場と、一通りの文化施設は揃っているが、ソ連時代に閉鎖都市であったこともあり、一般観光客受けするような名所がそれほどふんだんにあるわけではない。エルミタージュ美術館とトレチャコフ美術館の分館の開設準備が進められている。

「アジアから一番近いヨーロッパ」として注目を集めるようになり、韓国や日本など海外からの観光客が急増した。2019年、海外からの観光客は年間60万人に達した。2020年には日系航空会社が定期便を就航させた。

ムラヴィヨフ・アムールスキー半島の目の前には、APECサミットの会場となったルースキー島がある。長らく軍事施設があるということで立ち入りが制限されてきたが、サミットを機に自由に立ち入れるようになった。

現在は極東連邦大学が移転し、学生らで賑わう。2015年からは東方経済フォーラム（EEF）が毎年開かれ、ロシアの極東開発と東方シフトをアピールする舞台となっている。

地名は諸説あるが、1860年にウラジオストクに派遣されたロシア軍に、皇帝が「ヴラジェイ・ヴォストーコム」（「東方地域を支配せよ」）と命じたことに由来するといわれている。

1959年にこの地を訪れたフルシチョフ・ソ連共産党第一書記は、ウラジオストクをして「ソ連

極東のサンフランシスコ」にすると述べている。

金角湾をまたぐ横断橋ができて街の景色は一変した。ルースキー島への大橋とともに、街のシンボルとなっている。

沿海地方は、北でハバロフスク地方と境を接し、東から南にかけて日本海に面する。また、西から南西にかけて中国（吉林省と黒竜江省）および北朝鮮（羅先特別市）と国境を接しており、その国境線の長さはそれぞれ中国と約１１５０㎞、北朝鮮と17㎞に及ぶ。日本海沿岸には豊かな自然があり、とくに沿海地方南部のハサン地区やナホトカ市付近は保養地として人気がある。日本海の海岸線の長さは約１５００㎞に及ぶ。

２０２１年の１８７・８万人という人口数は、極東連邦管区の中で最大で、連邦構成主体の中では26番目に大きい。国土面積の１・０％を占めている。

２０１０年の国勢調査によると、地方の民族構成は、ロシア人85・7％、ウクライナ人２・６％、コリア人１・０％などとなっている。ソ連時代に経済開発のため移住してきたウクライナ人やベラルーシ人が比較的多いとともに、ナナイ、ウデヘ、ターズなど少数民族を抱えているのが特徴的である。コリア人の多くはスターリン時代に中央アジアに強制移住させられたが、ソ連解体後に一部の人たちが沿海地方に帰還している。

１８５６年、ハバロフスク、カムチャッカ、サハリンを含む広大な地域を管理する形で、ウラジオストク市を州都とする沿海州が創設された。日本ではこの時期の名残からか、現在でも「沿海州」の名称が使われることがある。その後、１９０９年にカムチャッカ州とサハリン州、１９３８年にはハバロフスク地方が分離し、沿海地方へと改名され現在に至る。

沿海地方は、ロシア極東最大の物流拠点である。ピョートル大帝湾にはウラジオストク、ナホトカ、ヴォストーチヌィなど大きな港湾が集中する。２０１０年頃まで、これら港の年間の貨物取扱量は４千万ｔから5千万ｔ前後で推移していた。ところが、２０１０年以降のロシアの東方シフト政策や、アジア諸国の急激な経済発展によって、石油や石炭などの資源需要が高まり、貨物取扱量自体が増加した。２０２２年の貨物取扱量は1億５０００万ｔに達した。

また、右ハンドルの日本製中古車の輸入拠点でもあり、一時期は年間50万台以上の中古車が日本から輸入された。

水産業は、物流と並ぶ沿海地方の代表的な産業である。２０１９年、年間漁獲量は76万ｔに達した。これは国全体の漁獲量の15％にあたる。

今日ほど、沿海地方が注目を集めている時はないであろう。沿海地方は、ロシアの東方シフトの拠点として、アジアで一目置かれる存在となった。２０００年代以降、沿海地方は連邦中央から目をかけられて、多額の資金が流れ込み、特別扱いされてきた。今から振り返ると、沿海地方の潜在力を、プーチン大統領はずっと前から見抜いていたのかもしれない。

（齋藤大輔）

65

潜在能力を秘めたハバロフスク地方

★極東首都の座を失う★

ハバロフスク地方は日本海とオホーツク海に面する人口約133万の地域であり、その南部は中国黒竜江省と国境を接する。アムール川はロシアと中国の間をなす大河であり、大陸とサハリンが向き合う間宮海峡に注ぐ。地名は探検家エロフェイ・ハバロフに由来する。

歴史を振り返ると、17世紀後半からシベリアや極東方面に進出したロシアは、1689年に清国とネルチンスク条約を締結、両国間で最初の国境画定がなされた。1858年のアイグン条約でアムール左岸が、1860年の北京条約で現在の沿岸地方がロシア領となった。当初は「ハバロフカ」と命名されたが、1893年に現在のハバロフスクという名称になった。

写真 65-01　市内のエロフェイ・ハバロフ像

州都は人口約60万を擁するハバ

ロフスク市で、成田空港から2時間半の距離にある。明治から昭和初期にかけて多数の日本人が居住し、1918年のシベリア出兵では日本軍が占領した地でもある。

ハバロフスクはロシア極東の政治・行政の中心とされた。2000年に導入された連邦管区により、ハバロフスクは極東連邦管区の中心都市に指定され、名実ともに極東の「首都」となった。この時代の象徴とも言えるのが、初代ハバロフスク地方知事ヴィクトル・イシャーエフである。彼は1991年10月の知事就任以来、地元優先の姿勢を訴えて強い権力基盤を築き上げた。

その影響もあり、中央省庁としては珍しく、極東発展省本部が州都ハバロフスク市に設置された。しかし、近年では国際会議が頻繁に開催されるウラジオストクの発展が著しく、ハバロフスクからウラジオストクへの「遷都」が度々取り沙汰された。

その「遷都」に拍車をかけたのが2018年の知事交代である。イシャーエフの後任は、地元出身で与党「統一ロシア」に所属するヴャチェスラフ・シポルトである。彼はプーチン大統領が進める極東開発事業の実現に尽力するなど一定の成果を残したが、政権による年金改革の影響もあり、2018年9月の選挙で野党ロシア自由民主党のセルゲイ・フルガルに敗れた。野党知事の誕生を受け、2018年12月にプーチン大統領は「首都」をウラジオストクに変更、これにより極東開発の拠点もシフトしたと言えよう。

なお、フルガルは地元民の支持を得て地方行政の舵取りを行うが、企業関係者の殺人に関与した容疑で2020年7月に突然逮捕された。ハバロフスクではフルガル逮捕に抗議する大規模なデモが数か月にわたって行われる中、プーチン大統領はフルガルと同じロシア自由民主党に所属する弱冠39歳の下院議員ミハイル・デグチャリョフを知事代行に任命し、事態の鎮静化を図った。

内政上の理由で「遷都」されたとはいえ、ハバロフスク地方は潜在力を秘めている。主要産業として、機械製造業、石油精製業、鉄鋼業、石炭・鉱石採掘業、水産業等がある。コムソモリスクナアムーレ市には、リージョナルジェットのスホーイ・スーパージェットの製造拠点である「コムソモリスクナアムーレ航空機工場」のほか、貨物船や原子力潜水艦を建造する「アムール造船工場」もあり、極東地域における機械産業の中心地である。

近年の対外経済関係を見ると、たとえば2020年の統計では、輸出相手国の上位が中国（38・7%）、カザフスタン（24・1%）および韓国（21%）、輸入相手国上位は、カザフスタン（44・5%）、中国（28・6%）および日本（5・4%）となっている。とくに国境を接する中国は輸出入国の上位に常に入っている。また、ハバロフスク地方ではソ連解体から2000年代半ばにかけて、国境を接する中国から衣類や電化製品等を大量に運び込み地元市場（バザール）で販売する、いわゆる「担ぎ屋貿易」が活発だった。このように中国の存在は大きいが、ハバロフスク地方は海洋に面し港もあるため、国際的な経済交流の相手は多様である。ロシア税関庁によると、その相手国はアジア太平洋地域に集中しているが、独立国家共同体（CIS）諸国や僅かながら欧州諸国も含まれている。

また、ハバロフスク地方では日本との経済協力も進んでいる。たとえば、日揮と地元企業が201

5年に合弁会社「JGCエヴァーグリーン」を設立し、トマトやキュウリなどの野菜を温室栽培して市内のスーパーや直営店で販売している。丸紅とロシア鉄道は2019年6月に「日露予防医療診断センター」（仮称）の設立に関する覚書を締結した。2020年には合弁企業「R&Mメディカルセンター」を設立し、診断センター開設に向けた準備を整えている。また、地元のロシア人投資家が中心となって日本との協力を展開しているケースもある。日本製最新医療機器を導入した日露医療診断センター「サイコー」である。名称は日本語の「最高」に由来しており、日本式サービスの提供を謳っている。同センターは2017年の開所以来、福島県郡山市の総合南東北病院や新潟市の亀田第一病院などと協力協定を結んでおり、日露の医療協力も進めている。

自治体間交流も活発である。州都ハバロフスク市は、新潟市、米ポートランド市、カナダのヴィクトリア市、中国黒竜江省のハルビン市および三亜市など計6都市、またコムソモリスクナアムーレ市は新潟県加茂市や中国黒竜江省ジャムス市など計3都市、ワニノ市は北海道石狩市と姉妹都市関係にある。なかでも新潟市とハバロフスク市の関係は古く、1965年に姉妹都市になると、1973年には定期便が開設された。ソ連時代はこれが日本とロシア極東を結ぶ唯一の航空路線であった。この他、東京都武蔵野市は1992年にハバロフスク市との間で青少年相互交流協定を締結しており、青少年の派遣・受け入れを隔年で行っている。

交流は姉妹都市関係に留まらない。たとえば、日本海沿岸地域とロシア極東シベリア地域の友好促進・経済協力を目的に2年に1度開催されている「日ロ沿岸市長会議」には、ハバロフスク市、コムソモリスクナアムーレ市、ワニノ市などが会員市として参画している。ロシア側のカウンターパートは「ロ日極東シベリア友好協会」で、歴代のハバロフスク市長が同協会の会長を務めている。

大学間交流に目を転じると、ハバロフスク地方ではとくに中国の大学との交流が活発だが、日本の大学との繋がりも続いている。たとえば、太平洋国立大学は北海道大学や新潟大学などと、ハバロフスク国立経済法律大学は新潟大学や三重大学などとの間で大学間協定を締結し、日本人学生向けにロシア語研修を実施し交流を深めている。近年では、新潟大学と極東国立医科大学が医学分野での交流に注力している。太平洋国立大学とハバロフスク経済法律大学では、日露青年交流センターが派遣する日本人教師が日本語教育に従事しており、レベルの高い人材が育成されている。

日本とハバロフスク地方の関係において、日本人抑留者の存在は無視できない。周知のとおり、第2次世界大戦後に多くの日本人がソ連に抑留され、過酷な労働と厳しい気候のために亡くなった。ハバロフスク地方も例外ではなく、ハバロフスク市内には、犠牲となった日本人抑留者の墓地や記念碑がある。1995年には日本政府が国の事業として「日本人死亡者慰霊碑」を建立した他、この慰霊碑の隣接地に財団法人太平洋戦争戦没者慰霊協会が約1万5千㎡にわたり平和慰霊公苑を整備した。

各分野での交流が進む中、2022年2月24日にロシアはウクライナへの軍事侵略を開始。日本政府は「前例の無い大規模な経済制裁」(通商白書2022)をロシアに科し、ハバロフスクにおける日本との経済協力や各種交流は停止に追い込まれた。

(西山美久)

66

存在感を増すアムール州

★中国、大豆、メガプロジェクト★

川ひとつ隔てただけでヨーロッパ的世界とアジア的世界を分ける。この光景は、海に囲まれて陸上国境を知らない日本人には信じられないであろう。アムール州の中心都市のブラゴヴェシチェンスクはアムール川を挟んで、中国の黒竜江省の街・黒河と接する。川幅は５００ｍもない。

川岸に立って中国側を見ると、高層ビルなどの建物だけでなく、漢字で書かれた店の看板や通りを歩いている姿も見える。この風景の中で育った地元の人は、日常の見慣れた光景なのであろうが、日本人は全く違う感情を持つに違いない。ヨーロッパとアジアを分ける不思議な空間である。

市の人口は22・6万人（２０２１年初）ほどだが、国境の往来は年間延べ１００万人以上にのぼる。アムール川はロシアと中国を数千kmにわたって隔てる。アムール州だけでも、その長さは１２００km以上にも及ぶ。中国との関係が強い場所である。

市中心部の近くに船着き場がある。春と夏の間だけ、ここから黒河に向けて汽船が出港する。流氷が現れ、川が完全に凍結するまでの間と、氷が解け始めて流氷が消えるまでの間はホバークラフトが人やモノを運び、冬の間はバスやトラックが凍

結した川の上を往来する。

船着き場は、いつも大きな荷物や段ボール箱を抱えたロシア人や中国人でごったがえしていた。しかし、新型コロナのパンデミックで国境は閉鎖され、人の往来がストップした。船着き場は、がらんとして人影はほとんど見当らなくなった。２０２３年初、中国のゼロコロナ政策の解除を受け、３年ぶりに往来が再開された。

対岸の黒河は大規模な開発により、ここ数年で急速な変化を遂げている。中心部には高層ビルやマンションなどが立ち並び、新たな魅力を放っている。中心部から少し離れたところにある動かない観覧車は、市民にとって、ランドマーク的アイコンとなっている。

一方、ブラゴヴェシチェンスク側でも高層マンションはつくられているが、中心部の街並みはソ連時代に建てられた４、５階の低層建築物が中心である。とくにアムール川に向かってどっしりと構える州政府庁舎は、対岸の黒河から見ると、町のシンボル的な趣がある。

１９６０年代の中ソ対立をきっかけに国境は閉鎖された。以来、一帯にはいつも緊張感が支配した。国境の往き来が再開されるようになったのは、ソ連と中国との関係が改善した１９８０年代後半のことである。それ以来、ブラゴヴェシチェンスクは中国との国境貿易の拠点となった。

中国人の貿易商人や買い物ツアーのロシア人が衣料品から家電製品まで安い中国製品を持ち込む。一時期、質のよくない服やすぐに壊れる家電製品がロシアに大量に流入し、中国製品への反発が高まったが、モノの流れが止まる気配はない。

中国との貿易を見ると、２０００年から２０２０年の20年間で５９３０万ドルから5億４９７１万ドルへと9倍以上に増えている。同じく中国と国境を接するハバロフスク地方や沿海地方と比べると、貿易高は大きくないが、州の貿易全体の6割近くを占め、中国への依存度が高いのが特徴である。

写真 66-01　対岸は中国

中国との貿易は長い間、ロシアの輸入超過だったが、ここ数年は輸出超過に変わっている。電力や木材に加えて、大豆や大豆油の本格輸出が始まったことが大きい。一方、中国からの輸入は輸送機器、衣料や靴の軽工業品、野菜などが中心である

これだけ交流が盛んで、経済の結びつきが強くても、両岸に橋をかける構想は、ソ連時代の１９９０年代前半まで遡る。中ソ関係正常化後の１９９２年12月に両国政府の間で協定が締結されたことに始まる。ところが、中国側の対ロ警戒感や建設資金の調達方法で合意できず着工に至らなかった。２０００年代に入ると、今度は中国側が橋の建設

を求めるようになった。ところが、これも着工されないまま年月が過ぎた。目覚ましい経済発展を続ける対岸を見て、橋が出来たら中国人が大量に流入してきて侵食されてしまうのではないかと、ロシアが警戒したからだった。2019年、ブラゴヴェシチェンスク市郊外に両岸を結ぶ橋の建設が完了した。しかし、新型コロナのパンデミックで開通できず、2022年になってようやく開通した。

ロシアは橋出入口付近を先進社会経済発展区「プリアムールスカヤ」に指定し、ロジスティクスの拠点として発展させることを描く。

中ロ関係の深化を結びつけているのは、欧米諸国との対立だが、それが共通の命題となって、両国の警戒心がとれて、一気に拡大に動き出した。その意味で、国境にかかる新しい橋は、両国の「同盟関係」を象徴している。

両岸にロープウェーをかけて、人の往来を活発化させる計画も進んでいる。いつか気軽に対岸の黒河に行ける日が来るのだろうか。

アムール州は、シベリア地域と極東地域をつなぐ交通の要衝に位置する。南部をシベリア鉄道、北部をバム鉄道が横断する。モスクワとハバロフスクを結ぶ幹線道路が州内を通過する。2019年末に開通したばかりのガスパイプライン「シベリアの力」はブラゴヴェシチェンスク郊外で中国とつながる。石油パイプラインは州東部のスコヴォロジノで日本海沿岸向けと中国向けに分岐している。

アムール川沿いの肥沃な土壌を背景に農業が発達している。大豆は、代表的な農産物である。2021年、生産量は114万tに達した。これは国全体の22%にあたり、ロシア最大の生産量を誇る。大豆クラスター構想を打ち出し、大豆の生産拡大とともに、大豆油など加工業の発展にも力を入れる。

ただ、州内の加工能力が足りないこともあり、年間100万tに及ぶ生産量の4割近くが輸出に回されている。

豊富な水資源に恵まれたアムール州には、ブレアやゼーヤなどの巨大な水力発電所があり、電力の一部は中国に輸出されている。

金の産地で、2019年には26tの金を生産した。鉄鉱石やレアメタルも豊富に存在する。

近年、メガプロジェクトが目白押しであり、ソ連時代からロケット打ち上げ拠点としてきたバイコヌール宇宙基地に代わる、新しい打ち上げ基地「ヴォストーチヌィ」が2016年にブラゴヴェシチェンスク近くのスヴァボドヌィに完成した。また、同じスヴァヴォドヌィでは、ガスを中国に輸出する前にヘリウムなど不純物を取り除くガス加工プラントが2019年に完成し、その隣では、ロシア最大規模のガス化学プラントの建設も進められている。メタノール製造プラントの建設では一時、日本企業の参画が取り沙汰されていた。このほか、バム鉄道とその支線の大規模な輸送力拡張工事が州内で行われている。

アムール州は、ロシア人にとっても、さほど関心を惹く場所ではないかもしれない。そんな極東の一地方が、中国、大豆、メガプロジェクトをキーワードに存在感を増している。

（齋藤大輔）

67

スターリン体制の暗部が刻まれたマガダン州

★コルィマ街道の悲劇★

マガダンは、オホーツク海の北岸に位置する人口わずか9万あまりの小都市だ。街が生まれたのは1929年、市制が敷かれたのは1939年とかなり新しい。にもかかわらず、マガダンという地名の語源は明らかになっておらず、多くの説が唱えられている。エヴェン語で海の堆積物を意味するmongodan、または枯れ木を意味するmongotから来たという説などが代表的だ。

そのマガダン市を中心としたマガダン州は、面積が46万㎢と、日本の約1・2倍に及ぶ。その一方で、最新の人口は14万人ほどに過ぎず、人口密度はきわめて希薄となっている。

マガダン州は、しばしば「コルィマ（Колыма）」の雅称で呼ばれる。正確には、コルィマという歴史的呼称は今日のマガダン州だけでなく、サハ共和国東部、カムチャッカ地方北部も含んでいるが、一般的にはほぼマガダン州と同義で用いられている。ただし、雅称と言っても、そのイメージは「雅」とは程遠く、スターリン時代の忌まわしい過去、非人道的な強制労働の歴史と結び付いている。

マガダン市・州がどのように誕生したのかを見てみよう。この一帯には17世紀頃からロシア人が進出していたが、20世紀に入ると帝政ロシアは貴金属の新たな産地を求め、チュクチ半島およびオホーツク海沿岸地域への関心を強めた。ただ、最初に送られた何度かの探検隊は、金を発見することができなかった。1915年にスレドネカン川の流域で、単独の採掘者であるB・シャフィグリンが金を発見したのが、最初の成果であった。ソ連時代となり、1926年に派遣されたS・オブルチェフの探検隊が、金の産出にとって有利な地質的条件を確認した。その2年後のYu・ビリビン率いる第1次コルィマ探検隊が、この一帯のより詳細な資源調査の嚆矢となる。他方、I・モロドゥイフ率いる調査隊は、当地一帯の水系に関する情報をもたらすとともに、ナガエフ湾に港を築いて、そこを内陸に向かう道路建設の起点とすることを提案した。これが後のコルィマ街道となる。

1928年10月、オラ地区執行委員会は当地で先住民啓蒙のための東エヴェン（ナガエヴォ）文化基地を建設することを決め、1929年6月に住宅や公共施設の建設を開始、これを基盤として同年マガダン町が誕生した（1939年に市に昇格する）。1931年11月に国営トラスト「ダリストロイ」が創設され、これ以降、コルィマ街道の建設と、金の採取を軸とするコルィマ川上流域の開発が本格化していくことになる。とくに、第2次世界大戦が始まってから1952年まで、ダリストロイの支配下で労働に従事していた人員は20万人前後で推移し、その多くが囚人や元囚人であった。さらに、第2次世界大戦末期から

写真67-01　スターリン体制下コルィマ開発の起点となったナガエフ湾。今日でも荒涼たる風景が広がる。

戦後にかけて、日本人の将兵や民間人がソ連領に抑留された際には、マガダンもその受入地となった。日本人は金鉱などでの労働に従事させられ、多数の犠牲者が出た。おびただしい犠牲者を出して建設されたコルィマ街道は、別名「骨の道」と呼ばれている。

１９５３年12月3日、ダリストロイの活動領域に対応するような形で、マガダン市を州都とするマガダン州が創設された。１９３０年12月に設置されていたチュクチ民族管区も、１９５３年のマガダン州創設と同時に、同州に属することとなった。なお、チュクチ民族管区は、１９８０年にチュクチ自治管区へと改組されている。ソ連解体後、１９９２年7月16日にチュクチ自治管区はマガダン州から離脱し、ロシア連邦を構成する独自の構成主体となった。

今日でも、マガダン州はロシア有数の金・銀の産地である。２０１９年の金の生産量は46ｔで、これはロシア全体の約13％であり、全国で2位であった。同じく銀の生産量は２０１ｔで、これはロシア全体の約20％であり、全国で１位であった。ゆえに、州を代表する大企業も、一連の金・銀採掘会社である。このほか、錫、タングステンの資源が豊かであるほか、モリブデン、石炭、石油、ガスコンデンセートも賦存している。

ただ、従来マガダン州は石油・ガスを本格的な規模では産出していなかった。近年、オホーツク海大陸棚での石油開発プロジェクトが動き出そうとしており、一時期はそれに日本企業が参画する動き

表67-01　1932～1956年のダリストロイ活動実績

金の採掘	1,193 t
錫の採掘	64,500 t
コバルトの採掘	3,433 t
石炭の採掘	1,280万 t
地質探査を行った面積	200万㎢
道路建設の総延長	5,500km

出所：マガダン州地誌博物館展示より。

を見せた。また、州内で2013年にウスチスレドネカン水力発電所が稼働したことから、安価な電力への期待が高まり、日本の重工メーカーが液体水素工場の建設を検討したこともあった。

マガダン州は、ロシアの人々にとってすら、最果ての地である。かつてのコルィマ街道が、現在では連邦道路R504「コルィマ」となっており、当地とサハ共和国ヤクーツクを、全長約2000㎞にわたって結んでいる。しかし、鉄道もないこの地をあえて訪れるとするなら、空路が一般的だろう。

元々居住条件が厳しかったことに加え、ソ連崩壊とともにかつての割増手当が廃止となり、雇用も失われた。ソ連邦末期には39万人（当時マガダン州の一部だったチュクチ自治管区の人口は除く）を数えていた州人口も、2021年には14万人を割り込むまでになった。2020年現在、都市人口が96・4％、農村人口が3・6％を占める。2020年の国勢調査によると、州の民族構成は、ロシア人80・7％、ウクライナ人2・5％、エヴェン人1・5％などとなっている。州には、人口9万人の州都マガダン市の他には、オラ町、ソコル町、ススマン市といった人口数千のごく小規模な集落が存在するのみである。果たしてマガダン州は、新たな生きる術を見付け、人口の減少に歯止めをかけられるだろうか。

（服部倫卓）

68

サハリン州をめぐるさまざまなボーダー

★サハリン島とクリル諸島★

ロシア連邦の構成主体としてのサハリン州はサハリン島とクリル諸島（千島列島）から成る。サハリン島は、日本の最北端・稚内市宗谷岬から43㎞北に位置し、北海道に次いで世界で23番目に大きな南北に細長い島である。ロシア本土と島を隔てるタタール海峡（間宮海峡）は最狭部で約7キロである。トンネルや橋で海峡をつなぐ計画は1950年代に着工したが頓挫、その後もたびたび取り上げられるが実現の見込みは立っていない。一方クリル諸島は、北海道の東端・根室市納沙布岬から3・7㎞にあるシグナリヌイ島（貝殻島）から、カムチャツカ半島の南端・ロパトカ岬から12㎞にあるシュムシュ島（占守島）まで30以上の島々が連なっている。

2020年1月1日現在、サハリン州の人口は48万8257人で、そのうち95％以上の46万7299人がサハリン島在住であり、州都ユジノサハリンスク市に州人口4割以上を占める20万636人が暮らしている。クリル諸島のうち定住者がいるのは北からパラムシル島（幌筵島2485人）、イトルプ島（択捉島、6485人）、クナシル島（国後島）とシコタン島（色丹島、2島合計1万1817人）の4島のみである。

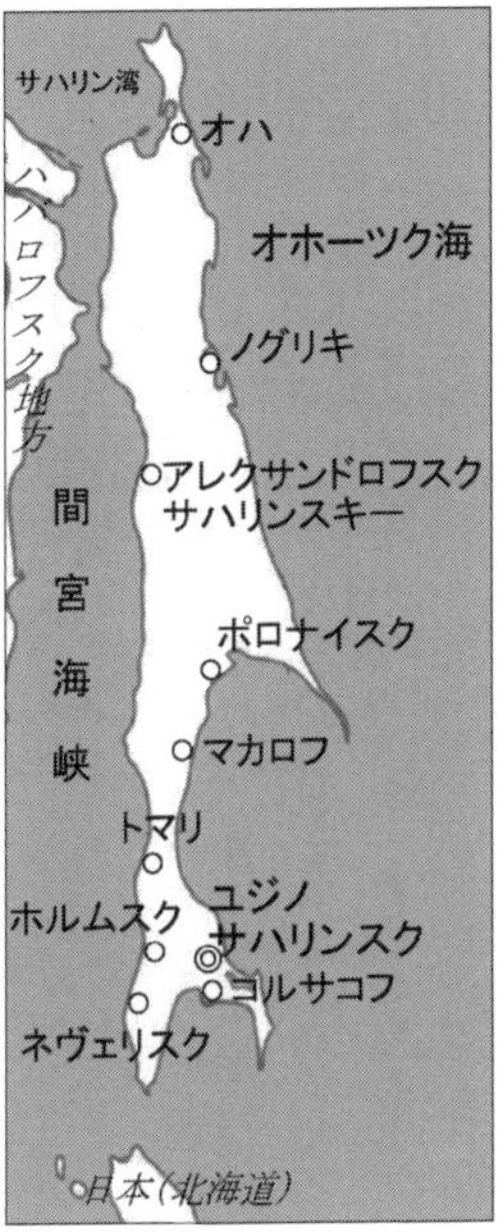

サハリン島とクリル諸島が日露の境界領域になったのは19世紀後半以降である。下田条約（通称・日露和親条約、1855年）とサンクトペテルブルグ条約（通称・樺太千島交換条約、1875年）により、サハリン島が全島ロシア領、クリル諸島が全島日本領となった。クリル諸島は1897年まで北海道庁管轄下の「千島国」に帰属し、同年以降は根室支庁に編入された。その後も「千島」という地名は広く人口に膾炙した通称として公文書でも使われ続けた。なお、歯舞群島は一貫して根室管内にあって、千島には含まれない。

日露戦争最終盤の1905年7月、日本はサハリン島に上陸しこれを占領する。戦後のポーツマス講和条約により北緯50度線上で陸上国境が画定され、島の南半分が日本領樺太となった。1945年8月の日ソ戦争ではソ連軍が樺太および千島列島・歯舞群島を占領した。樺太占領終結が8月25日、歯舞群島水晶島の占領が完了するのは9月3日である。1947年1月ソ連は、サハリン島の南北とクリル諸島（千島列島・歯舞群島）を合わせてサハリン州を創設した。

現在は後継国家のロシア連邦がサハリン州を実効支配している。日本は、サンフランシスコ平和条約（1951年）でサハリン島南部と千島列島の領有権を放棄したものの、ロシアとの講和条約が未締結のため、両地域がどの国に帰属するのか、「その帰属について見解を述べる立場にない」というのが日本政府の見解である。また1964年、千島列島のうち択捉島・国後島・色丹島の3島、および旧根室支庁花咲郡の歯舞群島をひとくくりにして日本政府は「北方領土」と呼ぶることとした。日本はその4島の領有権を主張し、いわゆる「北方領土問題」として日露間で係争中である。

現在のサハリン州は、ロシア有数の裕福な州である。ただし、その利益が州民に格差なく分配されているわけではない。ユジノサハリンスク市民の平均月収は10万ルーブル強で、都市別のランキングではモスクワに次いで全国2位を占めている。しかし、実際に月10万ルーブル以上の収入を得ているのは州人口の2割程度に過ぎない。サハリン州を統計上「豊か」にしているのは、平均20万ルーブル以上の月収を得ている石油関連事業である。

写真68-01　サハリン州郷土博物館(旧樺太庁博物館)(2019年9月)

石油の埋蔵は19世紀末には知られていた。戦前には日本もオハの陸上油田の開発に参画していた。しかし、サハリン州に大きな富がもたらされたのは、沖合の大陸棚油田・ガス田開発が進んだ21世紀になってからである。サハリン1プロジェクトが2005年に原油生産を本格化し、2009年にはサハリン2が液化天然ガス輸出を開始した。その結果、1999年には50億ルーブルだった州の歳入は、2013年には850億ルーブルを超えるまでに急上昇した。

クリル諸島の開発も、プーチン大統領期に入ってから大きく進展した。連邦特別プログラム「クリル諸島の社会経済発展」は、交通や電力など社会インフラ整備に大規模な投資を行った。現在進行中の第3期プログラム(2016～25年)の予算総額は689億2421万ルーブルで、第2期から4倍近く増えている。この規模拡大を支えるのはサハリン州の豊かな財政である。第2期では総額の6%しか負担していなかったのが、第3期の州負担比率は45%で、連邦予算の負担分(40%)を一気に上回った。

クリル各地で道路・空港等交通インフラの整備、大型水産加工工場の建設、あるいは大型地対空ミサイル等軍事施設の配備が進んでいることは日本のメディアでも報じられている。しかし筆者自身、1998年にイトルプ島とシコタン島を訪れて以来、クリル諸島への訪問はかなっていないので、実感のこもったレポートをすることはできない。そもそもクリル諸島には「国境警備地帯」に指定され立ち入りが制限される区域もあるため、島内在住者以外の訪問者は国籍を問わず、連邦保安庁（FSB）国境警備局に事前申請して入域許可を得なければならない。たとえ同じサハリン州民でも、サハリン島民は同様の手続きを踏む必要がある。手続きには2週間〜1か月ほどかかるが、観光客誘致の意図もあり、審査が厳しいというわけではない。

写真68-02　知床からのぞむクナシル（国後）島（2015年12月筆者撮影）

一方、サハリン島には2008年の初訪問以降、コロナ禍まではほぼ毎年のように訪れている。石油景気を反映して、24時間営業のスーパーマーケットの普及、大型ショッピングモール、最新式のフィットネスクラブ等の建設は、シベリア・極東の中でも群を抜いて早かった。90年代後半から日本の研究者たちもサハリン島での現地調査を行うようになった。しかし、彼／彼女たちから聞いていたサハリン生活の苦労話を、幸か不幸か筆者は経験していない。

食事に困ることもない。地物の魚介類を生かした日本料理も悪くないが、何より朝鮮料理がうまい。第24章で詳しく述べられるように、サハリン島には朝鮮系の住民が多い。おいしいレストランも数多くあるが、朝鮮系に限らず、どの家庭でもキムチが当たり前のように食卓に並ぶのはサハリン島の暮らしの特色である。

ただしこうした便利さは州都ユジノサハリンスク市に限った話である。社会インフラの整備もきわめて不均等である。たとえば、石油開発の進むオホーツク海沿いの東海岸は快適な舗装道路がずっと北まで続いている。一方、石炭埋蔵地が連なる日本海に面した西海岸は、ホルムスク市より北にいくと未舗装の悪路を進まなければならない。ロシア帝国の領有開始から１９４７年まで行政の中心だったアレクサンドロフスクサハリンスキー市に行くには、ユジノサハリンスク市から島中央部を走る夜行列車に一晩揺られた後、さらに車で1時間以上峠越えをしてタタール海峡（間宮海峡）まで出なければならない。19世紀後半から日本領樺太時代も含め20世紀まで、石炭業は一貫して島の基幹産業だった。しかし現在島内で稼働しているのは西海岸中部のシャフチョールスク炭鉱のみである。石炭から石油へ。西海岸から東海岸へ。海岸沿いの風景にはサハリン島の歴史と現在がくっきりと刻まれている。

サハリン州の州旗は青地にサハリン島とクリル諸島が白く染め抜かれている。海に浮かぶ島々が不可分で一体の地域を構成しているという意味がそこには込められていている。しかし、サハリンツィ（サハリン人）とクリリチャーネ（クリル人）がサハリン州をひとつの空間として想像してはいない。完全自由な往来もできないサハリン島とクリル諸島のあいだには州民の意識の中にもボーダーが引かれている。19世紀後半から一貫してロシア人の生活があるサハリン島と、１９４５年以前はロシア人に生きられた経験のないクリル諸島の歴史は、ロシア唯一の島嶼部連邦構成主体の人々のアイデンティティを規定し続けている。

（天野尚樹）

69

世界史が影を落とす ユダヤ自治州

★ソ連版「約束の地」★

極東ロシアの主要都市ハバロフスクから鉄道で西へ2時間余り。ユダヤ自治州の首都ビロビジャンの駅のホームから駅舎を眺めると、珍しい文字列がロシア語と並んでいるのに気づく。ユダヤ人が用いるヘブライ文字である。イスラエル建国より14年早い1934年、世界で初めて設立された「ユダヤ（ロシア語でYevrey）」の固有名詞を冠した行政単位は、ユダヤ文化の離れ小島の様相だ。九州とほぼ同じ約36000㎢の自治州は、ロシアや欧州、東アジアの近現代史が複雑な影を落としている。

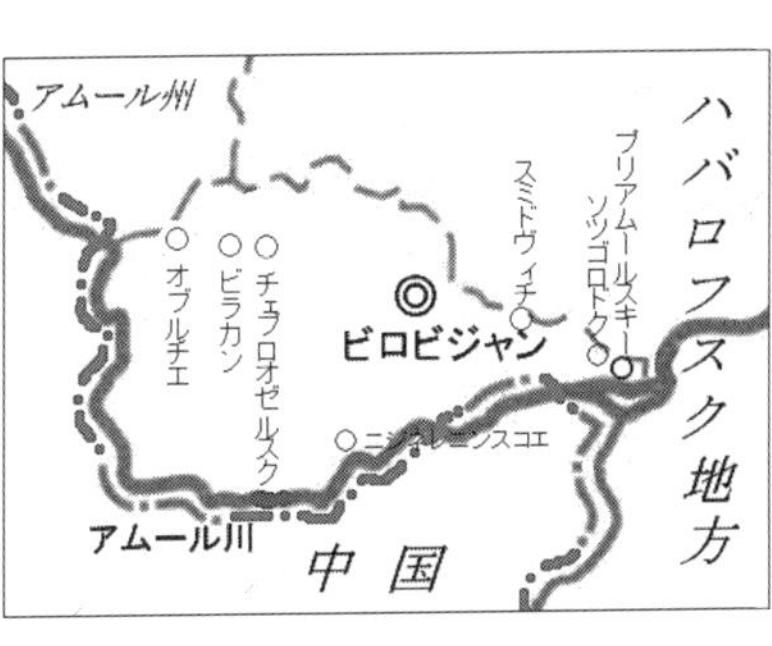

ロシア帝国は18世紀のポーランド分割でユダヤ人の多い領土を得たことで、世界のユダヤ人の過半数の500万人超のアシュケナジム（中東欧系ユダヤ人）を抱える国となった。

1880年代を中心に頻発した「ポグロム」（虐殺や略奪などユダヤ人迫害）や、これを恐れた人々のロシア脱出、さらにシオニズム（ユダヤ国家建設運動）といった国家の不安定要因はソ連建国後も続いた。このため、スターリン政権は1928年3月、ユダヤ人問題の解決策として他の民族と同様、ユダヤの自治地域を設け、農地開発を主目的に移住を促すビロビジャン計画を打ち出した。

ソ連版「約束の地」とでも言えそうな構想は、社会主義体制の格好の宣伝材料となった。ソ連のユダヤ人は農民や工場労働者などの典型的なプロレタリアではなく、都市の商人や職人が多く、彼らを農民化することもスターリン体制のイデオロギー的方向性と合致していた。

当初はクリミア半島が「ユダヤ人の故郷」に選ばれたが、クリミア住民によるポグロムで、計画は頓挫。その後、シベリア鉄道駅チホニカヤ（1912年開業、現ビロビジャンI）の周辺が新たなユダヤ人入植地に。大河アムールに近く、湿地帯が広がる現地は19世紀後半にシベリア鉄道の建設とともに開拓が始まったばかりの寒村だった。

現地は満洲国建国に向けて日本が勢力を伸ばしていた現在の中国東北部に接する。欧米などとつながりを持つユダヤの人々をこの地に住まわせて「壁」とし、日本の侵略を防ぐ狙いもあったとの指摘もある。ユダヤ人入植は共産党政権にとって一石何鳥もの効果が期待されていた。

1928年4月にはユダヤ人移住者がソ連西部から初めて到着。構想は社会主義を支持する世界のユダヤ人からも注目され、ハバロフスクに近いソツゴロドクの入植地には1930年代初頭、アルゼンチンから43人、米国から26人、ドイツから9人など、各国から入植者が集まったと記録されている。ソ連指導部は将来的に50万人のユダヤ人を移住させ、自治州より格上の自治共和国設立の可能性も見据える一方、ユダヤ人が多数派にならないよう、ロシア人やウクライナ人らスラブ系も積極的に入植させた。

極寒の冬を含む厳しい自然条件は荒野の開墾を難航させた。5250人が入植した1934年には、そのうちの6割が同じ年に入植地を去った。農業に不慣れなユダヤ人の苦労は想像に難くない。

全ロシア中央執行委員会幹部会は1934年5月、「ユダヤ自治州」の設立を正式に決定。付近を流れるビラ川とビジャン川から名付けられた自治州都ビロビジャンにはこの年、ロシアや中東欧のユダヤ人が使うイディッシュ語（ヘブライ文字を使うドイツ語に似た言語）の劇場が造られた。イディッシュ語の新聞もこの年までに創刊。自治州内には初等・中等教育施設80か所（うちイディッシュ語学校8か所）や専門学校数か所が設置された。

ソ連指導部は1936年、自治州はソ連ユダヤ人の文化の中心であり「ユダヤ史上初めて、祖国設立への熱い欲求が満たされた」と自賛したが、1930年代吹き荒れた大粛清の嵐の中、ユダヤ人政治家や知識人が多数処刑された。第2次世界大戦後もロシア同化政策が続いた。

自治州でのユダヤ人は1948年の約3万人がピークで、自治州人口の2割ほど。ソ連指導者フルシチョフは1958年、フランス紙フィガロとのインタビューで、入植が進まなかったのはユダヤ人の「生来の個人主義」「集団的規律嫌い」のせいだと決めつけた。

1991年の新生ロシア誕生は自治州に大きな変化をもたらした。最大の問題は人口減少だ。これはロシア極東全体の問題だが、とくにユダヤ自治区はイスラエルや欧米に移住するユダヤ人が激増。2020年調査では自治州人口約15万人のうち、ユダヤ人口はわずか0・6%の880人余りだった。

プラス面はユダヤ文化復興。2004年にはシナゴーグ（ユダヤ礼拝所）がビロビジャンに建てられた。

写真69-01　ビロビジャンの学校でのユダヤ文化の授業（2016年9月）

現地のシナゴーグはそれまで、1956年の不審火で焼失したままだった。

ビロビジャンの23番学校では、通っている児童・生徒のほとんどロシア人だが、ユダヤの風習やイディッシュ語を学習する。同校教師は「言葉は私たちの誇り。文化や歴史はイディッシュ語で抱えている」と強調。地元当局も「町おこし」に役立てようと伝統の再興や維持を支援する。

ソ連時代以来、国営ラジオが毎日放送したイディッシュ語ニュースはリスナー減少で中止されたが、その代わりロシア語でユダヤ文化を紹介する約20分のテレビ番組が毎週放送されている。

1930年創刊の新聞『ビロビジャンの星』は、ロシアで存続する唯一のイディッシュ語メディア。イディッシュ語話者は激減したが、ロシア語版と併合し一部をイディッシュ語とすることで命脈を保つ。紙でも週1回、発行するが、読者の多くはネット版を読む国外のユダヤ人。エレーナ・サラシェフスカヤ編集長は同紙について、地元のみならず、全世界のイディッシュ語話者をつないでいると話す。自治州はスターリン体制の都合で設置されたため否定的に語られがちだが、親や祖父母が入植しなければナチスがソ連西部を占領した際にホロコーストの犠牲になったかもしれないと語る人も目立つ。

2022年にはアムール河畔の自治州南部ニジネレニンスコエと中国黒竜江省同江を直結する中ロ間唯一の鉄道橋が供用開始。自治州は物流拠点としての発展が期待される。ビロビジャンは1992～2005年に新潟県豊栄市、その後は同市を併合した新潟市と姉妹都市となっている。（小熊宏尚）

70

最果てのチュクチ自治管区

★生き残りをかけて★

チュクチ自治管区はロシアそしてユーラシア大陸の北東端、米国アラスカ州の対岸であり、誰もが理解できるような位置にある。とはいえ日本人の間ではあまり知られていない地域であることは否めない。しかしながらロシアによるこの地域（チュクチ半島）への進出は17世紀にはすでに記録があり、北米大陸のアラスカとユーラシア大陸との間が海で分断されていることをロシアの探検家ベーリングが確認したのは18世紀初頭のことである。ユカギール語での「川」を語源とするアナディリ川の河口に位置する自治管区の中心地アナディリは19世紀末に「ノヴォマリインスク（村）」として建設された。1934年に「（労働者居住区）

表 70-01　チュクチ自治管区の総人口と民族構成（人）

民族	1939	1959	1970	1979	1989	2002	2010	2020
チュクチ人	12,111	9,975	11,001	11,292	11,914	12,622	12,722	13,292
チュバシ人					944	951	897	742
エヴェン人	817	820	1,061	969	1,336	1,407	1,392	1,285
ロシア人	5,183	28,318	70,531	96,424	108,297	27,918	25,068	25,503
ウクライナ人	571	3,543	10,393	20,122	27,600	4,960	2,869	1,526
その他	2,055	2,969	7,049	9,859	12,391	4,432	2,961	5,142
総人口	21,537	46,689	101,194	139,944	163,934	53,824	50,526	47,490

アナディリ」に名称が変更され、アナディリが「市」と位置づけられたのは1965年のことであった。

チュクチ自治管区は極めて厳しい自然条件を有していることで知られ、1年のうち10か月が気象学上の冬である。1月の平均気温はマイナス15度～39度であり、7月でもプラス5度～10度に留まる。チュクチ自治管区の面積は日本の2倍近い74万㎢であり、連邦構成主体のうちでも第6位を占めるほど広大なものであるが、その総人口は5万人前後の規模を見せるに過ぎず、すべての連邦構成主体のうち最も少ないものに留まっている。

1930年にマガダン州の一部として成立したチュクチ「民族管区」（当時）であるが、当初は人口の圧倒的多数を、チュクチ人をはじめとする北方少数民族が占めていた。当初は、今も続くトナカイを中心とした牧畜が基盤であったが、金・タングステンや錫などの非鉄金属生産そして石油・石炭の産出が進められた。ソ連成立以降冷戦時代には、あるいは収容所が置かれ、あるいは冷戦の最前線として軍事基地が置かれる等による人口流入が進んだ。民族管区創設から間もない1939年の総人口は2万1千人を超えた程度であったが、軍事基地や資源採掘地等への人口立地を背景に人口は拡大した。戦後の1959年には既に、総人口が4万6千人超でロシア人が総人口の過半となるに至った。外部からの人口流入が大きかったことが窺える。そしてソ連最後の人口センサスが行われた1989年には、人口は16万人を超えたのである。

ソ連崩壊後、ロシア極東地域では大量の人口流出が生じた。その中でもチュクチ自治管区では、ソ連時代最晩年には16万人を上回っていた人口が、20有余年を経てその3分の1以下、5万人未満にま

写真70-01　放棄された軍人居住区「グディム」(アナディリ－1)

写真70-02　放棄された漁業町「シャフチョールスキー」

で減少してしまっている。それまで人口流入のみられていたチュクチから、時として年率10％を超える規模の人口流出が生じた。19あった都市・町は、そのうち10が廃止されるに至る。だが同時に、この推移には一定のパターンがある。第1に、移動その他の費用が極めて高くなる北極圏周辺に位置していた工業生産基盤が、ソ連崩壊後の現実的な費用に耐えられず放棄された、という様相が認められる。他方、地域の中心的な集積地等は維持され、かつベーリング海側（南側）の居住区は未だ残されている。そしてまた、１９８９年から２００２年人口センサスにかけては11万人を超える総人口の減少を経験したが、２００２年から２０２０年人口センサスの間には6千人強の減少が観測されたに過ぎないのである。

この状況を見れば、チュクチの人口動態はすでに安定していると見ることもできる。ソ連が実施していた国家主導の資源開発戦略が無ければ維持不可能な人口をかつて抱えていたことは確実であり、それがソ連崩壊後のチュクチからの人口流出に帰結したと考えられる。だが同時に、連邦崩壊から30年が過ぎた状況に鑑みると、現在の5万人前後がチュクチにおける適正人口なのであるのかも知れない。10年以上にわたって総人口がほぼ安定していることはその傍証であるとも考えられる。

そのような観点からすれば、本来あるべき姿に立ち戻ったのが現在のチュクチ自治管区であり極東である、と見ることが可能であるかも知れない。

（雲　和広）

おわりに

本書の企画中に発生したコロナ禍、それに引き続き２０２２年２月末に勃発したロシアによるウクライナ軍事侵攻という非常な局面において、我が国とロシア連邦、そしてその中の極東・シベリアへのアクセスは局限されてしまっています。ロシア連邦内のこれらの地域は、地理的には日本に隣接しているにも拘らず、日本からのアクセスが容易なところではなく、ビジネス・観光の地としての位置づけは依然として低いまま推移してきました。

翻って20世紀前半期、日ソ国交樹立（１９２５年）より第２次世界大戦開始までの間は、シベリアの地には現在（ウラジオストク、ハバロフスク、ユジノサハリンスクの3か所）よりはるかに多くの都市に日本国の公館が存在していました。それは日本人がこれらの地に居留していたことを物語っています。我が国の周辺・隣接地域には人的・物的交流のポテンシャルがあり、政治経済情勢次第で容易に変化しうることを示しているといえます。

20世紀から21世紀にかけてのロシアとその周辺をめぐる情勢は、いくつかの波となって変動してきました。このような政治経済情勢の変化にも拘らず、我が国では文化、芸術、学術といった分野ではロシア、旧ソ連地域との交流や学術的関係は、関係者の努力・尽力で維持されてきました。本稿筆者も所属する「日本シベリア学会」もその１つです。本学会はロシアの一部であるシベリアという地域に、文理双方の様々な分野において学術的に活動してきたメンバーから構成される異色の学会です。当学会員には本書の執筆にも少なからぬ協力をしていただいています。このような学会が成立できた背景にも、日本の隣接地域として歴史的文化的背景を有するシベリア・極東という地域の特別な性格が関係しているといえます。

シベリア研究の先駆者といえる故加藤九祚氏（日本シベリア学会名誉会長）の著書の1つに『シベリアに憑かれた人々』（1974、岩波新書）があります。これは主としてロシアやその隣国のスカンジナビア諸国の探検家等を中心とする話です。「憑かれた」とまではいかないにせよ、加藤九祚氏御自身も含め日本人にも様々な形でこの地域と運命を共にしてきた人々がいるようです。それは政治・外交分野、経済・貿易分野、文化交流分野、学術分野等各種分野にわたっています。ソ連時代にも、日本海を挟んだ日ソ両国の地域間では沿岸貿易と称する経済関係もあり、また姉妹都市交流も一定レベルで地道に行われていました。シベリアは、保有する資源類（森林資源から炭化水素燃料や非鉄金属類に至る地下資源類）の供給地としても、我が国にとって長期的に重要性を有する地域に他なりません。

ポスト・ウクライナ情勢を見据えて、日本の隣接地域の一つであるロシア極東・シベリアに眼を向けることは、日本の周辺地域との国際関係、異文化交流、経済・貿易関係、学術交流に新たな局面を切り開く一歩になるかもしれません。本書がその一助になることを期待いたします。

最後になりましたが、困難な情勢下にもかかわらず編集・校正作業に従事された明石書店の佐藤和久様には、終始お世話になりました。ここに深く御礼申し上げます。

吉田　睦

ロシア極東・シベリアを知るための参考文献

●全般的な参考図書

岡洋樹・境田清隆・佐々木史郎（編）『朝倉世界地理講座2――大地と人間の物語　東北アジア』朝倉書店、２００９年。

加賀美雅弘・木村汎（編）『朝倉世界地理講座10――大地と人間の物語 東ヨーロッパ・ロシア』朝倉書店、２００７年。

加賀美雅弘（編）『ロシア』（世界地誌シリーズ9）朝倉書店、２０１７年。

川端香緒里他（監修）『新版ロシアを知る事典』平凡社、２００４年。

下斗米伸夫・島田博（編著）『現代ロシアを知るための60章【第2版】』明石書店、２０１２年。

下斗米伸夫（編著）『ロシアの歴史を知るための50章』明石書店、２０１６年。

高倉浩樹（編）『極寒のシベリアに生きる――トナカイと氷と先住民』新泉社、２０１２年。

永山ゆかり・吉田睦（編）『アジアとしてのシベリア――ロシアの中のシベリア先住民世界』勉誠出版、２０１８年。

沼野充義他（編著）『ロシア文化55のキーワード』（世界文化シリーズ7）ミネルヴァ書房、２０２１年。（渡邊日日「シベリア」）

檜山哲也・藤原潤子（編著）『シベリア――温暖化する極北の水環境と社会』（環境人間学と地域）京都大学学術出版会、２０１５年。

北極環境研究コンソーシアム長期構想編集委員会（編）『北極域の研究――その現状と将来構想』海文堂、２０２４年。

P・マルシャン（著）／太田佐絵子（訳）『新版地図で見るロシアハンドブック』原書房、２０２１年。（「北極地方」「極東のロシア」）

●第Ⅰ部　シベリア・極東の地理と自然

加賀美雅弘・木村汎（編）『朝倉世界地理講座 10――大地と人間の物語 東ヨーロッパ・ロシア』朝倉書店、２００７年。〔1〕
和田春樹（編）『新版 世界各国史 22 ロシア史』山川出版社、２０２２年。〔1〕
Каракин, Владимир Павлович, 'Дальний Восток России – обретение границ, имени и специфики в «проблемном поле» страны,' *Вестник ДВО РАН*. 2014. № 5.〔1〕
N・I・エシペノク（編）／佐藤利郎（訳）『バイカル湖の民話』恒文社、１９９４年。〔2〕
M・I・ゴールドマン（著）／都留重人（監訳）『ソ連における環境汚染――進歩が何を与えたか』岩波書店、１９７３年。〔2〕
徳永昌弘『20世紀ロシアの開発と環境――「バイカル問題」の政治経済学的分析』北海道大学出版会、２０１３年。〔2〕
Park H., Y. Yoshikawa, K. Oshima, Y. Kim, T. Ngo-Duc, J.S. Kimball, and D. Yang, 2016, Quantification of warming climate-induced changes in terrestrial arctic river ice thickness and phenology, *Journal of Climate*, 29.〔3〕
Park H., Y. Kim, K. Suzuki, and T. Hiyama, 2024, Influence of snowmelt on increasing Arctic river discharge: numerical evaluation, *Progress in Earth and Planetary Science*, 11:13.〔3〕
『NHKグレートサミッツ　世界の名峰　第8巻　クリュチェフスカヤ』（小学館DVD book）小学館、２０１１年。〔4〕
ロシア科学アカデミー極東支部火山地震研究所カムチャツカ火山噴火対応チーム http://www.kscnet.ru/ivs/kvert/〔4〕
白岩孝行『魚附林の地球環境学――親潮・オホーツク海を育むアムール川』（地球研叢書）昭和堂、２０１１年。〔5〕
田畑伸一郎・江淵直人（編著）『環オホーツク海地域の環境と経済』北海道大学出版会、２０１２年。〔5〕
飯島慈裕・佐藤友徳（編著）『気象研究ノート第２３０号：北半球寒冷圏陸域の気候・環境変動』日本気象学会、２０

１４年。〔6〕
遠藤邦彦・山川修治・藁谷哲也（編著）『極圏・雪氷圏と地球環境』二宮書店、２０１０年。〔6〕
IPCC., *Climate Change 2021: The Physical Science Basis. Contribution of Working Group I to the Sixth Assessment Report of the Intergovernmental Panel on Climate Change*. Cambridge University Press, 2021. https://doi.org/10.1017/9781009157896.〔7〕
関　啓子『トラ学のすすめ――アムールトラが教える地球環境の危機』三冬社、２０１８年。〔8〕
福田俊司『カラー版 シベリア動物誌』岩波新書、１９９８年。〔8〕
ИПЭЭ РАН и ФГБУ «ВНИИ Экологии», *Красная книга Российской Федерации (том Животные)*, 2021.〔8〕
樋口広芳『鳥たちの旅――渡り鳥の衛星追跡』ＮＨＫ出版、２００５年。〔9〕
吉田　睦「シベリア先住民における魚の禁忌と聖性」小長谷有紀（編）『北東アジアにおける人と動物のあいだ』東方書店、２００２年〔コラム１〕
Narita, D., Gavrilyeva, T., & Isaev, A., Impacts and management of forest fires in the Republic of Sakha, Russia: A local perspective for a global problem. Polar Science, 27, 100573. https://doi.org/10.1016/j.polar.2020.100573, 2021.〔10〕
Scholten, R. C., Jandt, R., Miller, E. A., Rogers, B. M., & Veraverbeke, S., Overwintering fires in boreal forests. Nature, 593(7859), 399–404 2021. https://doi.org/10.1038/s41586-021-03437-y〔10〕

●第Ⅱ部　シベリア・極東の歴史

加藤博文『シベリアを旅した人類』東洋書店、２００８年。〔11〕
加藤博文「シベリアにおける集団形成史をめぐる研究動向」『国立民族学博物館調査報告』１５６、２０２２年。〔11〕
菊池俊彦（編）『北東アジアの歴史と民族』北海道大学出版会、２０１０年。〔11〕
東京大学常呂実習施設・考古学研究室（編）『オホーツクの古代文化――東北アジア世界と北海道・史跡常呂遺跡』新泉社、２０２４年。〔12〕
Jim Cassidy, Irina Ponkratova, and Ben Fitzhugh (eds.), *Maritime Prehistory of Northeast Asia (The Archaeology of Asia-Pacific*

Navigation, 6), Springer, 2022.〔12〕
菊池俊彦『北東アジア古代文化の研究』北海道大学図書刊行会、１９９５年。〔13〕
米家志乃布「レーメゾフの『公務の地図帳』と描かれたシベリア地域像」『法政大学文学部紀要』66号、２０１２年。〔14〕
船越昭生『北方図の歴史』講談社、１９７６年。〔15〕
秋月俊幸『日本北辺の探検と地図の歴史』北海道図書刊行会、１９９９年。〔15〕
天野尚樹「極東における帝立ロシア地理学協会――サハリン地理調査を手掛かりとして」『「スラブ・ユーラシア学の構築」研究報告集』17、２００６年。〔15〕
阪本秀昭・伊賀上菜穂『旧「満州」ロシア人村の人々――ロマノフカ村の古儀式派教徒』東洋書店、２００７年。〔16〕
Аргудяева, Ю.В. *Старообрядцы на Дальнем Востоке России.* М.: ИЭА РАН, 2000.〔16〕
Grinev, A.V., *The Tlingit Indians in Russina America, 1741-1867*, University of Nebraskq Press, Lincoln and London, 1991.〔17〕
Болховитинов, Н.Н. (ред.), История Русской Америки, в 3 т., М., 1997-1999.〔17〕
Петров, А.Ю., Образование Российско-американской компании, М:Наука., 2000.〔17〕
生田美智子『外交儀礼から見た幕末日露文化交流――描かれた相互イメージ・表象』ミネルヴァ書房、２０１５年。〔18〕
生田美智子（編著）『女たちの満洲――多文化空間を生きて』大阪大学出版会、２０１５年。〔18〕
生田美智子（編）『満洲の中のロシア――境界の流動性と人的ネットワーク』成文社、２０１２年。〔18〕
左近幸村（編著）『近代東北アジアの誕生――跨境史への試み』北海道大学出版会、２００８年。〔18、20〕
ソルジェニーツィン（著）／染谷茂（訳）『イワン・デニーソヴィチの一日』岩波文庫、１９７１年。〔19〕
チェーホフ（著）／中村融（訳）『サハリン島（上・下）』岩波文庫、１９５３年。〔19〕
ドストエフスキー（著）／望月哲男（訳）『死の家の記録』光文社古典新訳文庫、２０１３年。〔19〕
原　暉之『インディギルカ号の悲劇――１９３０年代のロシア極東』筑摩書房、１９９３年。〔19〕
原　暉之（編著）『日露戦争とサハリン島』北海道大学出版会、２０１１年。〔20〕

原暉之・兎内勇津流・竹野学・池田裕子（編著）『日本帝国の膨張と縮小――シベリア出兵とサハリン・樺太』北海道大学出版会、２０２３年。〔20・21・22〕

小林昭菜『シベリア抑留――米ソ関係の中での変容』岩波書店、２０１８年。〔23〕

ソ連における日本人捕虜の生活体験を記録する会『捕虜体験記　歴史総集編』１９９８年。〔23〕

長勢了治『シベリア抑留全史』原書房、２０１３年。〔23〕

林　照『シベリア第一部白墓の丘』新風書房、２０１２年。〔23〕

村山常雄『シベリアに逝きし人々を刻す――ソ連抑留中死亡者名簿』プロスパー企画、２００７年。〔23〕

Гаврилов. В.А, Катасонова. Е.Л. *Японские военнопленные в СССР 1945-1956.*〔23〕

Загорулько. М.М. *Военнопленные в СССР. 1939-1956гг. Документы и материалы.* М., 2000.〔23〕

Русский Архив: Великая Отечественная. Советско-японская война 1945 года: история военно-политического противоборства двух держав в 30-40 годы. Москва, ТЕРРА, 2000, Том.18 (7-2).〔23〕

村山常雄「シベリア抑留死亡者名簿」(http://yokuryu.world.coocan.jp/index.html　２０２４年4月12日閲覧)〔23〕

中山大将『サハリン残留日本人と戦後日本――樺太住民の境界地域史』国際書院、２０１９年。〔24〕

●第Ⅲ部　シベリア・極東の民族と文化

越野　剛「二〇世紀ロシア文学におけるサハリン島――チェーホフと流刑制度の記憶」原暉之編著『日露戦争とサハリン島』北海道大学出版会、２０１１年。〔25〕

Galya Diment, Yuri Slezkine (eds.) *Between Heaven and Hell: The Myth of Siberia in Russian Culture* (N.Y.: St. Martin's Press, 1993)〔25〕

Анисимов К. В. (ред.) *Сибирский?текст в национальном сюжетном пространстве.* Красноярск: Сибирский федеральый университет, 2010.〔25〕

岡洋樹・境田清隆・佐々木史郎（編）『朝倉世界地理講座10――大地と人間の物語 東ヨーロッパ・ロシア』朝倉書店、２００７年。〔26〕

大石侑香『シベリア森林の民族誌——漁撈牧畜複合論』昭和堂、２０２３年。〔26〕
津曲敏郎『北のことば フィールド・ノート——18の言語と文化』北海道大学図書刊行会、２００３年。〔27〕
中川　裕（監修）、小野智香子（編集）『ニューエクスプレス・スペシャル 日本語の隣人たちⅠ＋Ⅱ［合本］』白水社、２０２１年。〔27〕
永山ゆかり・長崎郁『シベリア先住民の食卓——食べものから見たシベリア先住民の暮らし』東海大学出版部、２０１６年。〔27〕
オークニ（著）／原子林二郎（譯）『カムチャツカの歴史——カムチャツカ植民政策史』覆刻版、２００９年。〔28〕
ザヨンツ・マウゴジャータ『千島アイヌの軌跡』草風館、２００９年。〔28〕
北海道新聞デジタル「『アイヌ』を先住民族に——ロシアに初の団体」北海道新聞 どうしん電子版、２００８年5月28日。https://www.hokkaido-np.co.jp/movies/detail/5293167325001/.〔28〕
Зуев, А. С. "Восстание Коряков-Карагинцев в 1746 г. И Братья Лазуковы." *Вестник КРАУНЦ. Гуманитарные Науки*, no. 2, 2003.〔28〕
Крашенинников, С. П. *Описание земли Камчатки.* Российская Императорская Академия наук, 1755.〔28〕
Огрызко, И. И. *Очерки истории сближения коренного и русского населения Камчатки: конец XVII - начало XX веков.* Изд-во Ленингр. ун-та, 1973.〔28〕
Pallas, Peter Simon. *Linguarum Totius Orbis Vocabularia Comparativa.* Edited by Harald Haarmann. Nachdr. d. Ausg. St. Petersburg 1786 [i.e. 1787]. Buske, 1977.〔28〕
Хаховская, Людмила Николаевна. *Камчадалы Магаданской области: история, культура, идентификация.* Северо-восточный комплексный научно-иссл. ин-т ДВО РАН, 2003.〔28〕
高倉浩樹『社会主義の民族誌——シベリア・トナカイ飼育の風景』東京都立大学出版会、２０００年。〔29〕
吉田　睦『トナカイ牧畜民の食の文化・社会誌——西シベリア・ツンドラ・ネネツの食の比較文化』彩流社、２００３年。〔29〕
吉田　睦「シベリアのトナカイ牧畜・飼育と開発・環境問題」高倉浩樹（編）『極寒のシベリアに生きる』新泉社、２

015年。〔29〕
荻原眞子・福田晃（編）『英雄叙事詩――アイヌ・日本からユーラシアへ』三弥井書店、2018年。〔30〕
坂井弘紀（訳）『ウラル・バトゥル――バシュコルト英雄叙事詩』（東洋文庫）平凡社、2011年。〔30〕
日本口承文芸学会（編）『シリーズことばの世界・第1巻　つたえる』三弥井書店、2008年。〔30〕
長縄宣博「帝政ロシア末期のワクフ――ヴォルガ・ウラル地域と西シベリアを中心に」『イスラム世界』73巻、2009年。〔31〕
渡邊日日『社会の探究としての民族誌――ポスト・ソヴィエト社会主義期南シベリア、セレンガ・ブリヤート人に於ける集団範疇と民族的知識の記述と解析，準拠概念に向けての試論』三元社、2010年。〔31〕
Nikolay Tsyrempilov, *Under the shadow of White Tara: Buriat Buddhists in Imperial Russia*. Paderborn: Brill, 2021.〔31〕
岡洋樹、境田清隆、佐々木史郎（編）『朝倉世界地理講座2――大地と人間の物語　東北アジア』朝倉書店、2009年。〔32〕
阪本秀昭・中澤敦夫（編著）『ロシア正教古儀式派の歴史と文化』世界歴史叢書、明石書店、2019年。〔32〕
高倉浩樹『極寒のシベリアに生きる――トナカイと氷と先住民』新泉社、2012年。〔32〕
永山ゆかり、吉田睦『アジアとしてのシベリア――ロシアの中のシベリア先住民世界』アジア遊学227、勉誠出版、2018年。〔32〕
加藤九祚『シベリアの歴史』（新装版）紀伊國屋書店、2018年。〔33〕
森田耕司「シベリアにある『ポーランド』をめぐって」吉田睦・永山ゆかり（編）『アジアとしてのシベリア』勉誠出版、2018年。〔33〕
森田耕司「シベリアにある『ポーランド』の歴史――イルクーツク州ヴェルシナ村」渡辺克義（編著）『ポーランドの歴史を知るための55章』明石書店、2020年。〔33〕

●第Ⅳ部　現代のシベリア・極東の諸問題

伊集院敦、日本経済研究センター（編）『変わる北東アジアの経済地図：新秩序への連携と競争』文眞堂、2017年。

〔34〕
岩下明裕（編著）『北東アジアの地政治――米中日ロのパワーゲームを超えて』北海道大学出版会、２０２１年。〔34〕
堀内賢志・齋藤大輔・濱野剛（編著）『ロシア極東ハンドブック』東洋書店、２０１２年。〔34、37、42〕
Helge Blakkisrud, Elana Wilson Rowe eds., *Russia's Turn to the East: Domestic Policymaking and Regional Cooperation*, Palgrave Pivot, 2018.〔34〕
坂口　泉「ロシアの石油ガス分野それぞれの今――ウクライナ侵攻後に分かれた明暗」『ロシアＮＩＳ調査月報』２０２３年4月号。〔35〕
田畑伸一郎（編著）『石油・ガスとロシア経済』北海道大学出版会、２００８年。〔35〕
坂口　泉「ウクライナ戦争後のロシア採金分野――回避された致命傷」『ロシアＮＩＳ調査月報』２０２４年2月号。〔36〕
坂口　泉「２０２２年のロシアの石炭分野の回顧――対ロ制裁という逆風に晒された1年」『ロシアＮＩＳ調査月報』２０２３年7月号。〔36〕
坂口　泉「ウクライナ戦争開始後のロシア漁業分野―外部の平穏さと内部の喧騒」『ロシアＮＩＳ調査月報』２０２３年12月号。〔36〕
齋藤大輔「ロシアの新しい極東政策」『ロシアＮＩＳ調査月報』２０１５年11月号。〔37〕
加藤　学『ビジネスマン・プーチン――見方を変えるロシア入門』東洋書店新社、２０１８年。〔38〕
喜入　亮『日ソ貿易の歴史』にんげん社、１９８３年。〔38〕
高橋　浩『日本とソ連・ロシアの経済関係――戦後から現代まで』（ユーラシア文庫）群像社、２０２１年。〔38〕
日ソ・日ロ経済交流史出版グループ（編）『日ソ・日ロ経済交流史――ロシアビジネスに賭けた人々の物語』東洋書店、２００８年。〔38〕
田畑伸一郎・江淵直人（編著）『環オホーツク海地域の環境と経済』北海道大学出版会、２０１２年。〔39〕
原口聖二「Interview 何度も転換期を経験してきた日ロの漁業関係（聞き手：中馬瑞貴）」『ロシアＮＩＳ調査月報』２０２３年2月号。〔39〕

乾 一宇『力の信奉者ロシア――その思想と戦略』ＪＣＡ出版、２０１１年。〔40〕
河西陽平『スターリンの極東戦略 １９４１〜１９５０――インテリジェンスと安全保障認識』慶應義塾大学出版会、２０２３年。〔40〕
本田良一『〈新訂増補版〉密漁の海で――正史に残らない北方領土』凱風社、２０１１年。〔40〕
岩下明裕（編著）『日本の国境・いかにこの「呪縛」を解くか』北海道大学出版会、２００９年。〔41〕
駒木明義『安倍vs.プーチン 日ロ交渉はなぜ行き詰まったのか？』筑摩選書、２０２０年。〔41〕
北海道新聞日ロ取材班（編）『消えた「四島返還」完全版 安倍×プーチン 北方領土交渉の真相』北海道新聞社、２０２２年。〔41〕
齋藤大輔「輸送力拡張で変わるバム鉄道」『ロシアＮＩＳ調査月報』２０１９年12月号。〔42〕
中居孝文「日本の港湾別対ロ貿易に見る戦争と制裁の影響」『ロシアＮＩＳ調査月報』２０２３年8月号。〔42〕
辻 久子『シベリア・ランドブリッジ――日ロビジネスの大動脈』成山堂書店、２００７年。〔42〕
雲 和広『ロシアの人口問題――人が減り続ける社会』ユーラシア・ブックレット、東洋書店、２０１１年。〔43〕
Karabchuk, T., Kumo, K and Selezneva, E., *Demography of Russia: From the Past to the Present*, Palgrave Macmillan, 2017.〔43〕
田畑伸一郎・後藤正憲（編著）『北極の人間と社会――持続的発展の可能性』北海道大学出版会、２０２０年。〔44〕
Ken S. Coates and Carin Holroyd, eds., *The Palgrave Handbook of Arctic Policy and Politics*. Palgrave Macmillan Cham, 2020.〔44〕
Veli-Pekka Tynkkynen, Shinichiro Tabata, Daria Gritsenko and Masanori Goto, eds., *Russia's Far North: The Contested Energy Frontier*. Abingdon, Oxfordshire, UK: Routledge, 2018.〔44〕
世界遺産検定事務局『すべてがわかる世界遺産大事典』マイナビ出版、２０２０年。〔45〕
Lonely Planet, *Russia*, Lonely Planet Global Limited, 2018.〔45〕
小泉 悠『ウクライナ戦争』ちくま新書、２０２３年。〔46〕
服部倫卓「ロシアのウクライナ侵攻とプーチン体制の行方」『ロシアＮＩＳ調査月報』２０２２年12月号。〔46〕
Fiona Hill and Clifford G. Gaddy, *The Siberian curse: how communist planners left Russia out in the cold*, Washington, D.C.:

Brookings Institution Press, 2003.〔コラム2〕
А.П. Паршев. *Почему Россия не Америка: книга для тех, кто остается здесь*. Москва: Крымский мост-9д: Форум , 2000.〔コラム2〕

●第Ⅴ部　シベリア・極東の諸地域

齋藤大輔「石油ガス以外の経済発展にも挑むチュメニ州」『ロシアＮＩＳ調査月報』２０１８年1月号。〔47〕
服部倫卓「チュメニ州の経済構造と発展戦略」『ロシアＮＩＳ調査月報』２０１０年８月号。〔47〕
中馬瑞貴「資源豊富なハンティ・マンシも脱炭素を目指す」『ロシアＮＩＳ調査月報』２０２２年２月号。〔48〕
吉田　睦「ネネツ」原聖・庄司博史（編）『講座世界の先住民族　ファースト・ピープルズの現在06　ヨーロッパ』明石書店、２００５年。〔49〕
加藤九祚『ヒマラヤに魅せられたひと——ニコライ・レーリヒの生涯』人文書院、１９８２年。〔50〕
坂井弘紀（訳）『アルパムス・バトゥル——テュルク諸民族英雄叙事詩』（東洋文庫）平凡社、２０１５年。〔50〕
赤坂恒明「トゥバ人　喉歌で世界を魅了するチベット仏教徒のテュルク」『テュルクを知るための61章』明石書店、２０１６年。〔51〕
高島尚生「シャマンとともに生きる人々——トゥバ民族の暮らしの一風景」『アークティック・サークル』北海道北方民族博物館友の会・季刊誌第47号、２００３年。〔51〕
鴨川和子『トゥワー民族』晩声社、１９９０年。〔51〕
高島尚生「トゥバ共和国の現在」『ユーラシア研究』第39号　ユーラシア研究所、２００８年。〔51〕
高島尚生「洪水神話と鉄の筏　（シベリア（トゥバ民族）神話）」植朗子（編著）／阿部海太（イラスト）『はじまりが見える世界の神話』創元社、２０１８年。〔51〕
等々力政彦『シベリアをわたる風——トゥバ共和国、喉歌（フーメイ）の世界へ』長征社、１９９９年。〔51〕
中村逸郎「辺境の村を訪ねて——トゥヴァー人の幸福」「閉ざされた山岳地帯の村を訪ねて——ロシア人旧教徒の伝統生活」『シベリア最深紀行』岩波書店、２０１６年。〔51〕

Carole Pegg, *Drones, Tones, and Timbres: Sounding Place among Nomads of the Inner Asian Mountain-Steppes*, University of Illinois Press, 2024.〔52〕
シュクシーン、ワシーリー（著）／染谷茂（訳）『日曜日に老いたる母は』群像社、１９８３年。〔53〕
中馬瑞貴「クラスノヤルスク地方はシベリア経済の要」『ロシアＮＩＳ調査月報』２０１８年７号。〔54〕
中居孝文「クラスノヤルスク地方プレゼンテーション」『ロシアＮＩＳ調査月報』２０１９年11号。〔54〕
齋藤大輔「薄幸のイルクーツク州――トップ混迷の10年と共産党知事の誕生」『ロシアＮＩＳ経済速報』２０１５年12月15日号。〔55〕
中馬瑞貴「水力発電が盛んなイルクーツク州」『ロシアＮＩＳ調査月報』２０２０年３月号。〔55〕
中馬瑞貴「石炭産業で３００年の歴史を誇るケメロヴォ州」『ロシアＮＩＳ調査月報』２０２１年７月号。〔56〕
長谷直哉「経済多角化を目指すノヴォシビルスク州」『ロシアＮＩＳ調査月報』２０１７年３月号。〔57〕
長谷直哉「先端産業が集まるオムスク州――シベリアの「ウラル」？」『ロシアＮＩＳ調査月報』２０１８年１月号。〔58〕
牧野　寛「トムスクのイノベーションエコシステム」『ロシアＮＩＳ調査月報』２０２１年３月号。〔59〕
島村一平『増殖するシャーマン――モンゴル・ブリヤートのシャーマニズムとエスニシティ』春風社、２０１２年。〔60〕
渡邊日日『社会の探究としての民族誌――ポスト・ソヴィエト社会主義期南シベリア、セレンガ・ブリヤート人に於ける集団範疇と民族的知識の記述と解析、準拠概念に向けての試論』三元社、２０１０年。〔60〕
Ｄ・ヴィシネフスキー、Ａ・デミヤネンコ、Ｏ・プロカパロ「ロシア極東北部の経済開発――サハ・カムチャッカ・マガダン・チュクチ」『ロシアＮＩＳ調査月報』２０１４年９～10月号。〔61〕
高倉浩樹『極北の牧畜民サハ――進化とミクロ適応をめぐるシベリア民族誌』昭和堂、２０１２年。〔61〕
中馬瑞貴「金とダイヤモンドのサハ共和国（ヤクーチヤ）」『ロシアＮＩＳ調査月報』２０１５年11月号。〔61〕
原　暉之『シベリア出兵――革命と干渉１９１７～１９２２』筑摩書房、１９８９年。〔62〕
堀江則雄『極東共和国の夢――クラスノシチョコフの生涯』未來社、１９９９年。〔62〕

В. Харчевников (ред.) *Декабристы в Забайкалье: Неизданные материалы.* 1925, Чита: Типография Акционерного общества «Печатное дело», стр. 44/45.〔62〕
中馬瑞貴「日本と共通項の多いカムチャッカ地方」『ロシアＮＩＳ調査月報』２０２１年11月号。〔63〕
長勢了治『知られざるシベリア抑留の悲劇――占守島の戦士たちはどこへ連れていかれたのか』芙蓉書房出版、２０１８年。〔63〕
広瀬健夫『住んでみたカムチャツカ』東洋書店、２０１０年。〔63〕
別所二郎蔵『わが北千島記――占守島に生きた一庶民の記録』講談社、１９７７年。〔63〕
レフ・Ｓ・ベルグ『カムチャッカ発見とベーリング探検』原書房、１９８２年。〔63〕
Vakhrin, S. I. *Встречь солнцу.* Камшат, 1996.〔63〕
堀内賢志・齋藤大輔・濱野剛（編著）『ロシア極東ハンドブック』東洋書店、２０１２年。〔64、65、66〕
世界地名大事典第4～6巻「ヨーロッパ・ロシアⅠⅡⅢ」朝倉書店、２０１６年。〔64、66〕
齋藤大輔「中国・ロシア国境最新事情」『ロシアＮＩＳ調査月報』２０１５年3月号。〔66〕
齋藤大輔「コロナ危機下の中ロ国境を見る」『ロシアＮＩＳ調査月報』２０２２年2月号。〔66〕
小野智香子「ロシア連邦マガダン州における先住民族言語の現状」『千葉大学社会文化科学研究科研究プロジェクト報告書』２０２１年、第15号。〔67〕
小林俊一・渡辺興亜・高橋修平「コリマ街道紀行」『新潟大災害研年報』２００２年、第24号。〔67〕
齋藤大輔「金採掘の町・マガダン」『ロシアＮＩＳ調査月報』２０１１年2月号。〔67〕
秋月俊幸『千島列島をめぐる日本とロシア』北海道大学出版会、２０１４年。〔68〕
ジョン・Ｊ・ステファン（著）／安川一夫（訳）『サハリン――日・中・ソ抗争の歴史』原書房、１９７３年。〔68〕
原暉之・天野尚樹（編著）『樺太40年の歴史』全国樺太連盟、２０１７年。〔68〕
村上　隆『北樺太石油コンセッション　１９２５～１９４４』北海道大学図書刊行会、２００４年。〔68〕
上田 和夫『イディッシュ文化――東欧ユダヤ人のこころの遺産』三省堂、１９９６年。〔69〕
小熊宏尚「ユダヤ文化の離れ小島で」共同通信社取材班『伝える　訴える』柘植書房新社、２０１７年。〔69〕

原　暉之編著『日露戦争とサハリン島』北海道大学出版会、２０１１年。〔68〕

Masha Gessen, *Where the Jews aren't: the sad and absurd story of Birobidzhan, Russia's Jewish autonomous region*. New York : Schocken, 2016.〔69〕

雲和広、タマーラ・リトヴィネンコ「ポスト・ソビエト期における資源利用の変化と人口動態への影響――チュクチ自治管区」『ロシア・ユーラシアの経済と社会』第１０１２号、２０１７年。〔70〕

Kumo, K and Litvinenko, T, 'Post-Soviet population dynamics in the Russian Extreme North: A case of Chukotka,' *Polar Science*, 21, 2019.〔70〕

●わ行

●ま行

●や行

●ら行

●な行

●は行

●た行

●さ行

●か行

地名・人名・民族名索引

以下に掲載するのは、本書に登場する地名・人名・民族名の索引です。地名は、ロシア極東・シベリア固有のものだけでなく、それと関係の深い周辺国・地域のものも含んでいます。

森永貴子（もりなが　たかこ）〔17〕
立命館大学文学部 教授
【主要著作】
『ロシアの拡大と毛皮交易 —— シベリア〜北太平洋の商人世界』（彩流社、2008 年）、『イルクーツク商人とキャフタ貿易 —— 帝政ロシアにおけるユーラシア商業』（北海道大学出版会、2010 年）、『北太平洋世界とアラスカ毛皮交易 —— ロシア・アメリカ会社の人びと』（東洋書店、2014 年）など。

＊**吉田　睦**（よしだ　あつし）〔29, 49, コラム 1〕
【編著者紹介】を参照

渡邊日日（わたなべ　ひび）〔50, 53, 60, 62〕
東京大学大学院総合文化研究科 教員
【主要著作】
『社会の探究としての民族誌 —— ポスト・ソヴィエト社会主義期南シベリア、セレンガ・ブリヤート人に於ける集団範疇と民族的知識の記述と解析、準拠概念に向けての試論』三元社、2010 年）、『リスクの人類学 —— 不確実な世界を生きる』（共著、東賢太郎ほか編、世界思想社、2014 年）、*The Siberian World*（共著、John P. Ziker ほか編、Routledge, 2023）など。

檜山哲哉（ひやま　てつや）〔7〕
名古屋大学宇宙地球環境研究所 教授
【主要著作】
Water-Carbon Dynamics in Eastern Siberia（Ohta, T. ほかとの共編著、Springer Japan、2019年)、『シベリア――温暖化する極北の水環境と社会』（藤原潤子との共編著、京都大学学術出版会、2015年)、『水の環境学――人との関わりから考える』（清水裕之・河村則行との共編著、名古屋大学出版会、2011年）など。

福井　学（ふくい　まなぶ）〔45〕
株式会社ロシア旅行社 営業課長
【主要著作】
「リディア・ヴェセロウゾーロヴァ――激動の時代を生きた貴族出身のロシア語教師」（長塚英雄編『新・日露異色の群像30』生活ジャーナル、2021年）など。

福田正宏（ふくだ　まさひろ）〔12〕
東京大学大学院人文社会系研究科 准教授
【主要著作】
『極東ロシアの先史文化と北海道――紀元前1千年紀の考古学』（北海道出版企画センター、2007年)、「縄文文化における北の範囲」(『縄文時代』吉川弘文館、2017年）など。

堀内賢志（ほりうち　けんじ）〔34〕
静岡県立大学国際関係学部 准教授
【主要著作】
『ロシア極東地域の国際協力と地方政府――中央・地方関係からの分析』（国際書院、2008年)、『ウラジオストク――混迷と希望の20年』（東洋書店、2010年)、『ロシア極東ハンドブック』（齋藤大輔・濱野剛との共編著、東洋書店、2012年）など。

森田耕司（もりた　こおじ）〔33〕
東京外国語大学大学院総合国際学研究院 准教授
【主要著作】
「シベリアで見つけた痕跡」（東京外国語大学言語文化学部編『言葉から社会を考える――この時代に〈他者〉とどう向き合うか』白水社、2016年)、「シベリアにある『ポーランド』をめぐって」（永山ゆかり・吉田睦編『アジアとしてのシベリア』勉誠出版、2018年)、「シベリアにある『ポーランド』の歴史――イルクーツク州ヴェルシナ村」（渡辺克義編著『ポーランドの歴史を知るための55章』明石書店、2020年）など。

西山美久（にしやま　よしひさ）〔65〕
東京大学先端科学技術研究センター 特任助教
【主要著作】
『ロシアの愛国主義――プーチンが進める国民統合』（法政大学出版局、2018 年）、「歴史認識をめぐるロシアの国際的取り組――国連での反ナチズム決議の採択」（『政治研究』第 69 号、2022 年）、「戦勝という共通の記憶――CIS 諸国との協力によるロシアの歴史認識の正当化」（『政治研究』第 70 号、2023 年）など。

朴　昊澤（ぱく　ほーてく）〔3〕
国立研究開発法人海洋研究開発機構 上席研究員
【主要著作】
Park H., A.N. Fedorov, M.N. Zheleznyak, P.Y. Konstantinov, and J.E. Walsh, 2015, Effect of snow cover on pan-Arctic permafrost thermal regimes, *Climate Dynamics*, 44, 2873–2895.; Park H., Y. Yoshikawa, K. Oshima, Y. Kim, T. Ngo-Duc, J.S. Kimball, and D. Yang, 2016, Quantification of warming climate-induced changes in terrestrial arctic river ice thickness and phenology, *Journal of Climate*, 29, 1733–1754.; Park H., E. Watanabe, Y. Kim, I. Polyakov, K. Oshima, X. Zhang, J. S. Kimball, and D. Yang, 2020. Increasing riverine heat influx triggers Arctic sea ice decline and oceanic and atmospheric warming, *Science Advances*, 6, eabc4699.

長谷直哉（はせ　なおや）〔57, 58, 59〕
一般社団法人ロシア NIS 貿易会 モスクワ事務所所長
【主要著作】
「ロシアのガス輸出政策とガスプロム」（『国際政治』176 号、2014 年）、「制裁下のロシア――『新たな現実』と中東へのアプローチ」（『中東研究』546 号、2022 年）、「先鋭化するロシアの制裁対抗措置」（『ロシア NIS 調査月報』5 月号、2022 年）など。

＊**服部倫卓**（はっとり　みちたか）〔1, 8, 46, 47, 48, 54, 61, 63, 67、巻頭地図、シベリア・極東諸地域基礎データ・地図、索引〕
【編著者紹介】を参照

原口聖二（はらぐち　せいじ）〔39〕
北海道機船漁業協同組合連合会 常務理事
【主要著作】
「Interview 何度も転換期を経験してきた日ロの漁業関係（聞き手：中馬瑞貴）」（『ロシア NIS 調査月報』2023 年 2 月号）、「洋上風力発電と漁業：海外情報から見えた実相と北海道の沖合底びき網漁業」（『月刊アクアネット』湊文社、2023 年 8 月号）など。

徳永昌弘（とくなが　まさひろ）〔2, コラム 2〕
関西大学商学部商学科 教授
【主要著作】
『20 世紀ロシアの開発と環境』（北海道大学出版会、2013 年）、『世界地名大事典 ヨーロッパ・ロシア I・II・III』（共著、竹内啓一・手塚章・中村泰三・山本健兒編、朝倉書店、2016 年）、"Japan's Foreign Direct Investment in Russia" (co-authored), *Eurasian Geography and Economics*, Vol. 61(3), 2020. など。

豊田絵里子（とよだ　えりこ）〔45〕
株式会社ロシア旅行社 アシスタントマネージャー

中居孝文（なかい　たかふみ）〔38〕
一般社団法人ロシア NIS 貿易会 ロシア NIS 経済研究所 所長
【主要著作】
『ロシアビジネス成功の法則』（岡田邦生・畦地裕・芳地隆之との共著、税務経理協会、2008 年）など。

中山大将（なかやま　たいしょう）〔24〕
北海道大学大学院経済学研究院 准教授
【主要著作】
『亜寒帯植民地樺太の移民社会形成――周縁的ナショナル・アイデンティティと植民地イデオロギー』（京都大学学術出版会、2014 年）、『サハリン残留日本人と戦後日本――樺太住民の境界地域史』（国際書院、2019 年）、『国境は誰のためにある？――境界地域サハリン・樺太』（清水書院、2019 年）、など。

永山ゆかり（ながやま　ゆかり）〔28, 63〕
釧路公立大学経済学部 教授
【主要著作】
『水雪氷のフォークロア――北の人々の伝承世界』（山田仁史・藤原潤子との共編著、勉誠出版、2014 年）、『シベリア先住民の食卓――食べものから見たシベリア先住民の暮らし』（長崎郁との共編著、東海大学出版部、2016 年）、『アジアとしてのシベリア――ロシアの中のシベリア先住民世界（アジア遊学 227）』（吉田睦との共編著、勉誠出版、2018 年）など。

高橋浩晃（たかはし　ひろあき）〔4〕
北海道大学大学院理学研究院　附属地震火山研究観測センター 教授
【主要著作】
Takahashi H., et al., Velocity field of around the Sea of Okhotsk and Sea of Japan regions determined from a new continuous GPS network data, Geophysical Research Letters, doi.org/10.1029/1999GL900565, 1999.; Takahashi H., K. Hirata, The 2000 Nemuro-Hanto-Oki earthquake, off eastern Hokkaido, Japan, and the high intraslab seismic activity in the southwestern Kuril Trench Jour. Geophys. Res., doi org/10.1029/2002JB001813, 2003.; Takahashi H., M. Kasahara, Geodetic constraint on the slip distribution of the 2006 Central Kuril earthquake, Earth Planets Space, doi.org/10.1186/BF03352052, 2007.

立澤史郎（たつざわ　しろう）〔9〕
北海道大学大学院文学研究院 特任助教（北極域研究センター兼任）
【主要著作】
Uehara, H., W. Nishiyama, S. Tatsuzawa, K. Wada, T. Ida, and Y. Yusa. 2023. Impacts of the Novel Coronavirus SARS-CoV-2 on Wildlife Behaviour via Human Activities. PLOS ONE 18 (5): e0285893. https://doi.org/10.1371/journal.pone.0285893.; Sawa Y, Tamura C, Ikeuchi T, Fujii K, Ishioroshi A, Shimada T, Tatsuzawa S, Deng X, Cao L, Kim H, and Ward D. 2020. Migration routes and population status of the Brent Goose Branta bernicla nigricans wintering in East Asia. Wildfowl (Special Issue No.6): 244-246. https://wildfowl.wwt.org.uk/index.php/wildfowl/article/view/2744;「シベリアの動物相と温暖化の影響」（I. オクロプコフとの共著、檜山哲哉・藤原潤子編著『シベリア——温暖化する極北の水環境と社会』京都大学学術出版会、2015 年）など。

田畑伸一郎（たばた　しんいちろう）〔44〕
北海道大学 名誉教授
【主要著作】
Russia's Far North: The Contested Energy Frontier. Abingdon, Oxfordshire, UK: Routledge, 2018.『北極の人間と社会——持続的発展の可能性』（後藤正憲との共編著、北海道大学出版会、2020 年）、“The Contribution of Natural Resource Producing Sectors to the Economic Development of the Sakha Republic,” *Sustainability*, Vol. 13, No. 18, 2021.

中馬瑞貴（ちゅうまん　みずき）〔55, 56〕
一般社団法人ロシア NIS 貿易会 主任
【主要著作】
『改訂版　ロシアのことがマンガで 3 時間でわかる本』（共著、一般社団法人ロシア NIS 貿易会明日香出版社、2014 年）、『ロシアの政治と外交』（共著、放送大学教育振興会、2015 年 3 月）、「ウクライナ侵攻とロシアの地域情勢——首長たちへの直接・間接的影響」（日本国際問題研究所編『大国間競争時代のロシア』、2023 年 3 月）など。

佐藤宏之（さとう　ひろゆき）〔12〕
東京大学 名誉教授
【主要著作】
『北方狩猟民の民族考古学』（北海道出版企画センター、2000 年）、『晩氷期の人類社会：北方狩猟採集民の適応行動と居住形態』（山田哲・出穂雅実との共編著、六一書房、2016 年）など。

シモーヒナ、クセーニャ（Shimokhina, Ksenia）〔52〕
北海道大学大学院文学院博士課程大学院生

白岩孝行（しらいわ　たかゆき）〔5〕
北海道大学低温科学研究所 准教授
【主要著作】
「巨大魚付林：アムール川・オホーツク海・知床を守るための日中ロの協力」（『外交フォーラム』No.217、2006 年）、『魚附林の地球環境学 ── 親潮・オホーツク海を育むアムール川』（昭和堂、2011 年）、「第 5 章　オホーツク海の命運を握るアムール川」（田畑伸一郎・江淵直人編著『環オホーツク海地域の環境と経済』北海道大学出版会、2012 年）など。

高倉浩樹（たかくら　ひろき）〔26, 61〕
東北大学東北アジア研究センター 教授
【主要著作】
『極北の牧畜民サハ ── 進化とミクロ適応をめぐるシベリア民族誌』（昭和堂、2012 年）、『寒冷アジアの文化生態史（東北アジアの社会と環境）』（編著、古今書院、2018 年）、『総合人類学としてのヒト学』（編著、放送大学教育振興会、2018 年）など。

高島尚生（たかしま　なおき）〔51〕
大学非常勤講師（大阪大学、関西大学、神戸大学、滋賀大学、同志社大学）
【主要著作】
『基礎トゥヴァ語文法』（東京外国語大学アジア・アフリカ言語文化研究所、2008 年）、「トゥバ共和国の現在」（ユーラシア研究所編『ユーラシア研究』第 39 号、2008 年）、「洪水神話と鉄の筏（シベリア（トゥバ民族）神話）」（共著、翻訳と解説、植朗子編著『はじまりが見える世界の神話』創元社、2018 年）など。

駒木明義（こまき　あきよし）〔41〕
朝日新聞社 論説委員
【主要著作】
『検証日露首脳交渉 ―― 冷戦後の模索』（佐藤和雄との共著、岩波書店、2003 年）、『プーチンの実像』（吉田美智子・梅原季哉との共著、朝日文庫、2019 年）、『安倍 vs. プーチン ―― 日ロ交渉はなぜ行き詰まったのか』（筑摩選書、2020 年）など。

米家志乃布（こめいえ　しのぶ）〔14, 15〕
法政大学文学部地理学科 教授
【主要著作】
「レーメゾフの『公務の地図帳』と描かれたシベリア地域像」（『法政大学文学部紀要』66 号、2012 年）、『ロシア』（共著、加賀美雅弘編、朝倉書店、2017 年）、『近世蝦夷地の地域情報 ―― 日本北方地図史再考』（法政大学出版局、2021 年）など。

齋藤大輔（さいとう　だいすけ）〔37, 42, 64, 66〕
一般社団法人ロシア NIS 貿易会ロシア NIS 経済研究所 部長
【主要著作】
『改訂版　ロシアのことがマンガで 3 時間でわかる本』（共著、一般社団法人ロシア NIS 貿易会編、明日香出版、2014 年）、『ロシア極東ハンドブック』（堀内賢志・濱野剛との共編著、東洋書店、2012 年）、『ロシア・ビジネスのはじめ方』（高橋浩・芳地隆之との共編、東洋書店、2012 年）など。

坂口　泉（さかぐち　いずみ）〔35, 36〕
ロシア研究者
【主要著作】
『ロシアのことがマンガで 3 時間でわかる本』（高橋浩・服部倫卓との共著、明日香出版、2005 年）『エネルギー安全保障 ―― ロシアと EU の対話』（蓮見雄との共著、東洋書店ブックレット、2007 年）など。

阪本秀昭（さかもと　ひであき）〔16〕
天理大学 名誉教授
【主要著作】
『帝政末期シベリアの農村共同体 ―― 農村自治・労働・祝祭』（ミネルヴァ書房、1998 年）、『満洲におけるロシア人の社会と生活 ―― 日本人との接触と交流』（編著、ミネルヴァ書房、2013 年）、『ロシア正教古儀式派の歴史と文化』（中澤敦夫との共編著、明石書店、2019 年）など。

加藤博文（かとう　ひろふみ）〔11, 52〕
北海道大学アイヌ・先住民研究センター 教授
【主要著作】
『シベリアを旅した人類』（東洋書店、2008 年）、『いま学ぶアイヌ民族の歴史』（若園雄志郎との共編著、山川出版社、2018 年）、『アジアとしてのシベリア』（共著、永山ゆかり・吉田睦編、勉誠出版、2018 年）など。

雲　和広（くも　かずひろ）〔43, 70〕
一橋大学経済研究所 教授
【主要著作】
『ロシア人口の歴史と現在』（岩波書店、2014 年）、*Deamography of Russia*（共著、Palgrave-Macmillan, 2017 年）、*Gendering Post-Soviet Space*（共編著、Springer, 2021 年）など。

小泉　悠（こいずみ　ゆう）〔40〕
東京大学先端科学技術研究センター 准教授
【主要著作】
『「帝国」ロシアの地政学――「勢力圏」で読むユーラシア戦略』（東京堂出版、2019 年）、『現代ロシアの軍事戦略』（ちくま新書、筑摩書房、2021 年）、『オホーツク核要塞――歴史と衛星画像で読み解くロシアの極東軍事』（朝日新書、朝日新聞出版、2024 年）など。

越野　剛（こしの　ごう）〔25〕
慶應義塾大学文学部 准教授
【主要著作】
『ベラルーシを知るための 50 章』（服部倫卓との共編著、明石書店、2017 年）、『紅い戦争のメモリースケープ――旧ソ連・東欧・中国・ベトナム』（高山陽子との共編著、北海道大学出版会、2019 年）、『現代ロシア文学入門』（共編著、ポスト・ソヴィエト文学研究会編、東洋書店新社、2022 年）など。

小林昭菜（こばやし　あきな）〔23〕
多摩大学経営情報学部 准教授
【主要著作】
『シベリア抑留米ソ関係の中での変容』（岩波書店、2018 年）、“From Japanese Militarism to Soviet Communism The ‘Change of heart’ of Japanese POWs through Soviet Indoctrination.” Chapter 6, 2023, Routledge.（Competing Imperialisms in Northeast Asia New Perspectives, 1894-1953. Edited by Aglaia De Angeli, Peter Robinson, Peter O’ Connor, Emma Reisz, Tsuchiya Reiko）「ロシアからみたウクライナ問題」（『アジア・アフリカ研究 』62(4) 、2022 年）など。

江畑冬生（えばた　ふゆき）〔27〕
新潟大学人文学部 教授
【主要著作】
「サハ語（ヤクート語）の「双数」の解釈 —— 聞き手の数からの分析」（『言語研究』151号、2017年）、『サハ語文法 —— 統語的派生と言語類型論的特異性』（勉誠出版、2020年）、「チュルク語北東語群の接辞頭子音交替」（『北方言語研究』第12号、2022年）など。

大石侑香（おおいし　ゆか）〔48〕
神戸大学大学院国際文化学研究科 准教授
【主要著作】
『シベリア森林の民族誌 —— 漁撈牧畜複合論』（昭和堂、2023年）など

大西秀之（おおにし　ひでゆき）〔13, コラム4〕
同志社女子大学現代社会学部社会システム学科 教授
【主要著作】
『トビニタイ文化からのアイヌ文化史』（同成社、2009年）、『東アジア内海世界の交流史 —— 周縁地域における社会制度の形成』（加藤雄三・佐々木史郎との共編著、人文書院、2008年）、「景観に刻まれたソビエト体制の展開と崩壊 —— ナーナイ系先住民の集落景観を形作った土地利用と生計戦略」（『年報人類学研究』8号、2018年）など。

荻原眞子（おぎはら　しんこ）〔30〕
千葉大学 名誉教授
【主要著作】
『北方諸民族の世界観 —— アイヌとアムール・サハリン地域の神話・伝承』（草風館、1996年）、『いのちの原点「ウマイ」 —— シベリア狩猟民文化の生命観』（藤原書店、2021年）、『英雄叙事詩　アイヌ・日本からユーラシアへ』（福田晃との編著、三弥井書店、2018年）など。

小熊宏尚（おぐま　ひろなお）〔69〕
共同通信社新潟支局長、元モスクワ支局員、外信部編集委員
【主要著作】
「記者の『取写選択』」（『ロシアNIS調査月報』ロシアNIS貿易会、2015年4月号から連載）、「ユダヤ文化の離れ小島で」（共同通信取材班『伝える　訴える』柘植書房新社、2017年）、「ユーロマイダン革命」（服部倫卓・原田義也編著『ウクライナを知るための65章』明石書店、2018年）など。

生田美智子（いくた　みちこ）〔18〕
大阪大学 名誉教授
【主要著作】
『大黒屋光太夫の接吻――異文化コミュニケーションンと身体』（平凡社、1997年）、『ロマノフ王朝時代の日露交流』（東洋文庫との監修、牧野元紀編、勉誠出版、2020年）、『満洲からシベリア抑留へ――女性たちの日ソ戦争』（人文書院、2022年）など。

井上岳彦（いのうえ　たけひこ）〔31〕
大阪教育大学教育学部 特任准教授
【主要著作】
Yumiko Ishihama, Ryosuke Kobayashi, Makoto Tachibana, Takehiko Inoue, eds., *The Resurgence of "Buddhist Government":Tibetan-Mongolian Relations in the Modern World.* Osaka: Union Press, 2019.「ダムボ・ウリヤノフ『ブッダの予言』とロシア仏教皇帝像」（『スラヴ研究』63号、2016年）、「遊牧から漁撈牧畜へ――定住政策下のカルムィク（18世紀後半～19世紀中葉）」（『地域研究』（地域研究コンソーシアム）20巻1号、2020年）など。

岩花　剛（いわはな　ごう）〔10〕
アラスカ大学フェアバンクス校・Research Assistant Professor
【主要著作】
『北極読本――歴史から自然科学、国際関係まで』（共著、南極OB会編集委員会編、成山堂書店、2015年）など。

内田一彦（うちだ　かずひこ）〔コラム3〕
東京農業大学 客員教授
【主要著作】
「日露修好150周年記念回航事業『次世代交流の船』乗船記」（『外交フォーラム』2005年）、「日ロ関係を見る学生の視点――日露学生フォーラムを終えて」（『外交フォーラム』2006年）など。

内山暁央（うちやま　あきお）〔45〕
株式会社ロシア旅行社

【執筆者紹介】（〔　〕は担当章・担当コラム、50 音順、＊は編著者）

麻田雅文（あさだ　まさふみ）〔20, 21, 22〕
岩手大学人文社会科学部 准教授
【主要著作】
『中東鉄道経営史 ―― ロシアと「満洲」1896 ～ 1935』（名古屋大学出版会、2012 年）、『満蒙 ―― 日露中の「最前線」』（講談社選書メチエ、2014 年）、『シベリア出兵 ―― 近代日本の忘れられた七年戦争』（中公新書、2016 年）、『日露近代史 ―― 戦争と平和の百年』（講談社現代新書、2018 年）など。

天野尚樹（あまの　なおき）〔19, 68〕
山形大学人文社会科学部 教授
【主要著作】
『樺太 40 年の歴史 ―― 40 万人の故郷』（原暉之との共編著、全国樺太連盟、2017 年）、『北東アジアの地政治 ―― 米中日ロのパワーゲームを超えて』（共著、岩下明裕編著、北海道大学出版会、2022 年）、『日ソ戦争史の研究』（共著、日ソ戦争史研究会編、勉誠出版、2023 年）など。

飯島慈裕（いいじま　よしひろ）〔6〕
東京都立大学都市環境学部 教授
【主要著作】
『気象研究ノート第 230 号：北半球寒冷圏陸域の気候・環境変動』（佐藤友徳との共編著、日本気象学会、2014 年）、*Water-Carbon Dynamics in Eastern Siberia*（Ohta, T. ほかとの共編著、Springer Japan、2019 年）、『森林科学シリーズ 第 5 巻　森林と水』（三枝信子ほか編、分担執筆：第 4 章、共立出版、2022 年）など。

伊賀上菜穂（いがうえ　なほ）〔32〕
中央大学総合政策学部 教授
【主要著作】
『ロシアの結婚儀礼 ―― 家族、共同体、国家』（彩流社、2013 年）、「ロシア正教古儀式派教会の展開に見る『伝統』の利用 ―― ロシア連邦ブリヤート共和国におけるセメイスキーの事例より」（佐々木史郎・渡邊日日編『ポスト社会主義以後のスラヴ・ユーラシア世界―比較民族誌的研究』国立民族学博物館論集 4、風響社、2016 年）、「小説の中の白系ロシア人と日本人との結婚 ――「満洲国」の枠組みの中で」（新免康編著『ユーラシアにおける移動・交流と社会・文化変容』中央大学出版会、2021 年）など。

【編著者紹介】

服部 倫卓（はっとり　みちたか）

北海道大学スラブ・ユーラシア研究センター教授。

1964年生まれ。東京外国語大学外国語学部ロシヤ語学科卒業。青山学院大学大学院国際政治経済学研究科修士課程修了。北海道大学大学院文学研究科博士後期課程（歴史地域文化学専攻・スラブ社会文化論）修了（学術博士）。社団法人ソ連東欧貿易会・ソ連東欧経済研究所研究員、在ベラルーシ共和国日本国大使館専門調査員、一般社団法人ロシアNIS貿易会・ロシアNIS経済研究所所長などを経て、2022年から現職。

【主要著作】

『ウクライナを知るための65章』（2018年、明石書店、原田義也氏との共編著）、『ベラルーシを知るための50章』（2017年、明石書店、越野剛氏との共編著）、『不思議の国ベラルーシ――ナショナリズムから遠く離れて』（岩波書店、2004年）など。

ホームページは、http://hattorimichitaka.g1.xrea.com ブログは、http://www.hattorimichitaka.net

吉田　睦（よしだ　あつし）

千葉大学名誉教授。

1958年生まれ。京都大学文学部卒業。ロシア科学アカデミー民族学・人類学研究所大学院修了（PhD.）。外務省勤務（1981～1992年）を経て1999年より千葉大学文学部助教授、准教授、教授。2024年3月定年退職。

【主要著作】

『トナカイ牧畜民の食の比較文化・社会誌――西シベリア・ツンドラ・ネネツの生業と食の比較文化』（彩流社、2003年）、「4.世界の穀倉地帯――ロシアとその周辺：ウクライナ、中央アジア」「10.多様な民族と地域文化」加賀美雅弘編『ロシア』〔世界地誌シリーズ9〕所収（朝倉書店、2017年）、『アジアとしてのシベリア――ロシアの中のシベリア先住民世界』〔アジア遊学227〕（勉誠出版・2021年、永山ゆかり氏との共編）など。

エリア・スタディーズ　203
ロシア極東・シベリアを知るための70章

2024年5月31日　初　版第1刷発行

編著者　服　部　倫　卓
　　　　吉　田　　　睦
発行者　大　江　道　雅
発行所　株式会社 明石書店
〒101–0021 東京都千代田区外神田 6–9–5
電話　03（5818）1171
FAX　03（5818）1174
振替　00100–7–24505
https://www.akashi.co.jp
組版　明石書店デザイン室
印刷・製本　日経印刷株式会社

（定価はカバーに表示してあります）　ISBN978-4-7503-5468-2

エリア・スタディーズ

1 **現代アメリカ社会を知るための60章**
明石紀雄、川島浩平 編著

2 **イタリアを知るための62章**【第2版】
村上義和 編著

3 **イギリスを旅する35章**
辻野功 編著

4 **モンゴルを知るための65章**【第2版】
金岡秀郎 著

5 **パリ・フランスを知るための44章**
梅本洋一、大里俊晴、木下長宏 編著

6 **現代韓国を知るための61章**【第3版】
石坂浩一、福島みのり 編著

7 **オーストラリアを知るための58章**【第3版】
越智道雄 著

8 **現代中国を知るための54章**【第7版】
藤野彰 編著

9 **ネパールを知るための60章**
日本ネパール協会 編

10 **アメリカの歴史を知るための65章**【第4版】
富田虎男、鵜月裕典、佐藤円 編著

11 **現代フィリピンを知るための61章**【第2版】
大野拓司、寺田勇文 編著

12 **ポルトガルを知るための55章**【第2版】
村上義和、池俊介 編著

13 **北欧を知るための43章**
武田龍夫 著

14 **ブラジルを知るための56章**【第2版】
アンジェロ・イシ 著

15 **ドイツを知るための60章**
早川東三、工藤幹巳 編著

16 **ポーランドを知るための60章**
渡辺克義 編著

17 **シンガポールを知るための65章**【第5版】
田村慶子 編著

18 **現代ドイツを知るための67章**【第3版】
浜本隆志、髙橋憲 編著

19 **ウィーン・オーストリアを知るための57章**【第2版】
広瀬佳一、今井顕 編著

20 **ハンガリーを知るための60章**【第2版】 ドナウの宝石
羽場久美子 編著

21 **現代ロシアを知るための60章**【第2版】
下斗米伸夫、島田博 編著

22 **21世紀アメリカ社会を知るための67章**
明石紀雄 監修 赤尾千波、大類久恵、小塩和人、落合明子、川島浩平、高野泰 編

23 **スペインを知るための60章**
野々山真輝帆 著

24 **キューバを知るための52章**
後藤政子、樋口聡 編著

25 **カナダを知るための60章**
綾部恒雄、飯野正子 編著

26 **中央アジアを知るための60章**【第2版】
宇山智彦 編著

27 **チェコとスロヴァキアを知るための56章**【第2版】
薩摩秀登 編著

28 **現代ドイツの社会・文化を知るための48章**
田村光彰、村上和光、岩淵正明 編著

29 **インドを知るための50章**
重松伸司、三田昌彦 編著

30 **タイを知るための72章**【第2版】
綾部真雄 編著

31 **パキスタンを知るための60章**
広瀬崇子、山根聡、小田尚也 編著

32 **バングラデシュを知るための66章**【第3版】
大橋正明、村山真弓、日下部尚徳、安達淳哉 編著

33 **イギリスを知るための65章**【第2版】
近藤久雄、細川祐子、阿部美春 編著

34 **現代台湾を知るための60章**【第2版】
亜洲奈みづほ 著

35 **ペルーを知るための66章**【第2版】
細谷広美 編著

36 **マラウィを知るための45章**【第2版】
栗田和明 著

37 **コスタリカを知るための60章**【第2版】
国本伊代 編著

38 **チベットを知るための50章**
石濱裕美子 編著

39 **現代ベトナムを知るための63章**【第3版】
岩井美佐紀 編著

40 **インドネシアを知るための50章**
村井吉敬、佐伯奈津子 編著

41 **エルサルバドル、ホンジュラス、ニカラグアを知るための45章**
田中高 編著

エリア・スタディーズ

42 **パナマを知るための70章【第2版】** 国本伊代 編著

43 **イランを知るための65章** 岡田恵美子、北原圭一、鈴木珠里 編著

44 **アイルランドを知るための70章【第3版】** 海老島均、山下理恵子 編著

45 **メキシコを知るための60章** 吉田栄人 編著

46 **中国の暮らしと文化を知るための40章** 東洋文化研究会 編

47 **現代ブータンを知るための60章【第2版】** 平山修一 著

48 **バルカンを知るための66章【第2版】** 柴宜弘 編著

49 **現代イタリアを知るための44章** 村上義和 編著

50 **アルゼンチンを知るための54章** アルベルト松本 著

51 **ミクロネシアを知るための60章【第2版】** 印東道子 編著

52 **アメリカのヒスパニック=ラティーノ社会を知るための55章** 大泉光一、牛島万 編著

53 **北朝鮮を知るための55章【第2版】** 石坂浩一 編著

54 **ボリビアを知るための73章【第2版】** 真鍋周三 編著

55 **コーカサスを知るための60章** 北川誠一、前田弘毅、廣瀬陽子、吉村貴之 編著

56 **カンボジアを知るための60章【第3版】** 上田広美、岡田知子、福富友子 編著

57 **エクアドルを知るための60章【第2版】** 新木秀和 編著

58 **タンザニアを知るための60章【第2版】** 栗田和明、根本利通 編著

59 **リビアを知るための60章【第2版】** 塩尻和子 編著

60 **東ティモールを知るための50章** 山田満 編著

61 **グアテマラを知るための67章【第2版】** 桜井三枝子 編著

62 **オランダを知るための60章** 長坂寿久 著

63 **モロッコを知るための65章** 私市正年、佐藤健太郎 編著

64 **サウジアラビアを知るための63章【第2版】** 中村覚 編著

65 **韓国の歴史を知るための66章** 金両基 編著

66 **ルーマニアを知るための60章** 六鹿茂夫 編著

67 **現代インドを知るための60章** 広瀬崇子、近藤正規、井上恭子、南埜猛 編著

68 **エチオピアを知るための50章** 岡倉登志 編著

69 **フィンランドを知るための44章** 百瀬宏、石野裕子 編著

70 **ニュージーランドを知るための63章** 青柳まちこ 編著

71 **ベルギーを知るための52章** 小川秀樹 編著

72 **ケベックを知るための56章【第2版】** 日本ケベック学会 編

73 **アルジェリアを知るための62章** 私市正年 編著

74 **アルメニアを知るための65章** 中島偉晴、メラニア・バグダサリヤン 編著

75 **スウェーデンを知るための60章** 村井誠人 編著

76 **デンマークを知るための70章【第2版】** 村井誠人 編著

77 **最新ドイツ事情を知るための50章** 浜本隆志、柳原初樹 著

78 **セネガルとカーボベルデを知るための60章** 小川了 編著

79 **南アフリカを知るための60章** 峯陽一 編著

80 **エルサルバドルを知るための55章** 細野昭雄、田中高 編著

81 **チュニジアを知るための60章** 鷹木恵子 編著

82 **南太平洋を知るための58章** メラネシア ポリネシア 吉岡政德、石森大知 編著

83 **現代カナダを知るための60章【第2版】** 飯野正子、竹中豊 総監修 日本カナダ学会 編

エリア・スタディーズ

84 **現代フランス社会を知るための62章**
三浦信孝、西山教行 編著

85 **ラオスを知るための60章**
菊池陽子、鈴木玲子、阿部健一 編著

86 **パラグアイを知るための50章**
田島久歳、武田和久 編著

87 **中国の歴史を知るための60章**
並木頼壽、杉山文彦 編著

88 **スペインのガリシアを知るための50章**
坂東省次、桑原真夫、浅香武和 編著

89 **アラブ首長国連邦（UAE）を知るための60章**
細井長 編著

90 **コロンビアを知るための60章**
二村久則 編著

91 **現代メキシコを知るための70章【第2版】**
国本伊代 編著

92 **ガーナを知るための47章**
高根務、山田肖子 編著

93 **ウガンダを知るための53章**
吉田昌夫、白石壮一郎 編著

94 **ケルトを旅する52章** イギリス・アイルランド
永田喜文 著

95 **トルコを知るための53章**
大村幸弘、永田雄三、内藤正典 編著

96 **イタリアを旅する24章**
内田俊秀 編著

97 **大統領選からアメリカを知るための57章**
越智道雄 著

98 **現代バスクを知るための60章【第2版】**
萩尾生、吉田浩美 編著

99 **ボツワナを知るための52章**
池谷和信 編著

100 **ロンドンを旅する60章**
川成洋、石原孝哉 編著

101 **ケニアを知るための55章**
松田素二、津田みわ 編著

102 **ニューヨークからアメリカを知るための76章**
越智道雄 著

103 **カリフォルニアからアメリカを知るための54章**
越智道雄 著

104 **イスラエルを知るための62章【第2版】**
立山良司 編著

105 **グアム・サイパン・マリアナ諸島を知るための54章**
中山京子 編著

106 **中国のムスリムを知るための60章**
中国ムスリム研究会 編

107 **現代エジプトを知るための60章**
鈴木恵美 編著

108 **カーストから現代インドを知るための30章**
金基淑 編著

109 **カナダを旅する37章**
飯野正子、竹中豊 編著

110 **アンダルシアを知るための53章**
立石博高、塩見千加子 編著

111 **エストニアを知るための59章**
小森宏美 編著

112 **韓国の暮らしと文化を知るための70章**
舘野晳 編著

113 **現代インドネシアを知るための60章**
村井吉敬、佐伯奈津子、間瀬朋子 編著

114 **ハワイを知るための60章**
山本真鳥、山田亨 編著

115 **現代イラクを知るための60章**
酒井啓子、吉岡明子、山尾大 編著

116 **現代スペインを知るための60章**
坂東省次 編著

117 **スリランカを知るための58章**
杉本良男、高桑史子、鈴木晋介 編著

118 **マダガスカルを知るための62章**
飯田卓、深澤秀夫、森山工 編著

119 **新時代アメリカ社会を知るための60章**
明石紀雄 監修　大類久恵、落合明子、赤尾千波 編著

120 **現代アラブを知るための56章**
松本弘 編著

121 **クロアチアを知るための60章**
柴宜弘、石田信一 編著

122 **ドミニカ共和国を知るための60章**
国本伊代 編著

123 **シリア・レバノンを知るための64章**
黒木英充 編著

124 **EU（欧州連合）を知るための63章**
羽場久美子 編著

125 **ミャンマーを知るための60章**
田村克己、松田正彦 編著

エリア・スタディーズ

126 **カタルーニャを知るための50章**
立石博高、奥野良知 編著

127 **ホンジュラスを知るための60章**
桜井三枝子、中原篤史 編著

128 **スイスを知るための60章**
スイス文学研究会 編

129 **東南アジアを知るための50章**
今井昭夫 編集代表 東京外国語大学東南アジア課程 編

130 **メソアメリカを知るための58章**
井上幸孝 編著

131 **マドリードとカスティーリャを知るための60章**
川成洋、下山静香 編著

132 **ノルウェーを知るための60章**
大島美穂、岡本健志 編著

133 **現代モンゴルを知るための50章**
小長谷有紀、前川愛 編著

134 **カザフスタンを知るための60章**
宇山智彦、藤本透子 編著

135 **内モンゴルを知るための60章**
ボルジギン・ブレンサイン 編著 赤坂恒明 編集協力

136 **スコットランドを知るための65章**
木村正俊 編著

137 **セルビアを知るための60章**
柴宜弘、山崎信一 編著

138 **マリを知るための58章**
竹沢尚一郎 編著

139 **ASEANを知るための50章**
黒柳米司、金子芳樹、吉野文雄 編著

140 **アイスランド・グリーンランド・北極を知るための65章**
小澤実、中丸禎子、高橋美野梨 編著

141 **ナミビアを知るための53章**
水野一晴、永原陽子 編著

142 **香港を知るための60章**
吉川雅之、倉田徹 編著

143 **タスマニアを旅する60章**
宮本忠 著

144 **パレスチナを知るための60章**
臼杵陽、鈴木啓之 編著

145 **ラトヴィアを知るための47章**
志摩園子 編著

146 **ニカラグアを知るための55章**
田中高 編著

147 **台湾を知るための72章【第2版】**
赤松美和子、若松大祐 編著

148 **テュルクを知るための61章**
小松久男 編著

149 **アメリカ先住民を知るための62章**
阿部珠理 編著

150 **イギリスの歴史を知るための50章**
川成洋 編著

151 **ドイツの歴史を知るための50章**
森井裕一 編著

152 **ロシアの歴史を知るための50章**
下斗米伸夫 編著

153 **スペインの歴史を知るための50章**
立石博高、内村俊太 編著

154 **フィリピンを知るための64章**
大野拓司、鈴木伸隆、日下渉 編著

155 **バルト海を旅する40章** 7つの島の物語
小柏葉子 著

156 **カナダの歴史を知るための50章**
細川道久 編著

157 **カリブ海世界を知るための70章**
国本伊代 編著

158 **ベラルーシを知るための50章**
服部倫卓、越野剛 編著

159 **スロヴェニアを知るための60章**
柴宜弘、アンドレイ・ベケシュ、山崎信一 編著

160 **北京を知るための52章**
櫻井澄夫、人見豊、森田憲司 編著

161 **イタリアの歴史を知るための50章**
高橋進、村上義和 編著

162 **ケルトを知るための65章**
木村正俊 編著

163 **オマーンを知るための55章**
松尾昌樹 編著

164 **ウズベキスタンを知るための60章**
帯谷知可 編著

165 **アゼルバイジャンを知るための67章**
廣瀬陽子 編著

166 **済州島を知るための55章**
梁聖宗、金良淑、伊地知紀子 編著

167 **イギリス文学を旅する60章**
石原孝哉、市川仁 編著

エリア・スタディーズ

168 **フランス文学を旅する60章**
野崎歓 編著

169 **ウクライナを知るための65章**
服部倫卓、原田義也 編著

170 **クルド人を知るための55章**
山口昭彦 編著

171 **ルクセンブルクを知るための50章**
田原憲和、木戸紗織 編著

172 **地中海を旅する62章** 歴史と文化の都市探訪
松原康介 編著

173 **ボスニア・ヘルツェゴヴィナを知るための60章**
柴宜弘、山崎信一 編著

174 **チリを知るための60章**
細野昭雄、工藤章、桑山幹夫 編著

175 **ウェールズを知るための60章**
吉賀憲夫 編著

176 **太平洋諸島の歴史を知るための60章** 日本とのかかわり
石森大知、丹羽典生 編著

177 **リトアニアを知るための60章**
櫻井映子 編著

178 **現代ネパールを知るための60章**
公益社団法人 日本ネパール協会 編

179 **フランスの歴史を知るための50章**
中野隆生、加藤玄 編著

180 **ザンビアを知るための55章**
島田周平、大山修一 編著

181 **ポーランドの歴史を知るための55章**
渡辺克義 編著

182 **韓国文学を旅する60章**
波田野節子、斎藤真理子、きむ ふな 編著

183 **インドを旅する55章**
宮本久義、小西公大 編著

184 **現代アメリカ社会を知るための63章【2020年代】**
明石紀雄 監修 大類久恵、落合明子、赤尾千波 編著

185 **アフガニスタンを知るための70章**
前田耕作、山内和也 編著

186 **モルディブを知るための35章**
荒井悦代、今泉慎也 編著

187 **ブラジルの歴史を知るための50章**
伊藤秋仁、岸和田仁 編著

188 **現代ホンジュラスを知るための55章**
中原篤史 編著

189 **ウルグアイを知るための60章**
山口恵美子 編著

190 **ベルギーの歴史を知るための50章**
松尾秀哉 編著

191 **食文化からイギリスを知るための55章**
石原孝哉、市川仁、宇野毅 編著

192 **東南アジアのイスラームを知るための64章**
久志本裕子、野中葉 編著

193 **宗教からアメリカ社会を知るための48章**
上坂昇 著

194 **ベルリンを知るための52章**
浜本隆志、希代真理子 著

195 **NATO（北大西洋条約機構）を知るための71章**
広瀬佳一 編著

196 **華僑・華人を知るための52章**
山下清海 著

197 **カリブ海の旧イギリス領を知るための60章**
川分圭子、堀内真由美 編著

198 **ニュージーランドを旅する46章**
宮本忠、宮本由紀子 著

199 **マレーシアを知るための58章**
鳥居高 編著

200 **ラダックを知るための60章**
煎本孝、山田孝子 著

201 **スロヴァキアを知るための64章**
長與進、神原ゆうこ 編著

202 **チェコを知るための60章**
薩摩秀登、阿部賢一 編著

203 **ロシア極東・シベリアを知るための70章**
服部倫卓、吉田睦 編著

204 **スペインの歴史都市を旅する48章**
立石博高 監修・著 小倉真理子 著

205 **ハプスブルク家の歴史を知るための60章**
川成洋 編著

——以下続刊

◎各巻2000円（一部1800円）

〈価格は本体価格です〉